神々の指紋

上

翔泳社

神々の指紋　上

FINGERPRINTS OF THE GODS

by Graham Hancock

日本の読者の方々へ

日本の伝統文化に魅了されている英国の作家として、『神々の指紋』が日本語に翻訳されることはこのうえなく光栄であり喜ばしいことです。『神々の指紋』は日本、そして世界中のすべての国々に深い関係があります。なぜなら、本書は人類の遙か昔の「先史時代」に隠された巨大な謎を解こうとしているからです。その謎とは、一万二〇〇〇年の昔に想像を超える地殻の大変動が起こり、ほぼ完全に壊滅させられた高度に発達した世界規模の文明のことです。

人類は、記憶を喪失しているのです。現代社会がこのように騒然としており混乱している理由の一つは、人類の起源に関する重要な情報がすっかり忘れ去られていることにあると考えています。現代人はこれまでの進歩に対して誇りを持ち過ぎ、傲慢になっており、このような進歩が簡単に破壊され、消し去られてしまう可能性に、あまりにも無関心です。

しかし我々は、記憶を回復しはじめた時代に生きています。目覚めの時であり、真実が少しづつ明るみにでてきています。世界中であらゆる分野の人々が真実を追究していますが、『神々の指紋』

はそれらの研究の成果の最新レポートであり、集大成であります。もうすぐ衝撃的な発見があるでしょう。その大発見がある可能性の高い地域は、巨大な遺跡があるエジプトのギザのピラミッド周辺です。ここでは、長期にわたって日本の考古学者も活躍しています。

これから数年の間に、これらの発見は人類の歴史にたいする見方を根本的に変えてしまうことでしょう。

グラハム・ハンコック

謝辞

本書はパートナーのサンサ・ファイーアの寛大さ、温かさ、変わらぬ愛情がなければ書き終えることはできなかった。彼女はいつも創造力と、親切と想像力で周りにいる人々を、豊かな気持ちにさせてくれる。この本のなかのすべての写真は彼女によるものだ。

また六人の息子と娘たち――ガブリエル、レイラ、ルーク、ラビ、ショーン、シャンティの支援と励ましにも感謝する。

私の両親、ドナルド・ハンコックとムリエル・ハンコックはこのプロジェクトが困難にぶつかった時には、いつも信じられないほどの支援をしてくれた。執筆中、両親は叔父のジェームズ・マコーレイともども、原稿を丹念に読んで意見を述べてくれた。古くからの親しい友人であるピーター・マーシャルにも感謝したい。彼は数々の嵐のような困難を一緒に乗り越えてくれた。ロブ・ガードナー、ジョセフ・ヤホダ、シェリー・ヤホダ、ロエル・オーストラ、ジョセフ・ショール、ローラ・ショール、ニーブン・シンクレア、コリン・スキナー、クレム・バランスも素晴らしい助言を与えてくれた。

一九九二年のことだったが、ミシガン州ランシングに友人がいることを知った。名前はエド・ポニスト。エドは私の前の著書『The Sign and the Seal』が出版された直後に連絡を取ってくれたが、米国における調査をボランティアで行ない本書に関連する資料を集めてくれた。エドの仕事は驚異的で、タイミングよく必要な資料を届けてくれ、まったく存在を知らなかった重要な文献も送ってくれた。エドはまた優れた批評家でもある。私は付き合い始めてすぐにエドの判断を信頼し、尊敬するようになった。サンサと私がアリゾナのホピ・インディアンを訪ねたときの水先案内人はエドだった。

エドからの手紙は『The Sign and the Seal』を書いた後に受けとった世界中からの手紙の洪水の中にあった。最初はすべての手紙に返事を書いていた。だがそのうち本書を執筆するための調査に没頭しなければならなくなり、返事が書けなくなった。大変申し訳ないことをしたと思うが、手紙には大変に感謝していることをお伝えしたい。今後は送ってくださる手紙にたいして、もっと効率的に対応したいと思っている。なぜなら、送られてくる手紙には高度な情報が含まれていることが、多々あるからだ。

本書の執筆にあたっては、マーチン・スレイビン、デービッド・ミステキー、ジョナサン・デリックなどの研究者が援助してくれた。また大西洋の両側の編集者トム・ウェルドン（ハイネマン）、ジム・ウェイド（クラウン）、ジョン・ピアース（ダブルデイ・カナダ）に感謝したい。また私の著作権エージェントであるビル・ハミルトンとサラ・フィッシャーの変わらぬ支援と適格な助言に感謝する。

調査中に親しくなった、同じようなテーマを研究している仲間たちにも感謝している。英国のロバート・ボーヴァル（今後、似たテーマの本を二冊、一緒に書く予定だ）、米国のコリン・ウイルソン、ジョン・アンソニー・ウエスト、リュー・ジェンキンズ、カナダのランド&ローズ・フレマス、ポール・ウイリアム・ロバーツなどだ。

最後にイグネイシャス・ドネリー、アーサー・ポスナンスキー、R・A・シュワレ・ド・リュビク、チャールズ・ハプグッド、ジョルジョ・デ・サンティラーナなどの諸先輩に敬意を表わしたい。彼らは、人類史の解釈にはひどい誤解があることに気がつき、世間の反対にも屈せず、勇気を持って自分たちの意見を述べてきた。その結果、現在では後退する心配をする必要がないほど、人類史見直しの機運が高まってきている。

目次

第1部　地図のミステリー

第1章　見えない場所の地図

第8偵察技術飛行大隊（ＳＡＣ）
米国空軍
ウェストオーバー空軍基地
マサチューセッツ州
1960年７月６日

用件：海軍総督ピリ・レイスの世界地図
宛先：チャールズ・Ｈ・ハプグッド教授
　　　キーン州立大学
　　　キーン、ニューハンプシャー州

拝啓

1513年に描かれたピリ・レイスの世界地図の奇妙な点について鑑定してほしいという件ですが、当方の調査結果が出ましたのでお知らせします。

地図の下側は、南極大陸のクイーンモードランド地方プリンセスマーサ海岸と、パーマー半島を描いているという指摘は正しいと思います。そのように見るのが最も論理的な見方であり、おそらくこの地図の最も正しい解釈でしょう。

この地図の詳細は、1949年にスウェーデンと英国による南極大陸調査団によって氷原の上から行なわれた地震波測定の結果と、驚くほど完全に一致しています。

そうなると、この地図が描かれたのはクイーンモードランド地方が氷床で閉ざされる前だったことになります。
この地方の氷床の厚さは現在では1.6キロもあります。

1513年当時の地理的知識から考えると、どのように情報を得てこの地図を作成したのか、まったく見当もつきません。

敬具

ハロルド・Ｚ・オールマイヤー
米国空軍中佐
司令官

さりげない言葉で書かれているが、オールマイヤーの手紙の内容は衝撃的なものだ。[1] もしクイーンモードランド地方の地図が、氷で覆われる前に描かれていたとしたら、オリジナルの地図が作成された時期は、非常に古いことになる。

正確にはいつごろ描かれたことになるのか？

これまでの通念では、南極大陸が現在のように氷原で覆われたのは、数百万年も昔のことだ。だが、詳しく調べると、この通念には多くの欠陥がある。したがって総督ピリ・レイスによって描かれたクイーンモードランド地方の地図は、数百万年も前の大陸の姿ではないようだ。数百万年も前に描かれたとすると、誰がこのような地図を描く技術を持っていたかを説明しなければならないが、それは難しい。たとえば紀元前二〇〇万年にこの地図が描かれたとすると、人類が誕生する前のことになる。信頼できる最新資料によれば、地図に描かれているクイーンモードランド地方とその近辺は、長い間、氷に覆われていなかった。氷に覆われはじめたのは六〇〇〇年前である。[2] このことについては次章で触れる。だがそれにしても、地図の作成は複雑な文化事業であり、「誰が六〇〇〇年以上も前に、このような仕事をしたのか？」という疑問を解決しなければならない。六〇〇〇年前といえば、現在の歴史家が認めている最初の本格的な文明が発達する前なのだ。

古代の出典

この疑問を解き明かす前に、歴史的・地理的な基本事実について確認しておこう。

❶ピリ・レイスの地図は本物であり、捏造《ねつぞう》されたものではなく、一五一三年にコンスタンチノープルで作成されている。(3)
❷この地図はアフリカの西海岸、南アメリカの東海岸、南極大陸の北海岸をカバーしている。
❸当時、ピリ・レイスは南極大陸の北海岸に関して、探検家から情報を得ることはできなかった。南極大陸が発見されたのは一八一八年であり、ピリ・レイスが地図を描いてから三〇〇年も後のことだからだ。(4)
❹地図にある氷が覆われていないクイーンモードランド地方の海岸は、大いなる謎である。地質学上の証拠にしたがうと、氷のない状態でこの地方を調査できたのは、紀元前四〇〇〇年よりも前ということになるからだ。(5)
❺このような調査ができた最初の時期を的確に示すことはできない。だが、クイーンモードランド地方の沿岸は、氷原に飲み込まれてしまうまで、少なくとも九〇〇〇年間は氷結していない状態にあったようだ。(6)
❻この氷結していなかった紀元前一万三〇〇〇年から前四〇〇〇年の間に、沿岸を調査することができる、あるいは必要に迫られた文明の存在は、歴史上では記録されていない。(7)

言い換えれば、この一五一三年の地図の真の謎は、一八一八年まで発見されていない大陸が描かれていたことにもあるが、それにもまして、誰が、六〇〇〇年前の氷のない状態の大陸沿岸を描いたのか、ということにある。

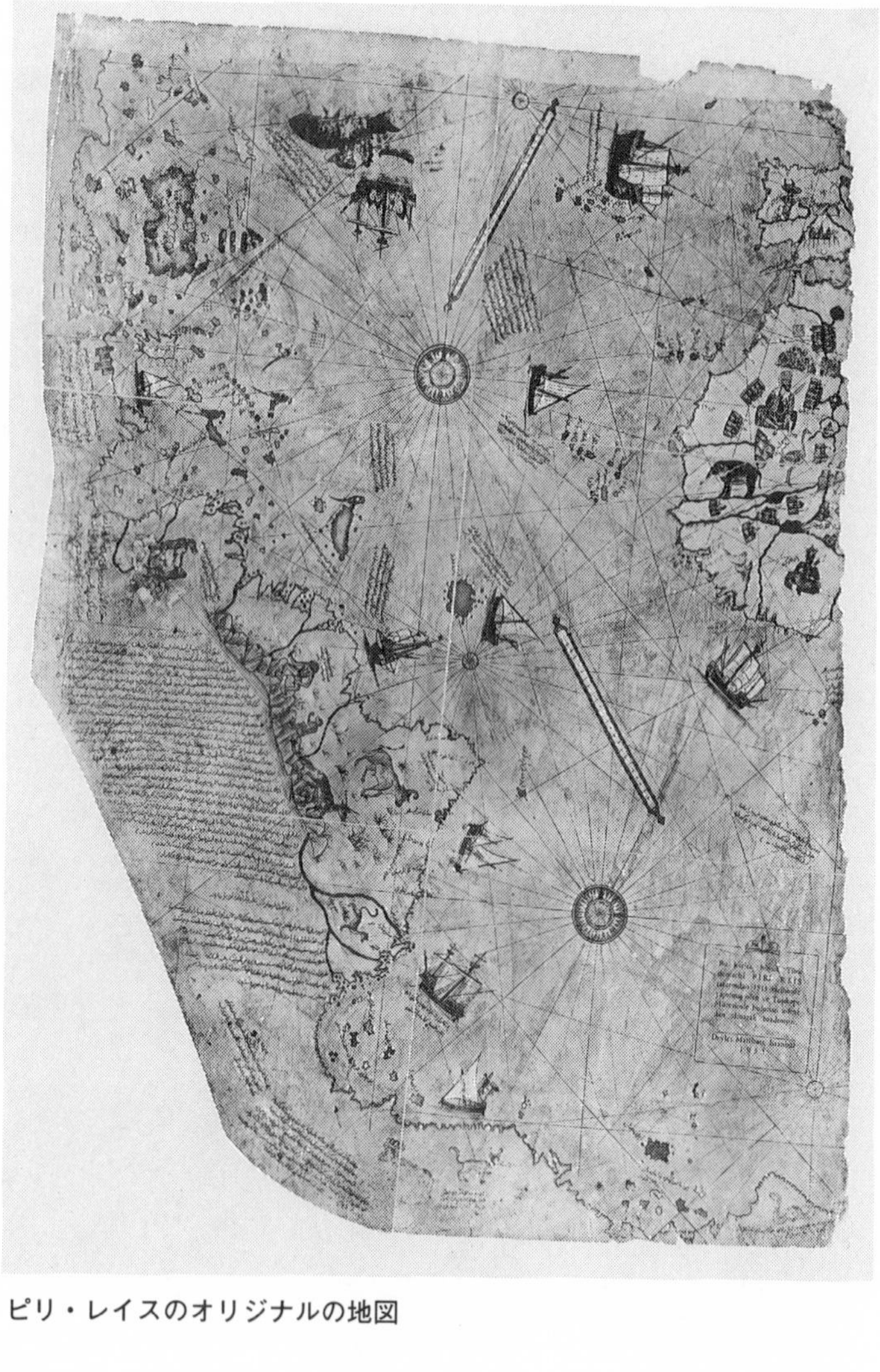

ピリ・レイスのオリジナルの地図

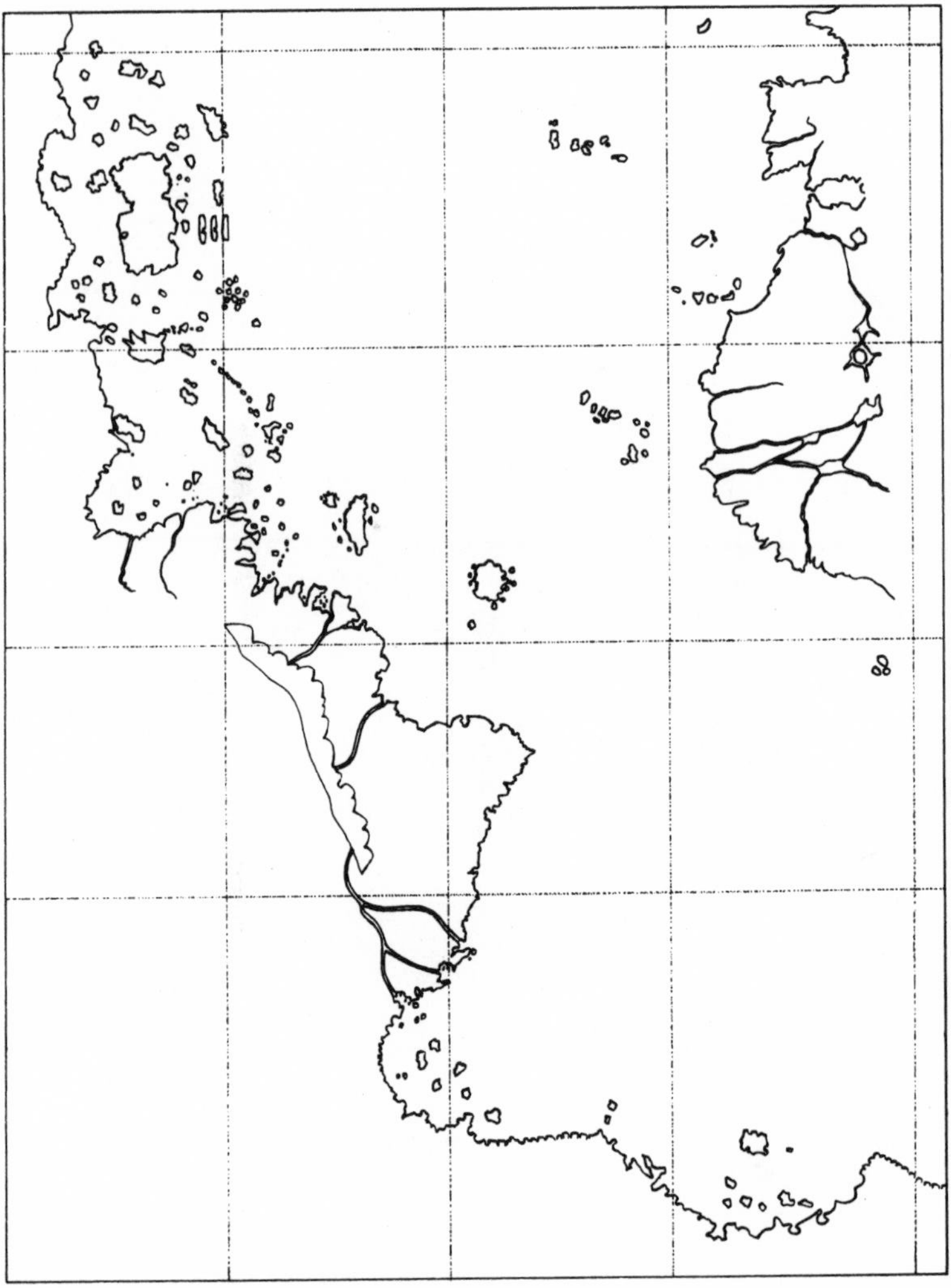

ピリ・レイスの地図から細部を描き起こしたもの

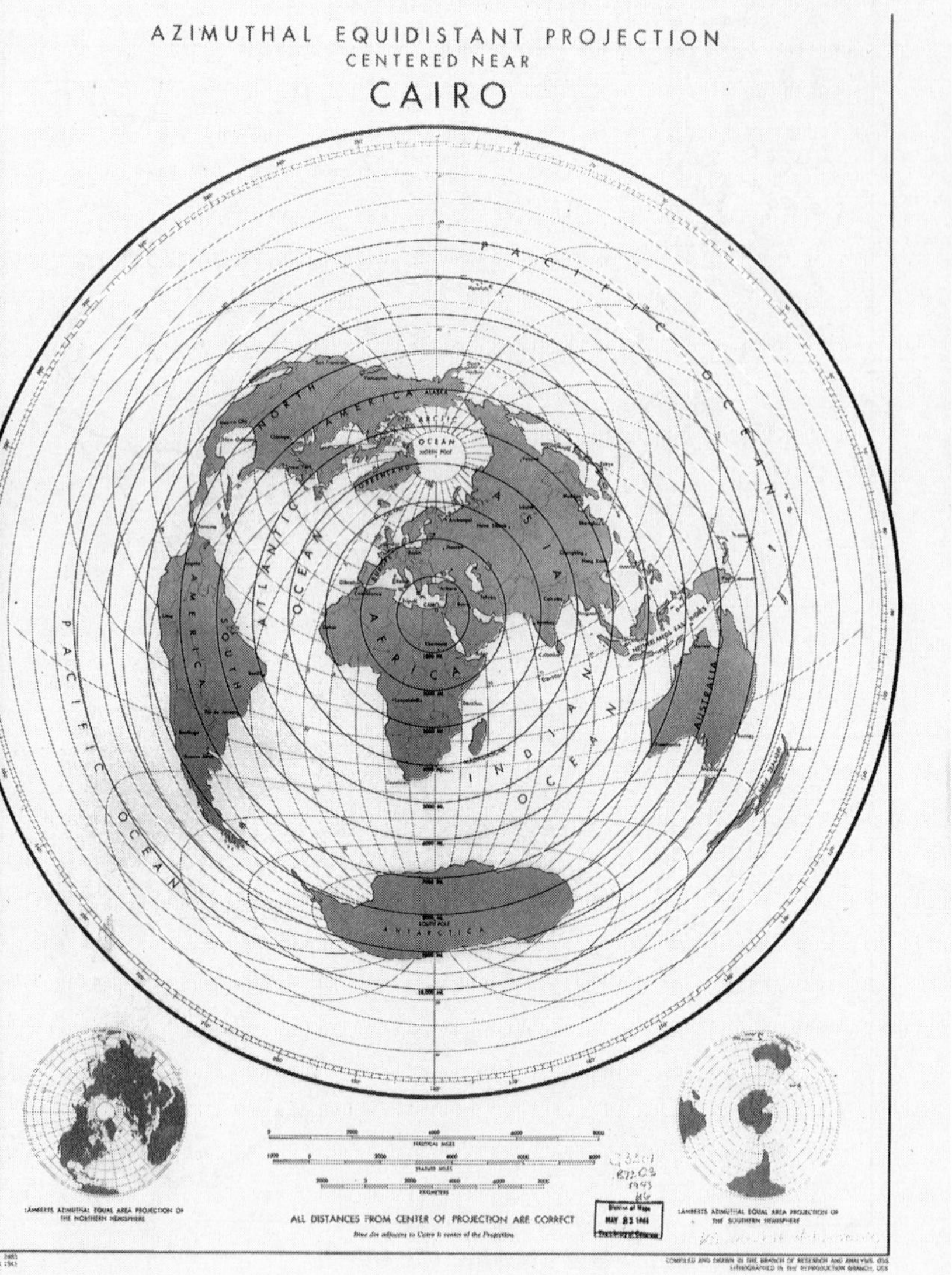

米国空軍の地図　これと同じような投影図法がピリ・レイスの古地図で使われた可能性がある。

有り難いことに、ピリ・レイスはこの疑問への回答を、地図の中に自筆で書き込んでいる。ピリ・レイスによると、彼自身が地形を調査し、地図を作成したわけではないという。[8] 彼は単なる編集者であり、模倣者であり、たくさんの元になる地図からこの地図を作成したという。元の地図のいくつかは、南アメリカやカリブ海まで到達していた当時の探検家たち（クリストファー・コロンブスを含む）が作成したものであり、いくつかは紀元前四世紀か、それよりも前に作成された地図だという。[9]

古い地図が誰によって作成されたかについて、ピリ・レイスはなにも意見を述べていない。だが、一九六三年にハプグッド教授が、この問題について新しい、示唆に富む見解を発表した。ハプグッド教授は、総督ピリ・レイスが使用した古い地図のいくつか・・・とくに紀元前四世紀よりも前の地図は、さらに古い時代の地図を模写したものだというのだ。だが、この古い地図も、さらに古代の地図を元に作られたのではないかという。ハプグッド教授は紀元前四〇〇〇年よりも前に地球の詳細な地図が作成されていたことは、反論の余地がないほど明らかだと断言している。これらの地図を作成したのは、非常に高い技術レベルに達していた、まだ知られていない文明だというのだ。[10]

正確な情報が人から人へと伝えられたようだ。地図はまだ知られていない文明の人々によって作成されたもので、たぶん古代の偉大な航海民族であったミノア人やフェニキア人によって伝えられてきたのだ。これらの地図は、エジプトのアレクサンドリアの大図書館で収集され研究されたという証拠が残っている。この図書館の地理学者がこれらの地図を編集したのだ。[11]

ハプグッド教授の見解では、編集された地図やオリジナルの地図は、アレクサンドリアの図書館から、コンスタンチノープルなどの学術の中心地に送付されたという。その後、一二〇四年にコンスタンチノープルがベネチア人で構成される第四次十字軍によって占領されてから、これらの地図はヨーロッパの冒険家や船乗りの手に渡るようになったという。

地図に描かれていたのは、ほとんどが地中海や黒海といった地域だったが、他の地域の地図も残されている。残された地図の中には、アメリカ大陸、北極海、南極海の地図がある。このことからも太古の航海者たちは世界中を飛び回っていたことがわかる。信じ難いかもしれないが、太古の人々は、南極大陸がまだ氷に覆われていないころに、この大陸の沿岸を探険していたという証拠もある。また、太古の人々は正確に経度を計測できる航海道具を持っていた。その道具は中世、近代のものよりも優れており、同じレベルのものが作られたのは一八世紀の後半のことだ。

このような失われた技術の存在は、遠い昔に失われた文明があったという多くの仮説に、ある信頼性を与えている。学者たちは、それらの証拠を単なる神話にすぎないと、簡単に片付けてしまっている。だがここに、重大な証拠がある。この証拠があるので、過去に簡単に片付けてしまった証拠も、もう一度、心を開いて再検証する必要があるのだ。[12]

ハプグッド教授の科学的研究にたいしては、アルバート・アインシュタインの熱烈な支持があった（これについては後述する）。また、後になって米国地理協会のジョン・ライト会長が「ハプグッド教授の仮説は、さらに調査が必要だという警鐘を鳴らしている」と認めたにもかかわらず、その後、この風変わりな古代地図に対する科学的研究は行なわれていない。さらに教授は、人類の文明の古さに関して新たな貢献をした・・・と喝采を浴びてもよいはずだが、生涯を終えるまで、同時代の学者のほとんどから冷遇された。同時代の学者たちは、まともな議論もせず、「間の抜けた皮肉で対処し、本筋と関係のない些細な要素を取り上げて非難し、基本的な問題に直面するのを避けた」のだ[13]。

時代の遥か先を歩いた人

故チャールズ・ハプグッド教授は米国ニューハンプシャー州のキーン州立大学で歴史学を教えていた。教授は地理学者でもなければ、古代歴史学者でもなかった。だが後世の人々が、世界史の基礎をくつがえし、世界地理の多くの定説を変えた人物としてハプグッド教授を賛えても不思議ではない。

アルバート・アインシュタインはハプグッド教授の偉大さを理解した最初の人物の一人だった。アインシュタインとしては珍しいことだが、一九五三年にハプグッド教授が出版した本に次のような序文を寄稿している。ハプグッド教授がピリ・レイスの地図研究を開始する数年前のことだ。

私は多くの人々から新しい学説を発表したいので、相談にのってもらいたいという手紙を頂く。だが、それらの学説のほとんどには科学的な根拠がない。だが、ハプグッド教授から頂いた書簡には、最初から興奮を覚えた。教授の学説は独創的であり、非常にわかりやすく、今後も正しいことが証明されていくならば、地球の歴史に関して極めて重要なものとなるだろう。(14)

一九五三年に出版された本におけるハプグッド教授の学説というのは、地球規模の地質学の理論だった。その中で、なぜ南極大陸の多くの地方が紀元前四〇〇〇年まで氷で覆われていなかったか、など、地球科学の多くの変則性を華麗に解き明かしている。その議論を簡単にまとめると次のようになる。

❶南極大陸は常に氷で覆われていたわけではない。現在よりももっと暖かい時期があった。

❷暖かかった理由は、当時の南極大陸は現在よりも三二〇〇キロメートルほど北方にあったからだ。当時の南極大陸は南極圏の外にあり、寒帯に存在していなかった。(15)

❸大陸が現在の南極圏内の位置に移動したのは、地球上で「地殻移動」として知られる現象が起こったためだ。この現象を「プレート・テクトニクス（地球の表層部を構成している幾つかの岩盤の移動によって地殻変動が起こるとする説）」や「大陸漂移説」と混同してはならな

い。「地殻移動」とは、地球の表層の地殻全体が「内部の軟らかな部分をそのままに、数回にわたってずれる。これは中身から遊離したオレンジの皮全体が、一度にずれるようなもの」なのだ[16]。

❹「地殻移動」によって南極大陸が南に移動していく間に、大陸はだんだんと寒くなっていった。氷原が形成され、拡大され、数千年の間に現在の形になった[17]。

この過激な説を支える多くの証拠については、本書の第8部でふれる。だが、保守的な地理学者たちはハプグッド教授の説を受け入れることを躊躇している（だが、この説を否定できた人はいない）。この説は多くの問題を提示している。

そのなかでもっとも重要なのは、「地殻移動」という現象を起こすような強大な力が、どのようにして生まれたのかという問題だ。

これに関しては、ハプグッド教授の研究をまとめたアインシュタイン博士の説明が、最も適切だろう。

極地圏においては氷が継続的に堆積していくが、極地の周りに均等に堆積するわけではない。地球は回転しており、不均等に堆積した氷に影響された遠心力の運動が起こり、それが地球の硬い地殻に伝達される。このような形で作り出され、継続的に増大する遠心力運動は、ある時点に達すると地球の内部はそのままで、地殻だけを動かすことになる[18]。

ピリ・レイスの地図は、「地球の地殻が突然、南にずれたため、それまで氷のなかった南極大陸の一部が氷に覆われることになった」という理論を裏付ける、驚くほど多くの証拠を含んでいる。さらに、この地図は紀元前四〇〇〇年よりも前にしか描けなかったわけであり、この地図が示唆する人類の文明の歴史は驚くべきものとなる。紀元前四〇〇〇年より前には、文明はまったく存在していなかった、というのが現在の定説だからだ。

簡略化しすぎているかもしれないが、現在の学説は以下のようなものだ。

●文明が最初に生まれたのは、中東の肥沃な三日月地帯である。

●文明が発展したのは紀元前四〇〇〇年以降のことであり、世界最古の文明（シュメールとエジプト）が登場し、最盛期に達したのが紀元前三〇〇〇年頃。その頃、インダス文明と中国文明が芽生えた。

●さらに一五〇〇年ほど経ってから、各地で文明が同時に発達したが、南北アメリカ大陸では独自に発達した。

●アジア、アフリカ、ヨーロッパなどの旧世界では紀元前三〇〇〇年頃から（南北アメリカ大陸などの新世界では紀元前一五〇〇年頃から）、文明はより洗練され、複雑で生産性が高まる方向に絶え間なく「進化」した。

●その結果、すべての古い文明は（あらゆる面で）、現在のわれわれの文明と比べて原始的であったとされた。(シュメール文明の天文学者は、天空を非科学的に怖れていたとされ、エジプトのピラミッドでさえ、「原始技術」で造られたと考えられている)。

だが、ピリ・レイスの地図の証拠からすれば、これらはすべて矛盾している。

ピリ・レイスと原地図

生存していた時のピリ・レイスは有名な人物であり、歴史的にゆるぎない存在だ。オスマン・トルコ帝国海軍の総督であり、一六世紀中頃の多くの海戦で勝利を収めている。総督は地中海の地理の専門家と見なされていた。有名な航海術の本『キタビ・バーリエ』の著者でもある。この本はエーゲ海と地中海の海岸、港、海流、浅瀬、上陸地点、湾、海峡について詳しく説明している。このように素晴らしい経歴の持ち主だが、上司の策略にはまり、一五五四年か一五五五年に打ち首にされている。[19]

ピリ・レイスが一五一三年に複写した地図の原図はコンスタンチノープルの帝国図書館に所蔵されていたものと思われる。総督ピリ・レイスはこの図書館に自由に出入りしていたのだ。それらの原地図(さらに古い学術の中心地から運ばれたか、そうした場所で書き写されたものであろう)は、現存していない。少なくとも、現時点では見つかっていない。だが、ピリ・レイスの地図は、コンスタンチノープルの古い宮殿の図書館で、一九二九年に再発見されている。羊の皮に描かれたこの地図は、巻かれて、ほこりをかぶった棚に置かれていた。[20]

失われた文明の遺産

当惑したオールマイヤー中佐が、一九六〇年にハプグッド教授に宛てた手紙の中で認めているように、ピリ・レイスの地図は、南極大陸の氷の下にあるクイーンモードランド地方の正しい姿を詳細に描写している。だが、この地方の地形は紀元前四〇〇〇年という昔から、氷原に覆われてしまい完全に隠されている。この地方の地形が再び明らかになったのは、一九四九年に英国とスウェーデンの科学調査団が、徹底した地質調査を行なったときだ[21]。

このような珍しい情報に接した地図作成者がピリ・レイスだけなら、彼の作った地図を重大視するのは間違いだろう。たとえば「たぶん重要な地図だ。だがまったくの偶然かもしれない」と言うことができる。だが、ありえない、あるいは不可解と思えるこの地理の情報を所有していたのは、このトルコの総督だけではなかった。この知識の断片は文化から文化、時代から時代へと長い年月にわたり伝達されてきている。だが、誰がどのようにこの知識を保存し伝達したかについては、ハプグッド教授がすでに推測した以上のことを思索しても徒労に終わるだろう。どのような仕組みがあったにしろ、多くの地図作成者が、同じようにこの古代地図の秘密を知っていたのは事実なのだ。

これらの地図作成者たちは、無意識のうちに、失なわれた文明の豊かな科学遺産の継承に参加していたのだろうか？

第2章　南方大陸の河

一九五九年から六〇年のクリスマス休暇にチャールズ・ハプグッド教授は、首都ワシントンの議会図書館の資料室で、南極大陸の地図を探していた。ここで数週間にわたり地図探しに没頭していた教授は、何百という中世の地図や海図に埋もれていた。

ハプグッド教授によれば、

予想もしていなかったほどわくわくさせられる発見がたくさんあった。多くの海図が南の大陸を描いていたのだ。ある日のことだ。私はページを開いたまま、椅子に釘付けになった。一五三一年にオロンテウス・フィナエウスによって描かれた世界地図の南半球の部分を目にしたとき、真の南極大陸を示す正統な地図を発見したことをただちに確信したのだ。

大陸の全体的な形は、近代地図の南極大陸の輪郭と驚くほど似ている。南極点は大陸のほぼ中央にあり、だいたい正確に見える。沿岸に沿って連なる山脈は、最近発見された南極大陸の山並みと似ている。この地図が誰かの想像でいいかげんに描かれたものでないことは明らかだ。山脈は沿岸にあるが内陸にもある。その多くの山並みからは河が流れ出て、海に到達している。河の流れは極めて自然で本物に間違いないようだ。このことは当然ながら、最初の地図が描かれたとき、この沿岸地方は氷に覆われていなかったことを思わせる。一方、内陸部には河も山も描かれておらず、すでに氷に覆われていたことをうかがわせる。(1)

オロンテウス・フィナエウスの地図を詳しく調べたハプグッド教授と、マサチューセッツ工科大学のリチャード・ストローン博士の結論は、以下のようなものだ。

❶この地図は、異なった図法で描かれたいくつかの古い地図をもとに、模写して作り上げたものだ。(2)

❷この地図は氷に覆われていない時代の南極大陸の沿岸地方を示している。それらは、クイーンモードランド、エンダービーランド、ウィルクスランド、ビクトリアランド（ロス海の東海岸）、マリーバードランドである。(3)

❸ピリ・レイスの地図と同様に、地形の全体的輪郭や特徴は、氷の下にある南極大陸の地形を地震波測定した結果と正確に一致している。(4)

オロンテウス・フィナエウスの地図は「驚くべき提言になるが、南極大陸がまだ氷で覆われてい

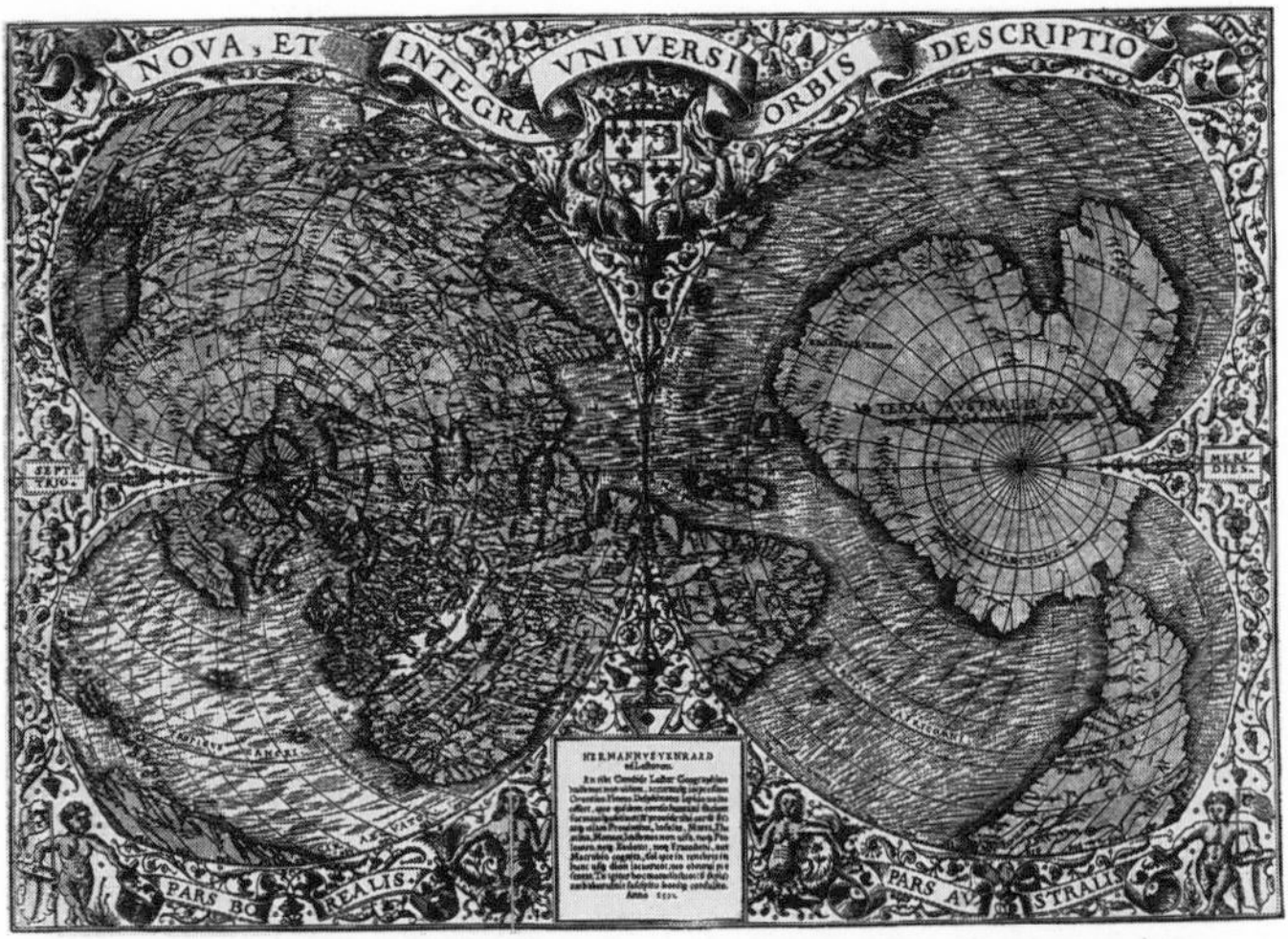

オロンテウス・フィナエウスの地図　氷に覆われていない南極大陸の沿岸、山脈、川が描かれている。

なかった頃、人類がここを訪れていただけでなく、居住していたことを示す。そうなると、その時期は極めて古い時代となる。・・・オロンテウス・フィナエウスの地図から考えると、オリジナルの地図製作者の文明は、北半球の最後の氷河時代が終わったときにまでさかのぼることになる」とハプグッド教授は結論している。(5)

ロス海

このハプグッド教授の見解をさらに裏付ける証拠となるのが、オロンテウス・フィナエウスの地図に描かれたロス海の姿だ。現在では巨大なビアドモア氷河やスコット氷河が海に達しているが、一五三一年の地図には広い河口、入江、河の存在が示されている。これらの存在は、オロンテウス・フィナエウスが書き写したオリジナルの地図が描かれたときに、ロス海とその湾岸は氷で覆われてはいなかったことを示す。「さらにこれらの河に水が流れていたということは、相当な内陸部まで氷に覆われていなかったことを示唆する。現在では湾岸も内陸も一・六キロメートルもの厚さの氷原で覆われているのだ。ロス海には氷棚が何百メートルの厚さで浮いている[6]」

ロス海の証拠は、南極大陸がまだ氷で覆われていない時期、つまり紀元前四〇〇〇年以上も前に、未知の文明によって地図が描かれたという見方をさらに補強するものだ。この見解は一九四九年にバード南極探検隊が行なった、ロス海の海底探査によってさらに強化された。探検隊はコアチューブ（標本を採取するために地下に挿入される管）を使って海底の堆積物を採取した。堆積物はいくつかの異なった時代環境を区別する地層をはっきりと表わしていた。「原生氷状海産物」、「中期氷状海産物」、「完成氷状海産物」などが識別できたのだ。だが、驚くべき発見があった。「多くの層がきめの細かい多彩な堆積物でできていた。これらは温度の高い陸地（氷のない）から流れ込む河によって堆積したものだ・・・[7]」

W・D・アーリ博士によって開発されたイオニウム年代判定法（海中の三つの異なった放射性元素を使って調べる[8]）を使用した、ワシントンのカーネギー財団の調査員たちは、これらの堆積物が明らかに六〇〇〇年前までロス海に流れ込んでいたことを確認した。オロンテウス・フィナエウスの地図が示すように、この頃まで南極大陸の大きな河が、きめの細かい多彩な堆積物を海に運んでいたのだ。紀元前四〇〇〇年頃になって「ロス海の底に氷状の堆積物が溜まりはじめた。・・・コアチューブの調査では、そのまえに暖かい時期が長いあいだ続いたことを示す」という[9]。

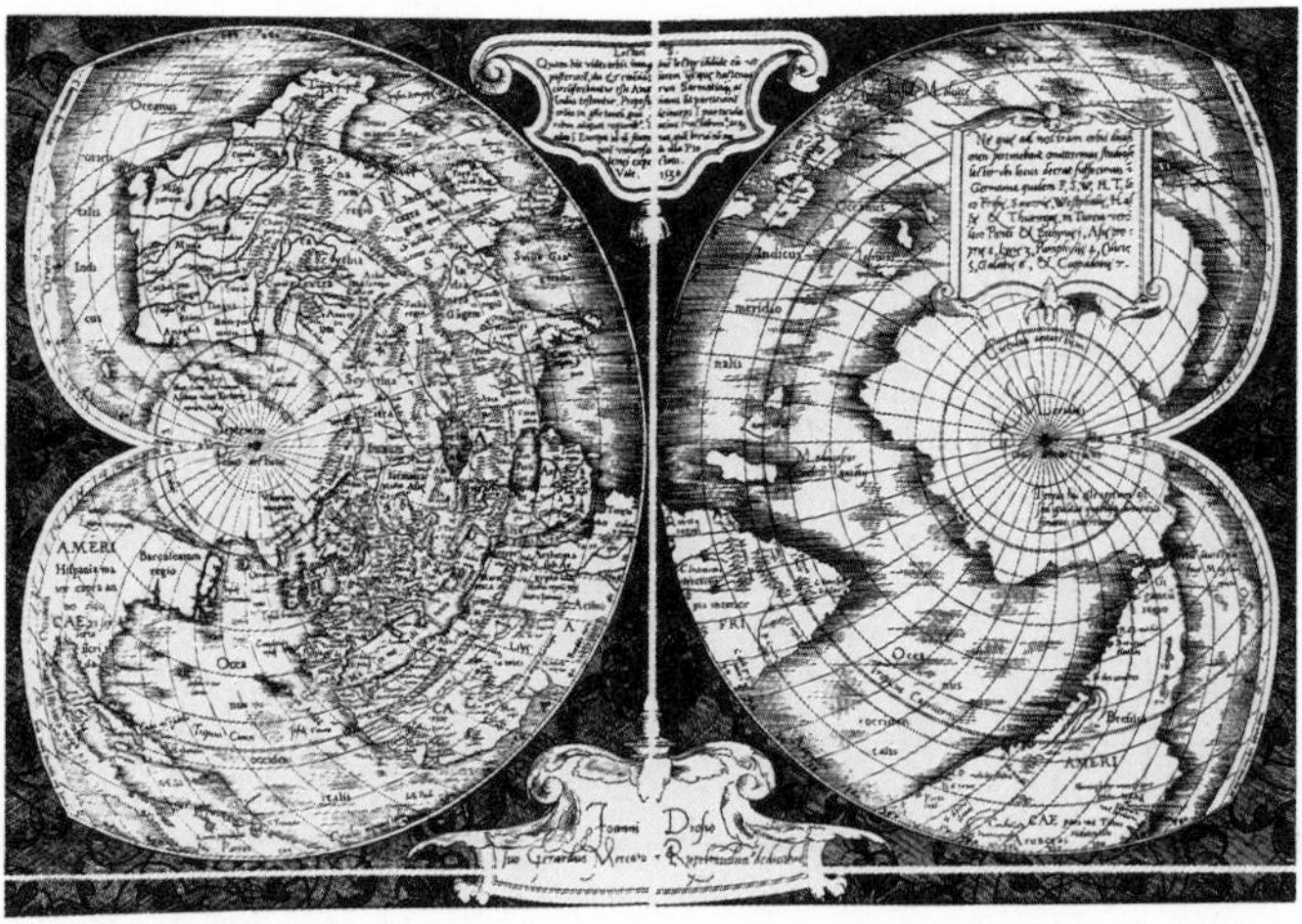

メルカトルの地図　氷に覆われた南極大陸の山脈、川が描かれている。

メルカトルとビュアッシュ

ピリ・レイスとオロンテウス・フィナエウスの地図は、南極大陸の姿を見せてくれるが、歴史的に考えて、当時の地図製作者には見ることのできない世界だったはずだ。この二つの地図だけでは、失われた文明の指紋を見ているのだと信じさせるには不十分かもしれない。だが、同じような地図が、三つ、四つ、六つと存在しているのに、それらを無視できるだろうか？

たとえば、メルカトルという名前で知られている一六世紀の著名なオランダの地図製作者ジェラルド・クレマーが制作したいくつかの地図の歴史的意義も、これまでのように無視し続けるのが理屈にかなっている、と言えるだろうか？　今日でも使用されているメルカトル図法の製作者として著名な、この謎の多い人物は（一五六三年に突然、エジプトの大ピラミッドを訪問している）[10]、「根気よく古代の文献を探した」ことで知られている。メルカトルは長年にわたって古代の原地図を熱心に集め、膨大で広範囲な参考資料を収集していた[11]。

一五六九年にメルカトルが発行した「アトラス」の中に、オロンテウス・フィナエウスの地図が含まれているのは重要である。同時にこの年、メルカトル自身でいくつかの南極大陸の地図を描いている。それらの地図には当時はまだ知られていなかったはずの地方が描かれている。それらは、マリーバードランドのダート岬、ハーラチャー岬、アムンゼン海、エルズワースランドのサーストン島、ベリングスハウゼン海のフレッチャー島、アレクサンダー島、南極（パルマー）半島、ウェッデル海、ノービージア岬、クイーンモードランドのレギュラ山脈（島として描かれている）、ミューリグホフマン山地（やはり島として描かれている）、プリンスハラルド海岸、プリンスハラルド海岸の河口としての白瀬氷河、リュツォホルム湾のパダ島、エンダービーランドのプリンスオーラフ海岸などだ。「ときにはこれらの地形はオロンテウス・フィナエウスの地図よりも明瞭に描かれていた。これを見るとメルカトルがオロンテウス・フィナエウスが使用した以外の原地図を所有していたことが明らかだ」とハプグッド教授は述べている[12]。

だがメルカトルだけではない。

一八世紀のフランスの地理学者フィリップ・ビュアッシュも、この南の大陸が正式に発見されるかなり前に、南極大陸の地図を出版している。ビュアッシュの地図の興味深い特徴は、書き写された原地図の作成時期が、メルカトルやオロンテウス・フィナエウスの原地図よりもさらに数千年も古く思えることだ。ビュアッシュの地図は、まだまったく氷が存在しなかった時の南極大陸の姿を、

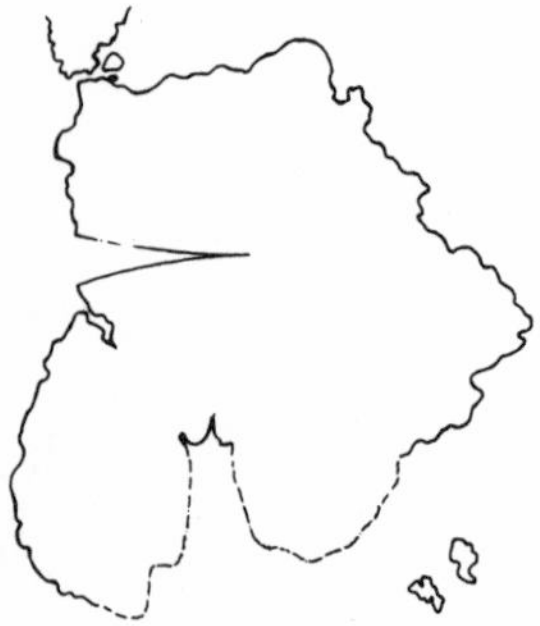

上の左と右：メルカトルとオロンテウス・フィナエウスの地図を描き直したもので、南極大陸がだんだんと氷に包まれていったことがわかる。　**下左：**ビュアッシュ地図の描き直し。　**下右：**現代の地震探査による、氷の下の南極大陸の地形。

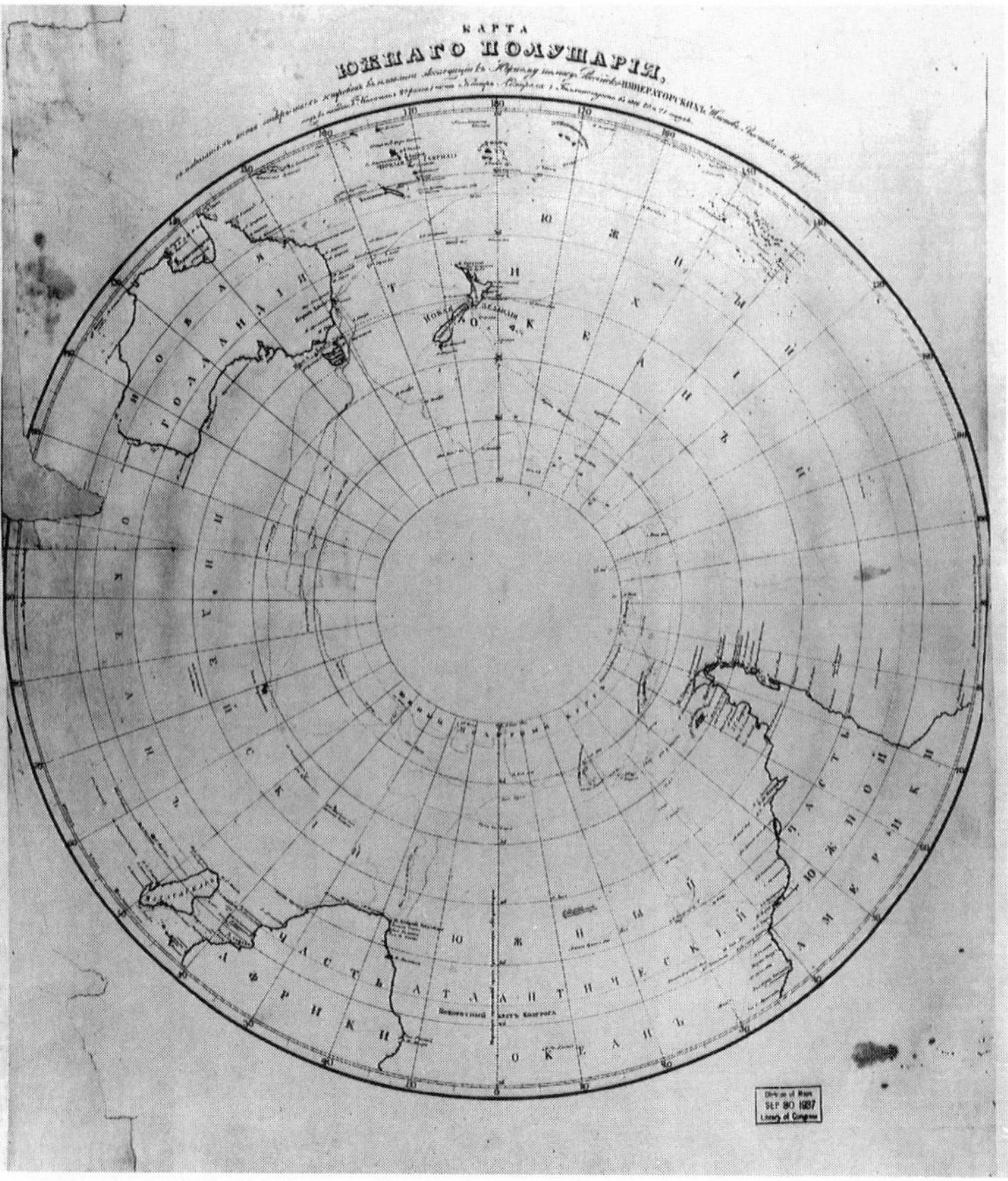

19世紀初頭のロシアの地図　当時はまだ南極大陸の存在は知られていなかった。南極大陸は1818年に「発見」された。だが、歴史が始まる以前の、まだ存在が明らかになっていない高度な文明の地図製作者によって、数千年も前に南極大陸の地図が描かれていたのだろうか？

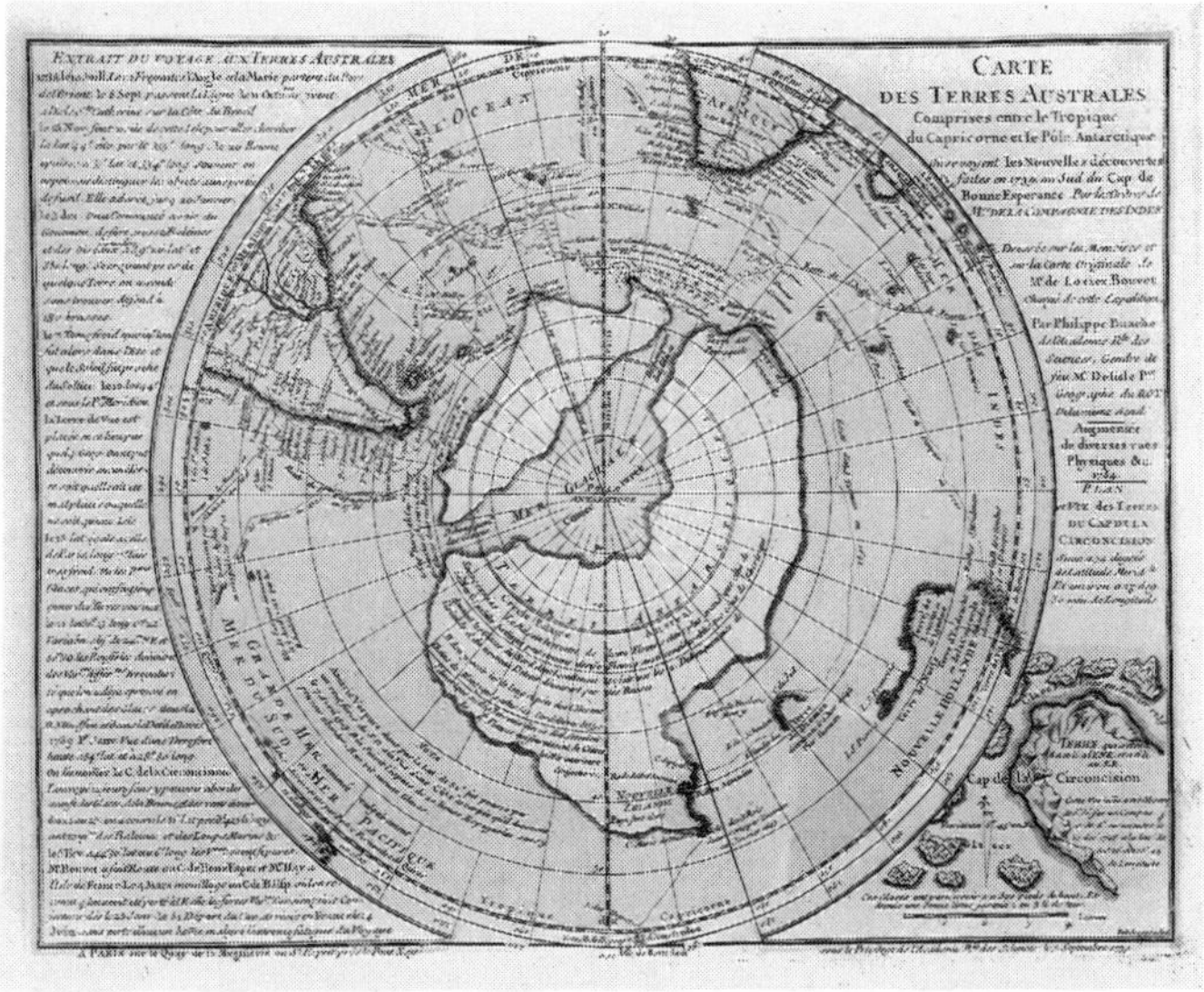

ビュアッシュの地図　大きな島があり、氷に覆われる前の南極大陸の姿をよく示している。

戦慄を覚えるほど精密に示している。[13] この地図は氷の下にある南極大陸の地形をはっきりと描いているが、このような地形をしていることは、国際地球物理年であった一九五八年に、精密な地質探査が行なわれるまで、われわれですら知りえなかったのだ。

一九五八年の調査は、ビュアッシュが一七三七年に発表した南極大陸の地図の正しさを確認することになった。現在は失われている古代の原地図をもとに、フランスの学者は南の大陸を横切る水路を明瞭に描いている。この水路のため南の大陸は、南極横断山脈を境にして、東西二つの広大な陸地に分かれている。

ロス海とウェッデル海とベリングスハウゼン海を結ぶ水路は、もし南極大陸が氷に覆われていなければ、実際に存在するのだ。国際地球物理年であった一九五八年の調査によると、南極大陸は大きな島によって構成される多島海である（現在の世界地図では一つの大陸として描かれている）。島と島の間には一・六キロメートルもの厚さの氷が埋まっており、海面を覆い隠しているのだ。

いつ地図が作成されたのか？

前にも述べたが、多くの保守的な地理学者は、現在は氷に埋められている南極の盆地が水路であった時期は、数百万年も前のことだと信じている。だが学術的に見ると、そのような大昔に、進化した人間は住んでいなかったはずだ。当然、南極大陸を精確に描くことのできる人間がいたはずもない。ビュアッシュの地図と国際地球物理年の調査は重大な問題を提起している。これらの証拠は、南極地方が氷に覆われる前に地図が作成されていたことを意味しているからだ。学者たちは二つの矛盾する主張に直面することになる。

どちらが正しいのだ？

保守的な地理学者の意見に従い、南極大陸が氷に覆われていなかったのは数百万年も前のことだとすると、ダーウィンをはじめとする多くの科学者によって集積されてきた、人類の進化に関する学説は間違っていることになる。だが、進化論が間違っているとも思えない。化石の記録を調べると、数百万年前にはまだ進化していない人類の祖先が存在していただけのようだ。額の狭い、足を引きずって歩く原人が、地図作成という高度に知的な仕事ができたとは思えない。

それでは、氷のない南極大陸の精密な地図を作成したのは、宇宙船で来訪した宇宙人の地図作成者だったと説明すればよいのだろうか？　それともハプグッド教授の「地殻のずれ」理論を思い起こすべきなのだろうか？　この理論によると、ビュアッシュによって描かれた氷に覆われていない南極地方は、一万五〇〇〇年前に存在していたことになる[14]。

南極大陸を地図に描けるような高度な文明が紀元前一万三〇〇〇年までに発展し、その後に消滅するようなことがありうるだろうか？　もしありえたとしても、いつ消滅したのか？

ピリ・レイス、オロンテウス・フィナエウス、メルカトル、ビュアッシュの地図をあわせてみると、南極大陸は数千年にわたり継続的に調査されてきたという、強い、しかし奇妙な印象を受けざるをえない。氷原が奥地からだんだんと広がり、一〇〇〇年ごとに増大していったが、すべての沿岸が氷原に呑み込まれたのは紀元前四〇〇〇年頃だった。したがってピリ・レイスとメルカトルの地図の元となった地図は、比較的近い時期に描かれたものだろう。氷原に覆われていないのは南極大陸の沿岸だけだからだ。一方、オロンテウス・フィナエウスの地図の原地図は、さらにかなり古い時期に描かれたようだ。氷原は大陸の奥地にしか見られないからだ。ビュアッシュの地図の原地図は、まだ南極大陸がまったく氷で閉ざされていなかった、さらに古い年代に描かれたようだ（紀元前一万三〇〇〇年頃）。

南アメリカ

紀元前一万三〇〇〇年から前四〇〇〇年という同じ時期に、世界の他の地域も詳しく調査され地図に描かれていたのだろうか？　その問に答えるには、再びピリ・レイスの地図を見る必要がある。

この地図のミステリーは南極大陸だけにとどまらない。

●一五一三年に描かれたこの地図は、南アメリカに対しても詳しい知識があったことを示している。それも東海岸だけでなく、当時まだ存在すら知られていなかった大陸の西海岸のアンデス山脈の知識も豊富なのだ。この地図には探検もされていなかったアンデス山脈からアマゾン河が生まれ、東に流れている姿が正確に描かれている[15]。

●それぞれ古さの違う二〇以上の原地図を元にして作成されているピリ・レイスの地図には、アマゾン河が二つも描かれている[16]（トルコの総督は二つの異なった原地図を重ねて写してしまったようだ[17]）。一つめのアマゾン河のコースはパラ河の河口で終わっているが、そこには重要な島であるマラジョ島が描かれていない。ハプグッド教授の見解では、原地図がそうとう古いものであったのではないかという。たぶん一万五〇〇〇年ほど前の地図だという。当時はアマゾン河の河口はパラ河だけしかなく、マラジョ島は河の北側に位置する本土の一部だったのだ[18]。二つめのアマゾン河の河口にはマラジョ島が描かれている（しかも驚くほど詳細で正確に）。だがこの島が発見されたのは一五四三年のことだ[19]。ここでも未知の文明が地球の変化する地表を、何千年にもわたり継続的に調査してきた可能性が示されている。そうなると、ピリ・レイスはこの文明の残した古い地図と新しい地図を原地図として使用したことになる。

●ピリ・レイスの地図にはオリノコ河も、現在あるデルタ地帯も描かれていない。ハプグッド教授は「その代わりに内陸まで二つの入江があり、その先端は現在の河の河口にあたる（一六〇キロメートルほど内陸）ところまで来ている。経度は正しく、緯度は正確だ。したがって、原地図が描かれた時代から入江に堆積し、今日のデルタとなった可能性がある」と述べている。[20]

●フォークランド諸島も一五一三年の地図に正確な緯度で描かれているが、この島の存在が発見されたのは一五九二年のことだ。[21]

●ピリ・レイスの地図には、さらに古い時期の原地図が使われていた可能性がある。ピリ・レイスの地図には南アメリカ大陸東側の大西洋に大きな島が存在するかのように描かれているが、現在、そのような島はない。だが、この現存しない島の位置が、中央大西洋海嶺のある場所と正確に一致しているのは偶然だろうか？　ブラジルの海岸から一一〇〇キロメートルの沖、赤道のわずか北にあたるこの場所には、現在、セントピーター・ポール岩礁が波間から頭を出しているだけだ。[22] あるいは、使われた原地図が、今日よりも海面がかなり低かった氷河時代の最中に描かれたものであり、当時、この地域には大きな島が姿を現わしていたのかもしれない。

海面の高さと氷河時代

一六世紀の他の地図を調べると、最後の氷河時代に正確に調査されて作られた原地図が存在するように思える。その一つは一五五九年にトルコ人ハジ・アーメドによって編集された地図だ。この地図製作者は「驚くべき原地図を所有していたようだ」と、ハプグッド教授は述べている。[23]

ハジ・アーメドの編集した地図の、最も奇妙で驚くべき特徴は、アラスカとシベリア間が一六〇〇キロの帯状の陸地で地続きになっていることだ。このような陸の橋は現在ではもちろん存在しない(ベーリング海峡となっている)。氷河時代の終わりに海面が高くなり、海の底に沈んでしまっているのだ。[24]

海面が高くなった原因は、紀元前一万年頃、氷が急激に溶け始め、北半球の氷原が消えていったことにある。[25] したがって少なくとも一つの古い地図において、スウェーデンの南方まで、残存する氷河に覆われているのは興味深い。残存する氷河が描かれているのは、クラウディウス・プトレマイオスの有名な「北方の地図」だ。二世紀に昔のこの偉大な地理学者によって編集されたこの地図は、何百年もの間、行方不明であったが、一五世紀に再発見されている。[26]

プトレマイオスは古代の資料が大量に収集されていたアレクサンドリア図書館の管理者だった。[27] プトレマイオスはこの図書館で、古代の原資料を参考にして自分の地図を編集したのだ。[28] プトレマイオスの使用した原地図の一つが、紀元前一万年に作成されたものだった可能性があると認めると、なぜプトレマイオスの地図に紀元前一万年当時の氷河の特徴が明瞭に描かれているかが説明できる。「湖・・・は現在の湖の輪郭を思わせ、氷河からの流れと思われるものが・・・湖に流れ込んでいる」[29]

プトレマイオスがこの地図を描いたローマ時代に、北ヨーロッパに氷河時代が存在したことを知っていた人間など、地球上に誰一人いなかったことは、述べるまでもないことだろう。一五世紀にこの地図が再発見されたときですら、誰もそのような知識を持っていなかったのだ。したがって、プトレマイオスの地図に描かれている残存氷河やその他の特徴を調査したのは、現在知られている文明の人々でないことは確かだ。

これが何を意味するかは明らかだ。同様に一四八七年に、イエフディ・イブン・ベン・ザラによって描かれた地図『ポルトラノ』(海図の入った中世の航海案内書)の示唆するところも明らかだ。[30]この本のなかのヨーロッパと北アフリカの海図は、プトレマイオスが参考にした原地図よりもさらに古い地図を参考にしている。なぜならこの地図ではスウェーデンの南よりもさらに南方まで氷原で覆われているからだ(イギリスと同じ緯度まで来ている)。[31]また地中海とアドリア海とエーゲ海の描写は、ヨーロッパの氷原が溶ける前の姿のように見える。[32]当然ながら、海面の高さは現在よりもかなり低い。したがってエーゲ海のところを見ると、面白いことに現存するよりも多くの島の姿が描かれている。[33]初めて見ると異様な印象を持つ。だが、イエフディ・イブン・ベン・ザラが書き写した原海図が作成されてから一万年から一万二〇〇〇年も時が過ぎていると思うと、この不一致はすぐに説明できる。氷河時代の終わりに海面が上昇し、多くの島が海中に没してしまったのだ。

またもや消えてしまった文明の指紋を見ているようだ。地球上の遠く離れた場所に出掛け、驚くほど精密な地図を描くことのできた文明だ。

このような仕事をするには、どのような技術、どの程度の科学や文化が必要なのだろうか？

第3章　失われた科学の指紋

一五六九年のメルカトル世界地図には、まだ氷に覆われていない、数千年前の南極大陸沿岸地方の詳細な姿が描かれていることを見てきた。面白いことに、この世界地図の南アメリカ西海岸の地形の精度は、それよりも前にやはりメルカトルによって作成された地図（一五三八年）よりも劣っている。[1]

原因は、一五三八年の地図を作成したときは、たくさん所有していた古代地図を基礎にしていたが、一五六九年の地図では、スペインの探検家の計測と観察に頼ったからだ。当時、スペインの探検家たちは南アメリカ西海岸の最新情報をヨーロッパにもって帰ってきたと見なされていた。したがってメルカトルがその情報に従ったことを非難できない。だがそのために、地図の精度が劣ってしまった。一五六九年の時点では、経度を測る装置がまだ発明されていなかったが、一五三八年のメルカトルの地図の基礎となった古代地図の作成には、経度を測る装置が使われていたと思われる。[2]

経度のミステリー

経度の問題を考えてみよう。経度は本初子午線から東西の距離で定義されている。現在、国際的に認められている本初子午線は、北極点から南極点を結ぶ架空の線で、ロンドンのグリニッジ天文台の真上を通っている。そこでグリニッジの経度がゼロになり、たとえばニューヨークは西経七四度、オーストラリアのキャンベラはだいたい東経一五〇度に存在することになる。

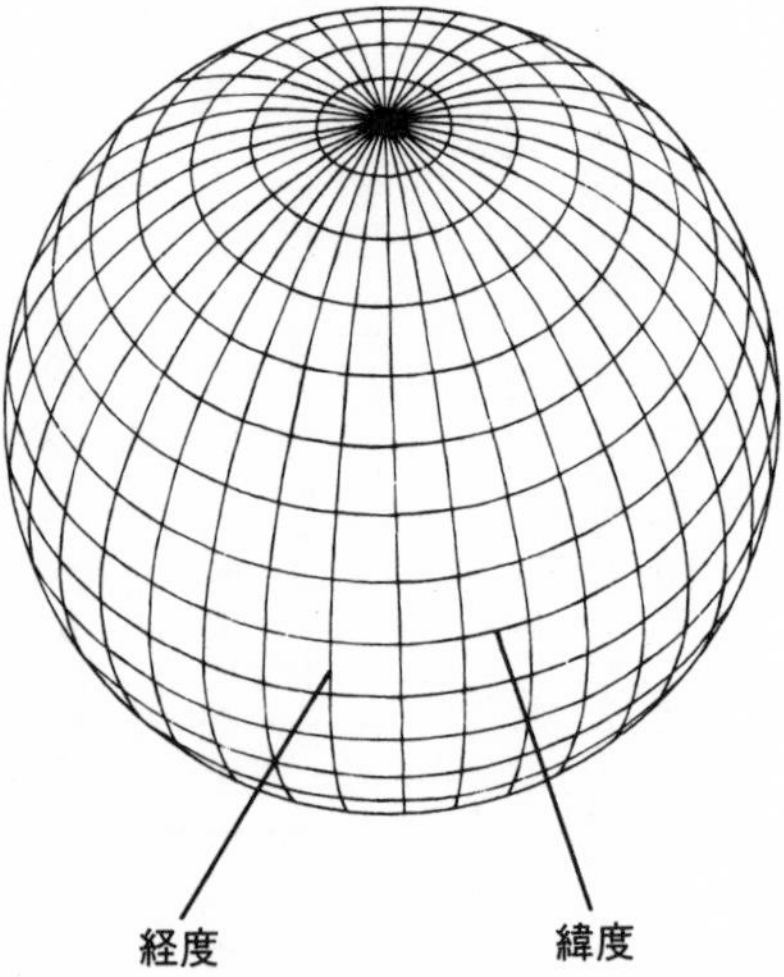

どうすれば地球上の表面のある一点を正確に示すことができるか、などといった経度に関する詳しい説明もできる。だが、ここで問題なのは技術的詳細ではない。それよりも、経度のミステリーに関する知識を、人類がいかに得てきたかという歴史的事実が問題なのだ。そのなかでも、最も重要なのは、一八世紀に革新的な発明がなされるまで、地図製作者も航海士も正確に経度を知る方法がなかった、という点だ。人々は位置を推測したが、ほとんどの場合、何百キロも狂っていた。なぜなら、正確に測ることのできる装置を持っていなかったからだ。

赤道の南や北の緯度を計測することは難しくなかった。簡単な装置を使用して太陽と星の角度を計測すればよかった。だが経度を測るには、位置と時間の両方を計測する必要があり、もっと精度の高い装置が必要だった。だが歴史的に見て、そのような装置の発明は科学者には無理だとされていた。しかし、一八世紀の初めになり海上輸送が増え、緊急に装置を発明しなければならないという気運が高まってきた。当時の専門家は「経度の測定は、航海する人々の生命を守り、客船や貨物船の安全確保をするために必須になっている。だが、正確な計測は不可能で、新聞は〝経度の発見〟という言葉を〝豚も空を飛べるかもしれない〟と言うのと同じような皮肉な意味で使っている」と述べている。[3]

とくに必要だったのは、正確な時計の発明だった。船が出発してから長い旅の間、暑気や寒気、湿気や乾燥に耐えて、完璧な正確さで時間を知らせてくれる時計だ。「そのような時計は、まだ製造されていない」[4]と、一七一四年にアイザック・ニュートンは英国政府の「経度」委員会において報告している。

そのとおりだった。一七世紀から一八世紀初めの頃の時計といえば、非常に粗野な作りで、一日に一五分ほどの誤差が出た。だが、航海に使うクロノメーター（精密な経度測定用の時計）に許される誤差は、数年間でその程度だった。[5]

有能なイギリスの時計製造業者ジョン・ハリソンが、後にクロノメーターとして完成することになる時計の試作に取りかかり始めたのが一七二〇年代だった。ジョン・ハリソンは「経度」委員会が「六週間の航海の終わった時点で、海上四八キロメートル以内の誤差で船の経度を計れる装置の発明者」へ贈る賞金二万ポンドを狙ったのだ。[6]この条件を満たすクロノメーターは、時間の誤差を一日三秒以内に保たなければならなかった。ハリソンがこの条件を満たすクロノメーターの製作に成功したのは、ほぼ四〇年後だった。この間に多くの試作品が製造され、試験された。一七六一年に、ついにハリソンの製造した華麗なクロノメーター四号は、ジャマイカ行きの英国政府の船デットフォードに搭載された。ハリソンの息子、ウィリアムも一緒だった。九日間の航海の後、ウィリアムはクロノメーターを使った経度計測の結果、「明日の朝、マデイラ諸島を見ることになるでしょう」と船長に言った。船長は五対一で外れるほうに賭けると言ってそのまま航海を続けた。賭けに勝ったのはウィリアムだった。二か月後にジャマイカに到着したが、クロノメーターは五秒ほど遅れていただけだった[7]。

ハリソンのクロノメーターは「経度」委員会の指定よりも精度が高かった。だが、英国官僚のお役所仕事のおかげで、ハリソンが二万ポンドの賞金を受けとったのは、一七七六年に亡くなる三年前であった。当然のことながら、ハリソンが設計の秘密を公開したのは、賞金を手にしてからであった。この遅れのため、ジェームズ・クック船長は一七六八年に最初の発見の旅に出たときにはクロノメーターの恩恵にあずかっていない[8]。だが第三回目の航海の時には(一七七八—七九年)、太平洋の諸島や沿岸の緯度と経度を驚くほど正確に地図に記している[9]。その結果「クック船長の努力とハリソンのクロノメーターのおかげで、航海士は太平洋の島を見つけられないとか・・・突然現われた岩礁のため遭難した、などと言えなくなった」のだ[10]。

クック船長の太平洋地図は経度が正確であり、近代における精度の高い地図のはしりだと言えるだろう。優れた地図の作成には三つの要素が欠かせない。偉大な発見の旅と、一級の数学と地図作成の技術、そして精巧なクロノメーターである。

一七七〇年代にハリソンのクロノメーターが一般的になるまでは、精巧なクロノメーターは存在しなかった。この画期的な発明があってはじめて、地図製作者は経度を正確に確定できたのだ。シュメールも古代エジプトも、ギリシアもローマも、すべての知られている歴史上の文明では、経度の測定ができなかった。できるようになったのは一八世紀なのだ。したがって、近代と同じレベルの精度で緯度と経度が記録されている古代の地図に遭遇することは、驚きであり多くの疑問を呼び起こさざるを得ない。

精度の高い装置

これまでに述べてきた、高度な地理の知識が反映されている古い地図の場合、緯度も経度も驚くほど精度が高い。これをどう説明すればよいのだろうか？

たとえば一五一三年のピリ・レイスの地図を調べると、南アメリカとアフリカの相対的経度は正確だ。だが、一六世紀の科学では、このように正確に経度を測定するのは不可能なはずだ。[11] しかしピリ・レイスは事もなげに、この地図は古代の地図を基礎にしていると述べている。この地図に描かれた正確な経度をもたらしたのは、彼が使用した古代の地図だったのだろうか？

また一三三九年に出版された『デュルチェルト航海案内書』も興味深い。この案内書はヨーロッパと北アフリカを対象にしているが、緯度は完璧に正しく、黒海と地中海の経度も〇・五度しか狂っていない。[12]

ハプグッド教授は、『デュルチェルト航海案内書』の元となった原地図は「科学的に非常に高い精度で緯度と経度の比を計算している。これができるということは、アイルランドのゴルウェーからロシアのドン川東岸までの多くの場所の相対的な経度を知っていたことになる」という。[13]

一三八〇年の「ゼノ地図」もまた謎をはらんでいる。[14]グリーンランドを含む北方の広大な領域をカバーする地図だが、広範囲にわたる地域の緯度と経度が、「驚くほど正確」なのだ。[15]ハプグッド教授は「信じられないことだ。一四世紀の人々が、これらの場所の緯度を正確に知ることすら不可能なのに、経度まで正確なのだ」という。[16]

オロンテウス・フィナエウスの世界地図にも注目する必要がある。南極大陸の沿岸の緯度も相対的経度も正しい。また大陸全体の形も驚くほど正確に描かれている。この地図に示されている地理的知識も、二〇世紀に入るまでは得ることができなかったものだ。[17]

イエフディ・イブン・ベン・ザラの描いた「航海案内書」の地図も、相対的緯度と経度に関しては非常に正確だ。[18]ジブラルタルとアゾフ海（黒海北部の内湾）の間の経度は〇・五度の誤差しかない。地図全体でも経度の誤差は一度以内なのだ。[19]

これらの例はハプグッド教授が提供する物議を醸す大量の証拠のほんの一部に過ぎない。次から次へと挙げられる、教授の丹精込めた詳細な分析結果は我々に何を語りかけているのだろうか。それは、経度を計測する正確な装置が発明されたのは一八世紀だという考えは、自らを欺くものに過ぎないということだ。

また、ピリ・レイスの地図やその他の地図を調べると、そのような装置は「再発明」されたに過ぎないことを強く示唆している。経度を計測する正確な装置は太古に存在し、歴史上では消えてしまった高い文明を持つ人々が、地球をくまなく探検し、地図を作成するために使っていたのだ。さらにそれらの人々は、精度の高い工業製品を設計・製造する能力を持っていただけでなく、数学の巨匠でもあったようだ。

消えた数学者たち

このことを理解するには、まず当り前のことを思い出して頂かなければならない。地球が球体であることだ。したがって正しく地形を表現できるのは球体だけになる。球体である地球の地図作成データを平らな紙に移すと、どうしても地形が歪む。そこで複雑な構造をもった、数学的な装置である地図投影装置を使用して、平らな紙に地図を描く。

投影図法にはいろいろな種類がある。メルカトル図法は現在でも地図作成に使用されており、よく見かける。他にも方位図法、平射図法、心射図法、正距方位図法、ハート形図法などいろいろあるが、ここでは深く立ち入るのはやめておく。重要な点は、すべての優れた図法には、古代には存在していないことになっている高度な数学が使われていることだ[20]（とくに紀元前四〇〇〇年よりも前には、文明が存在しなかったことになっている。したがって高度な数学や幾何学を発達させ、駆使できるはずもなかった）。

チャールズ・ハプグッド教授は、所有していた太古の地図をマサチューセッツ工科大学のリチャード・ストローン教授に送付して、分析を依頼した。一般的な結論はすでに明白だった。だが太古の原地図を描くには、厳密にはどの程度のレベルの数学が必要なのかを知りたかったのだ。一九六五年四月一八日にストローン教授から返事があった。それによると、非常に高いレベルの数学が使われているという。たとえばいくつかの地図には、メルカトルの時代よりもずいぶん前でありながら、メルカトルのような図法が使われているという。この図法は緯度を拡大する作業を含んでおり、その複雑さから見ると、三角座標変換法を使用したはずだという。

太古の地図作成者は優れた数学者でもあった、という結論がでるのだが、その根拠には以下のようなものがある。

❶大陸上の位置を決めるには、少なくとも幾何学的な三角測量を行なう必要がある。莫大な距離（一六〇〇キロ以上の単位）の場合には、地球の曲面を考慮して修正が必要だが、その作業には球形三角法の知識が必要である。

❷大陸間の相互位置を定めるには、地球の球体についての理解と、球形三角法の知識を必要とする。

❸この知識、および位置を測定できる精密な装置を持つ文化は、当然ながらその数学技術を利用して地図や海図を作成するはずである。[21]

ストローン教授の受けた印象は、何世代かにわたって書き写されてきたこの古代地図は、太古の神秘的な、高度に技術が発達した文明によって作られたものだというものだった。ハプグッド教授が地図の検査を依頼した米国空軍の調査担当官もこれと同じ印象を持っている。ウェストオーバー空軍基地第八調査技術飛行隊地図作成部のロレンゾ・バローズ部長は、とくに綿密にオロンテウス・フィナエウスの地図を研究した。バローズ部長の結論では、この地図の原地図のいくつかは、現在のハート形図法と似た図法で描かれていたという。

高度な数学が使われています。さらに南極大陸の形を見ると、オリジナルの原地図は球形三角法を使用し、平射図法か心射図法タイプの図法で描かれています。

あなた方が発見した事柄は正当なもので、地理と古代史に関して極めて重要な問題を投げかけていると確信します・・・[22]。

ハプグッド教授はもう一つ重要な発見をした。これは中国の地図で、石の柱に描かれていた地図を一一三七年に書き写したものだ[23]。この地図も他の地図と同じように、経度に関する精度の高い情報をもとにしており、同じように方眼状に線が引かれ、球形三角法を使用して描かれている。綿密に調べると、この地図はヨーロッパや中東の地図とそっくりで、その理由を説明する言葉は一つしかない。これらのすべての原地図は共通する発祥地から出ているということだ[24]。

ここでまた、失われた文明の科学的知識の断片に出会ったようだ。この失われた文明は、少なくともある面ではわれわれの文明と同じ程度には発達していたようで、当時の地図作成者たちは「地球全体を地図に表わしており、同じレベルの技術を持っており、似たような方法を使い、数学の知識は現代と変わらず、たぶん同じような装置を使用していた」のだ[25]。

中国の地図は新たな問題を提起している。全世界にわたって失われた文明の遺産が受け継がれているに違いないことだ。それも計り知れないほど貴重な遺産だ。その遺産には単なる洗練された地理の知識以上のものがあるに違いない。

有史前のペルーにあご髭を生やした外来者によってもたらされたという文明は、この遺産の一部なのだろうか？　ペルーでは、地球の大変動があった後の暗黒の時代に、ビラコチャと呼ばれる謎に満ちた、あご髭を生やした外来者が海から訪れ、文明を復活させたとされている。

そこで私はペルーに行くことにした。何かが発見できるかもしれないからだ。

第2部　海の泡　ペルーとボリビア

第4章　コンドルの飛翔

私は南ペルーのナスカの地上絵の上を飛んでいる。下界には鯨、猿、そしてハチドリの姿が見えてきた。広げた羽をヒラヒラさせたハチドリは、見えない幻の花に向けて繊細なくちばしを伸ばしている。それから急激に右旋回し、小さな機体の影を追って無遠慮につけられた傷跡のようなパンアメリカンハイウェイを横切りその軌道をたどると、蛇の頭を持つ素晴らしい「アルカトラズ」に遭遇する。二七四メートルもあるこのアオサギは古代の幾何学者が生み出したものだ。セスナが弧を描き、再びハイウェイを横切ると、魚と三角形の図形がペリカンの脇に配置されている。さらに左に旋回すると巨大なコンドルが羽を広げて優雅な雄姿で飛んでいる。

息をのんで眺めていたら、突然、どこからともなくコンドルが手の届きそうなところに現われた。生きているコンドルだ。墜落した天使が偉そうに上昇気流に乗って天国に戻っていくかのようだ。パイロットは驚き息をのんだが、コンドルの後を追いかけた。一瞬、コンドルの聡明そうで無感情な眼をチラッと見たが、その眼はわれわれを値踏みし、興味を持つに値しないと判断したようだった。太古の神話から抜け出てきたようなコンドルは、突然、軽蔑したような態度で斜め後方に滑空し、太陽の中に消えていった。単発エンジンのセスナはもがくだけで、低空に取り残されるしかなかった。

眼下には、二組の並行する線が見えなくなるまで三キロメートルもまっすぐに続いている。その右側には巨大な抽象的な形状物が並んでいる。これらは余りにも精密に作られているので、人間の仕事だとはとても思えない。

この辺りに住む人々によると、この仕事は人間によって行なわれたのではなく、半神半人のビラコチャ(1)の仕事だという。ビラコチャは数千年前に、アンデスのあちらこちらに指紋を残しているのだ。

線の謎

南ペルーのナスカ高原は荒涼とした場所であり、ひからびた、人を寄せつけない、不毛で痩せた土地だ。この地に人が住み着いたことはないし、これからもないだろう。人を寄せつけないという点では、月の表面とほとんど変わらないような場所だ。

巨大なデザインを好む芸術家であったなら、この豪放な高原は絶好のカンバスに見えるかもしれない。三二〇平方キロメートルのさえぎるものがない広大な台地に、傑作を描けば、砂漠の風で消えたり、砂に埋もれることもない。

この高原でも強風は吹く。だが地上に達するとその勢いがそがれる。この草原一面を覆う小石は太陽の熱を吸収し放散し、温かい空気を上昇させるので、地上を強風から保護する。さらに土には石膏が多量に含まれており、これが小石を地面に固着させている。毎朝の露はさらにこの効果を高める仕組みになっている。この場所に何かが描かれると、そのままの形で残る可能性が高いのだ。また雨もめったに降らない。十年間に一回、三〇分ほど霧雨が降る程度だ。ナスカは地球上で最も乾燥した地域だと言ってよいだろう。

したがって芸術家で、何か巨大で重要なことを表現したくて、しかもそれを永遠にとどめておきたかったら、この平らで奇妙な寂しい高原は理想的な場所だ。

専門家たちはナスカの古さについて意見を述べている。それはナスカの地上絵に埋もれていた陶器の破片や、このあたりの地下に残存していた有機体の放射性炭素を調べた結果生まれた推測である。その結果、紀元前三五〇年から紀元六〇〇年頃ではないかという。(2) だが、これは地上絵自体の古さについてはなにも語っていない。地上絵は石を取り除いて作られており、推測する方法がないのだ。確実なのは一四〇〇年以上前に作られたことだけだ。だが、理論的にはもっと古代に作られた可能性もある。なぜなら、発見された工芸品などは後の時代の人々が持ち込んだものかもしれないからだ。

ほとんどの地上絵は南ペルーのインゲニオ川とナスカ川に挟まれた地域に描かれている。ほぼ真四角の灰褐色のカンバスだが、その上部の中央から右下方向に、斜めに走る形でパンアメリカンハイウェイが四六キロにわたり通っている。ここに散在しているのは何百という多彩な図案だ。そのいくつかは動物や鳥だ(一八種類の鳥が描かれている)。だがそれより多いのは台形、四角、三角、直線などの幾何学的図形だ。空中から見ると、幾何学的図形は滑走路の寄せ集めみたいに見える。まるで誇大妄想の土木技術者が、壮大な構想にもとづいて滑走路をデザインする許可を受けたかのようだ。

人類は二〇世紀の初頭まで空を飛べなかったという前提から考えると、ナスカの地上絵が異星からきた宇宙船の着陸地であると見た識者が多かったのももっともなことだ。これは魅惑的な見解だが、ナスカはそのような場所としてはふさわしくない。たとえば、何百光年もの宇宙空間を超えて訪問してくる宇宙人は、高度な技術を持っており、滑走路などは必要としないはずだ。空飛ぶ円盤を垂直に着陸させることぐらいできるだろう。

たしかに地上絵のいくつかは滑走路のように見えるが、空飛ぶ円盤であろうと何であろうと、ナスカの地上絵を滑走路として使ったという証拠はなにもない。地上から見るナスカの地上絵はただ表面を削っただけに過ぎない。火山活動から生まれた黒い小石の瓦礫を数千トン取り除き、砂漠の黄色い砂と土をあらわにしただけなのだ。小石を取り除かれた部分の深さは数センチに過ぎないし、柔らかく、とても車輪のついた飛行体が着陸できるような地面ではない。ドイツの数学者マリア・ライヒは半世紀にわたってナスカの地上絵の研究をしているが、数年前に宇宙人の滑走路であったという説を短い言葉で否定している。「宇宙人は柔らかい土の上で立ち往生してしまうことでしょう」。

太古の異星人のための滑走路でないとすると、ナスカの地上絵は何のために作られたのか? 本

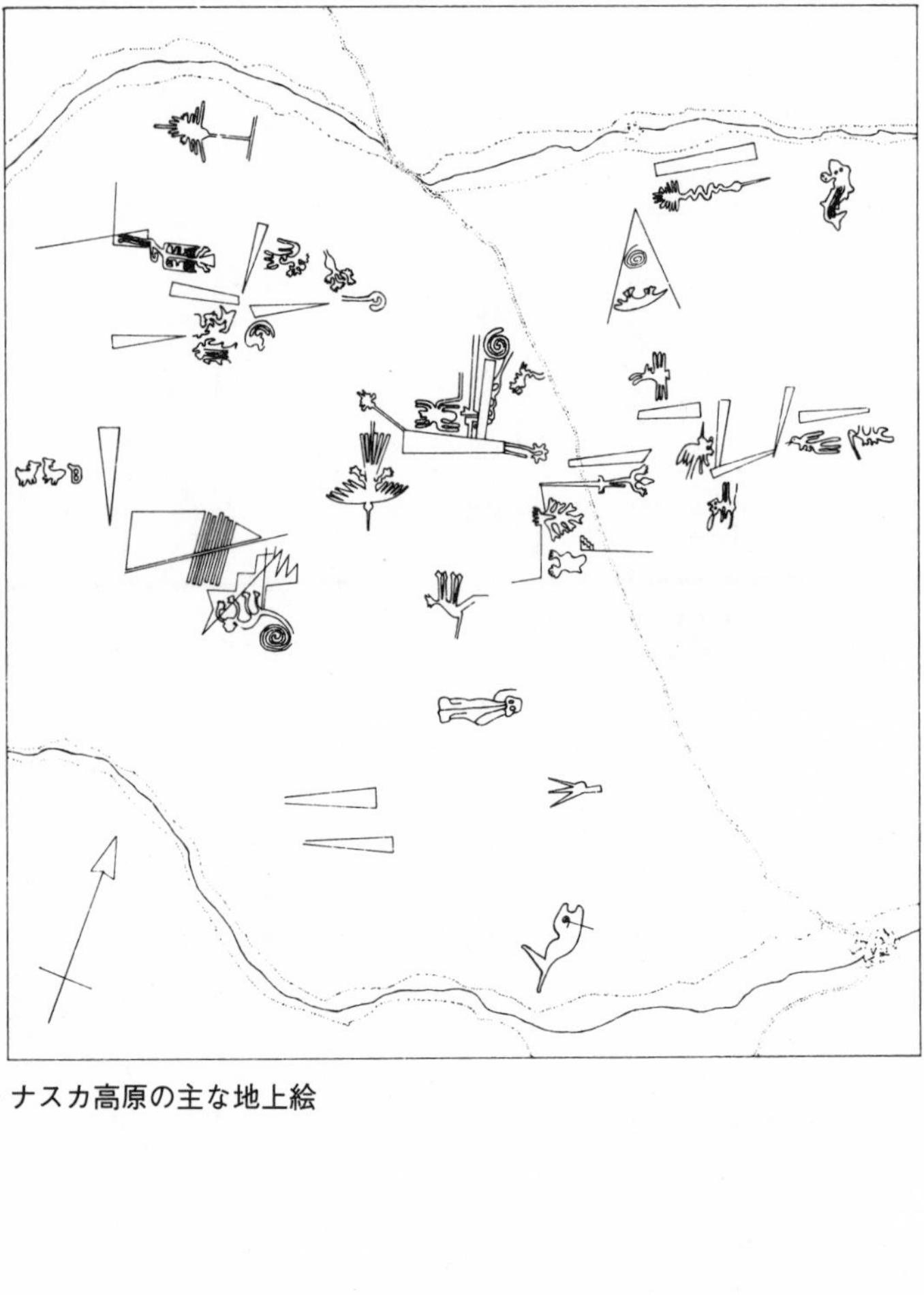

ナスカ高原の主な地上絵

当のところは、誰も知らない。いつ作られたかもわからないし、過去のミステリーの一つであり、注意深く見れば見るほど、当惑は増すばかりである。

たとえば、動物や鳥などの方が滑走路の幾何学模様よりも早く作られている。なぜなら多くの台形や四角の線が、もっと複雑な図案を消して交差しているからだ。したがって、今日見ることができるナスカの地上絵は二段階で作られたことになる。さらに技術の発展の法則とは逆で、先に作られた図案の方がレベルが高いのだ。動物たちを描くほうが、まっすぐな線を引くよりも遙かに高度な技術が必要だろう。だが、最初の芸術家と、後から追加した芸術家との間には、どのくらいの年月が過ぎ去っていたのだろうか?

学者は答えてくれない。ただその二つの文化をまとめて「ナスカン」と呼び、原始的な部族が理由もなく洗練された技術で自己表現をして、突然ペルーから消え去り、その後数百年たってから後継者のインカ族が現われたとしている。

それでは原始部族「ナスカン」の文化はどの程度洗練されていたのか? 台地に巨大な模様を描くにはどのような知識を必要としたのか? まず、彼らは優れた天体観察者だったようだ。少なくともシカゴのアドラー・プラネタリウムの天文学者フィリス・ピトルガ博士は、そのように見ている。ピトルガ博士はコンピュータを駆使して、ナスカと星座の関係を調べた。その結果出た結論は、「有名なクモの図柄は、巨大なオリオン座を地上に描いたものであり、この図柄につながっている矢印は、長年にわたってオリオン・ベルトの三つ星のずれを記録したもののようだ」というものだった。(3)

ピトルガ博士の発見の意義は、これからだんだんと明らかになっていくだろう。だが、このクモは、すでに知られているクモの一種を正確に模写していることも伝えておこう。[4] このクモ、「リチヌレイ」は世界でも最も希少な種類で、アマゾンの熱帯雨林の奥地にしかいない。[5] 原始部族だとみなされている「ナスカン」の芸術家が、アンデス山脈という巨大な障壁を越え、遠い土地まで旅をして、クモの見本を探してきたというのか？ なぜそんなことをする必要があったのだ？ それにどのようにしてこのクモ「リチヌレイ」の細部を正確に描いたのか？ 右足の延長された先端にある生殖器まで描かれているが、この器官は顕微鏡でなければ見ることのできないものだ。[6]

ナスカではこのようなミステリーが増える一方だ。たとえばコンドル以外の図案は、この場所にふさわしくないようだ。砂漠の土地にあっては鯨や猿の図案も、アマゾンのクモと同じように場違いだ。奇妙な人物の図案がある。挨拶をするかのように右手を上げ、足には重たそうな長靴をはき、フクロウのような丸い眼を前方に向けているが、この人物の姿は知られているどの時代の文化にも属さないものだ。人間を描いた他の図柄も同じように奇妙だ。頭には輝く光輪のようなものが巻かれ、異星からの訪問者のようだ。図案の規模もおなじように奇想天外で、記録しておく価値がある。ハチドリの長さは五十メートル、クモは四五メートル、コンドルはくちばしから尾まで一二二メートルもある。ペリカンも同じだ。トカゲはしっぽがパンアメリカンハイウェイで分断されているが、一八八メートルの長さがある。すべての図案は、巨大な規模で作られ、輪郭は注意深く丹念に途切れない一本の線で描かれている。

似たような細部への配慮は、幾何学模様の場合にも見られる。ある図形では八キロメートル以上にわたってまっすぐな線がひかれている。砂漠を横切るローマの道のようだ。道の最後は、乾いた川底で終わっている。露出している岩を取り除いて続くこの線は、完璧な直線で、みじんのずれもない。

このような精度を保つことは難しいが不可能ではないと、常識的に言うこともできるだろう。だが不思議なのは、動物たちや図形だ。どうやってこれほど完璧に描けたのか？　当時は航空機はないはずで、高いところから作業の進行具合を確かめる方法はなかったはずだ。どの図案も大きすぎて地上で全体を見ることはできない。砂漠のなかで、それらはただの溝が連なっているようにしか見えないのだ。数十メートルの高さから見なければ、本当の姿が見えない。だがこのあたりにはそのような視点を提供するような高い場所はない。

地上絵を描いた者と地図作成者

私はナスカの地上絵の上を飛行しながら、これはいったい何なのか、理解しようとした。

パイロットのロドルフォ・アリアスはペルー空軍出身だった。ジェット戦闘機のパイロットだったロドルフォには、小さなセスナはのろくて刺激がなく、まるで羽のついたタクシーのように扱っていた。セスナはすでに一度飛行場に戻り、パートナーのサンサが真下の魅力的な絵文字の写真を取れるように、窓ガラスを取り外していた。

今度は高度を変えて下界がどのように見えるかを実験した。数十メートルの高さから、クモ「リチヌレイ」を見ると、クモが後ろ脚で立ち上がり、その顎でセスナに噛みつこうとしているかのように見えた。一五〇メートルの高さに昇ると、一度にいくつかの図形が眼に入る。犬や木や奇妙な手や、コンドルや三角形や台形だ。五〇〇メートルまで上昇すると、それまで圧倒されていた動物の図形が小さく見え、わけのわからない大きな幾何学図形に取り囲まれているようであった。それらの図形はもはや滑走路には見えず、むしろ巨人が作った小道のようだった。最初は当惑を覚えた多彩な形状、角度、サイズだったものが、台地を交差する小道のように見える。

地上はさらに遠くなり、視界がさらに開け、鳥瞰図が広がっていくのを見ながら、結局、これらの図形は楔形の文字ではないのだろうかという思いが湧き上がってきた。それとともに一九四六年からナスカに住み地上絵の研究を続けている数学者マリア・ライヒの観察を思い出した。ライヒの見解は、次のようなものだ。

幾何学図形は暗号文字を思わせる。同じ言葉が時々巨大な文字で書かれ、時には小さい文字で書かれている。地上絵の配置を見ると、そこには非常に似た形のものが様々な大きさで存在している。すべての図形はいくつかの数の基本要素で構成されている・・・。(7)

ナスカの地上絵の全貌が明らかになったのは二〇世紀であり、それは航空時代が始まった後であったことも偶然ではないことを、セスナが急上昇し天空を駆け巡るあいだ、考えていた。一六世紀終わりにルイス・デ・モンゾンというスペインの行政官が、このあたりを旅行して、神秘的な「砂漠のマーク」を目撃したことを報告している。同時にルイス・デ・モンゾンは、この地方の伝統で、このマークとビラコチャが結び付けられていることも報告している。[8] だが、一九三〇年代にリマとアレキパの間に定期便が飛び始めるまでは、だれも南ペルーに世界最大の絵画が存在することに気がつかなかった。航空の発達があって初めて、人々は神のような力を持ち、空を飛び、それまで隠されていた美しく不思議なものを見ることができるようになったのだ。

ロドルフォはセスナをゆっくりと旋回させ、猿の図形の上を飛んだ。大きな猿が、不思議な形の幾何学模様につながっている。この図案を見たときに感じる不可解で神秘的な催眠術にかかったような感覚を、言葉で説明するのは難しい。非常に複雑で、見ると心を奪われ、どことなく不吉な感じを受ける。猿の身体の輪郭は一筆書きで描かれている。この同じ線が途切れることなく、段を曲がりピラミッドを越え、ジグザグを通り、螺旋状の尾の迷宮を描く。そしてさらに何度も急カーブを描いて放射状の模様を作る。紙の上に描かれていたとしてもこれはなかなかの力作であり、技巧をこらした芸術作品と言える。だが、ここはナスカ砂漠で(ここでは何でも巨大につくられる)、猿の大きさは長さが一二二メートル、幅が九一メートルはあるのだ・・・。

地上絵作成者は地図作成者でもあったのか？

なぜかれらはビラコチャと呼ばれたのだ？

1　ナスカ地上絵の蜘蛛、南ペルー。シカゴのアドラー・プラネタリウムの天文学者フィリス・ピトルガ博士の最近の研究によると、この蜘蛛はオリオン座を地上に描いたものだという（エジプトのギザのピラミッドと同様。第6部と第7部を参照）。このように星座の配置を反映した古代の遺跡が世界中にあり、とりわけオリオン座の三つ星を描いたものが多い（ナスカの場合は蜘蛛の胴のくびれた部分が三つ星にあたる）。これは悠久の太古の失われた文明から伝わる科学遺産の一部なのだろうか。

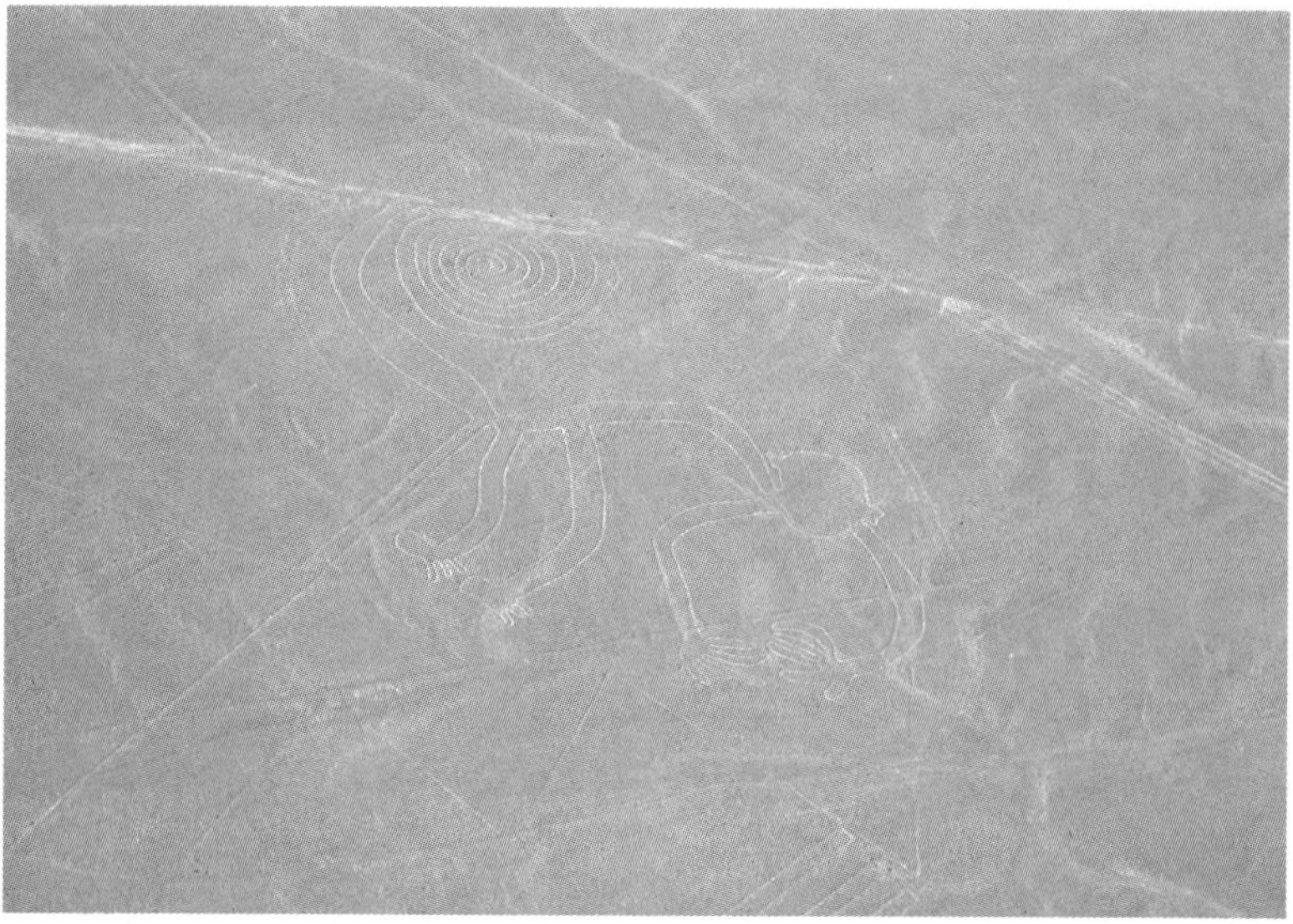

2　ナスカ地上絵の猿の図

3　ハチドリ。地上絵はいずれも一筆書きで描かれており、あまりにも大きいので、空からでないと全体が見えない。

4▲　マチュピチュの風景。人里離れた場所にあるこの遺跡は、インカ文明のものだと考えられていたが、天文学的調査の結果、それよりもさらに数千年前のものだと見られるようになった。インカの人々は後からやって来て、この場所を利用しただけなのかもしれない。

5、6▼　クスコやマチュピチュ地域の「ジグソー・パズル」の石組み。考古学者はこれもインカ帝国の建築様式だと決めつけているが、下巻の写真の66、67、68と比べてみて欲しい。

7▲　マチュピチュのインティフアタナ「太陽を留める柱」。

8（左）、9（右）▼サクサワマン古代城塞の巨石の前では著者が小人のように見える。1つの石で自家用車500台分の重さがある。巨大な古代城塞やマチュピチュはインカ帝国によって建設されたのではなく、それよりも数千年前に何者かによって築かれたものであろう。写真9を下巻の写真65と比べてみて欲しい。

10、11▲ ボリビアのティアワナコ。カラササヤの2つの主要な「偶像」。それぞれ両手に用途不明の道具らしきものを持っている。

12▼ 北から見たカラササヤの風景。天文学的に計算すると、この巨大な建造物は紀元前1万5000年の天の赤道の日の出の方角に合わせて建てられているという。

13▲ ティアワナコの「太陽の門」を西からみたところ。安山岩の一枚岩で造られ、重さは10トン以上ある。

14▼ 太陽の門の東面にある「カレンダー小壁」には高度な科学知識が記されているとする研究者たちもいる。

15◀
ティアワナコ低所の神殿にあるあご髭を生やした人物の石像。神話に登場するアンデスに文明をもたらしたというビラコチャの像だとみられている。

16▲ ティアワナコの石碑。あご髭を持つ頭部が、右手の上と、ベルトのところに横向きに彫刻されている。この石碑とビラコチャの柱に描かれている人物は南アメリカの先住民とは思えない。

17▶ 石ブロックに残されたI型の留め金を使用したと思われる跡。このような石工技術は南アメリカでは他に見つかっていない。だが古代エジプトでは4000年以上前に使われていた。

18▼ 十字架のシンボルが、キリスト誕生の数千年前にすでにティアワナコで使われていた。

19▲ チチカカ湖のスリキ島では、現在もアシの伝統的な舟を造っている。ピラミッド時代のエジプトでは、これよりも大きいがほぼ同じ形をした舟がナイル河で使われていた（第6部の写真53、54、55を参照のこと）。

20▼ チチカカ湖の上で舟を漕いでいる。かつてティアワナコはこの大きな内陸の湖の湖畔にある港町だったが、その後、湖面が30メートルも低くなってしまった。その結果、湖畔は20キロも北に移動した。このように水位が低下するには1万年はかかると地質学者はいう。

第5章　過去に導くインカの道

いかなる工芸品、記念碑、町、寺院よりも宗教的伝承のほうが長い間残る。古代エジプトのピラミッドの秘文であろうと、バラモン教の宗教文献ベーダであろうと、そこに書かれた伝承は、人類が創造したすべてのもののなかで、消し去るのが最も難しい。それらは時を超えて知識を運ぶ乗り物なのだ。

ペルーの古代宗教の遺産の最後の継承者はインカ族だった。一五三二年にスペイン人がインカを征服してからその後の悲惨な三〇年間に、インカ族の信仰と偶像崇拝は根絶やしにされ、宝物は根こそぎ略奪された。(1) だが、先見性のある数名の植民地時代初期のスペイン人旅行者が、インカの伝統が完全に忘れ去られてしまう前に、それを記録に残そうと真剣な努力を傾けた。

当時は注目されなかったが、インカの伝承は、インカ時代よりも数千年前のペルーに、偉大な文明があったことをはっきりと語っている。(2) この文明の強烈な記憶が保存されているのだが、それによるとこの文明の創立者はビラコチャであり、この神秘的な人物が、ナスカの地上絵も作ったと言われている。

「海の泡」

スペインの征服者が到着したとき、インカ帝国の支配地域は太平洋沿岸からアンデス山脈に達し、北は現在のエクアドルと接し、ペルー全域を含み、チリの中央を流れるマウレ河にまで達していた。この帝国の広い国土の各地方を結んでいたのは、広大で洗練された道路網だった。たとえば南北に走る二つの幹線道路がある。一つは海岸沿いを三六〇〇キロにわたって走り、もう一つは同じくらいの距離だがアンデス山中を通り抜けている。この二つの偉大な街道は舗装されており、多くの支線道路で結ばれている。さらに吊橋や、硬い岩を削って造ったトンネルなど、興味深い設計や技術が見られる。このような街道を造ったのは、秩序だった野心的で進んだ社会に違いない。だが皮肉なことに、この街道はインカ帝国の没落に大きな役割を果たした。フランシスコ・ピサロ率いるスペイン軍は、この街道を利用して速度を速め、インカ帝国の中心地まで無慈悲な進軍を行なったのだ。[3]

インカ帝国の首都はクスコであった。クスコとは地元のケチュア語で「大地のへそ」という意味だ。[4] 伝説によるとクスコを開いたのは太陽神の息子、マンコ・カパクとママ・オクロの二人だ。インカは太陽神インティを信仰したが、神々のなかの神として崇拝されたのが、ナスカの地上絵を作ったとされるビラコチャであり、この名前は「海の泡」を意味する。[5]

ギリシア神話の女神アフロディーテーが海で生まれ、名前が「泡からつくられた」という意味なのはもちろん偶然だろう。[6] ビラコチャは、アンデスでは必ず男性として描写されてきた。ビラコチャに関して確実にわかっているのはこの程度だ。スペイン人がビラコチャへの崇拝を禁止したが、この崇拝がどのくらい古くから存在したのか、歴史家はだれも語ることができない。なぜなら、この崇拝は常に存在したようだからだ。インカはビラコチャを天地創造の主として祭り上げ、壮大な神殿を造った。だが事跡を調べると、偉大な神ビラコチャはペルーの長い歴史に存在したすべての文明が崇拝していたようなのだ。

ビラコチャの城塞

ナスカを離れて数日後、クスコに到着したサンサと私は、すぐにコリカンチャ神殿に出向いた。この壮大な神殿はスペイン時代の前にビラコチャを祭るために建てられたものだ。もちろんコリカンチャが失われてからずいぶん経つ。より正確に言うと、その後に建てられた建造物の下、深くに埋もれてしまったわけではない。スペイン人はインカ時代の素晴らしい土台や、途方もなく強固な壁はそのまま残して、その上に荘厳なコロニアル風の寺院を建立したのだ。

この寺院の入り口に向かいながら、以前ここに立っていたインカの神殿は、七〇〇枚以上の純金のシートで覆われていたことに思いをはせた。一枚のシートの重さは二キロあった。さらに広い中庭は純金製のトウモロコシが植えられた畑となっていた。[7] この事実は、どうしても遙かエルサレムにあったというソロモンの神殿を思い起こさせる。ソロモンの神殿も純金のシートで覆われ、純金の木々が立ち並ぶ素晴らしい果樹園があったと言われている。[8]

一六五〇年と一九五〇年の地震で、ビラコチャの神殿の上にスペイン人が建立したサントドミンゴ大寺院は、ほぼ全壊したが、そのたびごとに再建された。だがインカ時代の土台や下壁は、自然災害にまったく影響を受けなかった。それは特殊な設計に基づく、多角形の石ブロックが組み合わされた洗練されたシステムのおかげである。現在残されている神殿の跡は、広く四角い中庭の中央にある八角形の灰色の土台石を除けば、石のブロックと全体的な配置だけだ。昔は、中庭の八角形の土台石は五五キロの純金で覆われていた。[9] 中庭の両側には控えの間がある。これもインカの神殿の一部だ。この控えの間には高度な建築技術が使われている。壁は上が先細りになっており、みかげ石を刻んで作り上げた美しい湾曲したくぼみがある。

丸石が敷きつめられたクスコの狭い街路を歩いてみた。周りを見渡して、初期の文化の遺跡の上にスペイン風の建造物を建てているのは、大寺院だけではないことに気がついた。町全体が二つの文化に分けられているようだ。バルコニーがついている淡い色合いの大きなコロニアル風建造物も、上方に見える宮殿も、すべてインカの土台の上に建てられているか、あるいは、コリカンチャに使われていたのと同じ、美しい多角形のインカの建築物を組み込んでいる。ハトゥンルミヨクと呼ばれる路地で立ち止まり、入り組んだジグソーパズルになった壁を調べてみた。壁は数限りない石を完璧に組み合わせて造られている。大きさも形も異なる石が驚くほど様々な角度で連結されている。個々の石のブロックを切り出し、これほど複雑な建造物を造れるのは、何世紀もの経験が土台にある、非常に高いレベルの技術を有する優れた職人だけだろう。一つのブロックを調べてみたら、一面に一二の角度と側面があった。石の接合部分に薄い紙の端を差し込もうとしたが、できなかった。

あご髭を持つ外来者

一六世紀初め、まだスペイン人がペルー文化を本格的に破壊する前のコリカンチャ神殿には、ビラコチャの偶像が立っていたようだ。当時の文献『ペルー土着民の古くからの習慣に関する報告書（作者不明）』によると、この偶像は神をかたどった大理石の彫刻であったという。この彫刻は「髪、肌色、姿、衣服、サンダルなどが、キリスト十二使徒の一人、聖バルトロメオにそっくりだ」という。[10] ビラコチャについて語られた他の例では聖トマスとそっくりだという。[11] 私はこの二人の使徒が描かれた、初期キリスト教文献の挿絵を数多く調べてみた。それを見ると、二人とも痩せてあご髭をたくわえた白人で、中年を少し過ぎ、サンダルをはき、長いゆったりとしたマントを着ている。これから詳細に検討していくが、この姿は、崇拝者たちが描いたビラコチャの姿とまったく同じである。したがってビラコチャが誰であろうと、褐色の皮膚を持ち、顔に髭の少ないアメリカのインディオでないことは確かだ。[12] ビラコチャの濃い髭と色が白いところは、白人を思わせる。

一六世紀当時のインカの人々もそう思っていた。伝説と宗教的信仰を通して、インカ人はビラコチャの容姿について、明確なイメージを持っていた。そこで、あご髭をたくわえた色の白いスペイン人が海岸に到着したとき、ビラコチャとその部下の神々が戻ったと勘違いしたのだ。[13] あらゆる伝説のなかで「ビラコチャは必ず戻ってくると約束した」と語られていたからだ。

この幸運な偶然の一致が征服者ピサロの味方をした。後の優勢なインカ軍との戦いにおいて、戦略的、心理的に優位に立つことができたからだ。

だが、誰がビラコチャのモデルなのだ？

第6章　混乱の時代に現われた男

アンデスに住む人々の古代伝説には、背の高い、あご髭をたくわえた、色白の、マントを着た不思議な人物が必ず現われる。この人物はそれぞれの場所でいろいろな名前で呼ばれているが、同じ特徴を必ず備えており、すぐにそれとわかる。ビラコチャ、すなわち「海の泡」は、科学と魔術の名人であり、恐ろしい兵器をあやつり、混乱の時代に現われ、世界に秩序をもたらしたのだ。

これと同じ話は、多少の差異はあってもアンデス地域のすべての人々に伝えられている。この話は、大地が洪水で水浸しになり、太陽が消えて暗闇と化した、恐ろしい時代の生々しい描写から始まる。社会は混乱の淵に沈み、人々は辛苦に耐えていた。そのとき・・・

突然、南から現われたのは威厳のある大柄の白人だった。この男は偉大な力を持ち、丘を谷にし、谷を丘にした。自然の石からは水が流れ出した・・・(1)

この伝説を記録した初期のスペイン人の年代記編纂者によると、これらの話は編纂者がアンデス山中を旅行しているときにインディオから聞いたものだという。

彼らは父親から聞いた話だという。その父親は、古代から継承されてきた古い歌から学んだという・・・彼らによると、この人物は台地を通り抜けて北に向かい、途中、数々の驚異的な仕事を行ない、そのまま二度と姿を見せることがなかったという。この人物は人々にいかに生活するかを示し、慈悲と親愛をこめた言葉で語り、善行を行ない、お互いを傷つけたりせず、愛しあって生き、慈悲の心を持つように説き勧めたという・・・[2]

この人物に与えられた名前にはビラコチャ以外に、ワラコチャ、コン、コンティチ、コンティキ、スヌパ、タパク、トゥパカ、イリャなどがある。[3] 彼は科学者であり、信じられないような技術を持つ建築家であり、彫刻家で技術者だった。「峡谷の険しい場所に台地や畑をつくり、それらを支える壁を造った。潅漑水路も造り・・・各地に出かけ、多くの仕事をした」[4]ビラコチャはまた教師であり、治療者であり、困っている人々を助けた。「行く先々で病人を癒し、盲人の眼を治した」という。[5]

だがこの心優しい、文明をもたらす「超人」には別な面もあった。身が危険にさらされることは何度もあったようだが、そういうときには天国の火を吐く兵器を使用したのだ。

訓辞をたれ、素晴らしい奇跡を起こしたこの人物は、カナス地方にやってきた。コチャと呼ばれる村落まで来たとき、人々が反抗し石を投げようとした。村人は彼が膝を曲げ腰を落とし、手を天に向けて上げるのを見た。あたかも危険に見舞われたので天に助けを求めているかのようだった。インディオたちは、そのとき天空に火が走り、火に取り囲まれてしまったと言う。怖れおののいたインディオたちは、それまで殺そうと考えていたこの人物に近づき、許しを乞うた・・・この人物は命令して火を停止させたが、火に包まれた石は焼けただれ、コルクのようになってしまい、大きな石でも持ち上げられるようになった。インディオたちの話では、この事件が起こった場所から去ったこの人物は、海岸に出てマントを持ち、海の中に入っていき、二度と戻らなかった。そこでインディオたちはこの人物にビラコチャ、つまり「海の泡」という名前をつけたという。(6)

ビラコチャの容姿に関してはすべての伝説が一致している。一六世紀のスペイン人年代記編纂者フアン・デ・ベタンゾスはその著書『インカ族伝承大全』のなかで、インディオによるとこの人物は「あご髭をたくわえた背の高い男で踝《かかと》まで届く白いローブをまとい、腰にはベルトをしていた」と述べている。(7)

遠く離れたところに住む多くのアンデスの人々から集めた記録にも、同じ謎の人物について語っていると思われる記述がある。その一つは以下のようなものだ。

あご髭をたくわえた普通の背の高さの男で、長いマントを着ている・・・壮年期を過ぎ、髪の毛は灰色で、痩せている。彼は部下を連れて歩き、原住民に愛を説き、我が息子と娘たちよ・・・と呼んでいた。彼が通り過ぎた土地ではどこでも奇跡が起こっている。病人に手を触れるだけで病を癒した。すべての言語を話せたが、その言葉は土地の人々よりも巧かった。人々はこの人物をスヌパ、タルパカ、ビラコチャ・ラパチャ、あるいはパチャカンと呼んでいた・・・。[8]

ある伝説では、スヌパ・ビラコチャは「大柄な白人で、威厳を漂わせ、尊敬を集め、崇拝されていた」ということである。[9] 他の伝説には、「この人物は威厳のある白人で、眼は青く、あご髭をたくわえ、帽子をかぶらず、袖なしの膝まで届く服を着ていた」とある。別の伝説には、この人物の晩年が語られているようだ。「国家の相談にあずかる賢い相談役で・・・年老いたあご髭を生やした人物で、髪は長く、長いひざ丈の着衣チュニカを着ていた」と描かれている。[10]

文明化の使命

伝説におけるビラコチャの最大の特徴は教師であったということだ。彼が来る前は「人々は無秩序に生活し、原始人のように裸で暮らし、家はなく洞窟に住んでいた。そこから人々は食糧を探しに出かけ、見つけたものを食べていた」という。[11]

ビラコチャはこれらすべてを変え、後世の人々が郷愁を抱くことになる、失われた黄金時代を築いたという。さらにすべての伝説に共通するのは、ビラコチャはこの文明化の使命を果たすのに、愛情を込めて行なったことだ。力は使わず、注意深く指示し、見本を示すことで文化的、生産的な生活を送る知識と技術を教えている。とくにペルーに医学、冶金学、農業学、家畜学、文章術（インカの人々はビラコチャから教わったが、その後、忘れてしまったと言う）、工学と建築学の洗練された原理など、多彩な技術をもたらしたと記憶されている。

私はすでに、クスコにおけるインカの石造建築物の高い質に感銘を受けていた。だが、古い遺跡を調査するうちに、インカの石造建築だと言われているものが、考古学的には必ずしもインカ人が造ったものだと断定できないことに気がついて驚いた。インカ族は確かに石細工に優れており、クスコの多くの遺跡は間違いなくインカ族が造ったものだ。だが、インカが造ったことになっているいくつかの驚異的な建造物は、もっと前の文明によって造られたものかもしれない。いろいろな証拠から見ると、インカ族はそれら建造物の修復者であり、建造者ではないようだ。

同じことはインカ帝国を隅々まで結び付けている高度に発達した道路網についても言える。読者の方も覚えているだろう。二つの幹線道路が並列して南北に伸び、一方は海岸沿いを走り、もう一方はアンデス山中を通り抜けている。全長二万四〇〇〇キロメートルにもなるインカの道路網は、スペイン人に征服される前のインカ帝国で頻繁に使用されており、私はインカ人がこれらすべてを建造したものだと思い込んでいた。だがいまでは、インカ人はこの道路を遺産として引き継いだ可能性の方が高いと考えている。インカ人の役割は、すでに存在した道路網の修復、保全だったのだ。専門家は認めたがらないが、実際のところ、この驚くべき道路がどのくらい古く、誰が造ったかについては、誰もはっきりと推定できていない。[12]

地元の伝説を知ると、謎はさらに深まる。伝説では、道路網も洗練された建造物も、「インカ時代に、すでに古代の遺産であった」だけでなく、さらに数千年さかのぼる太古に「赤褐色の髪を持つ白人が造った」というのだ。[13]

ある伝説では、ビラコチャには二種類の「使者」がいたという。「信頼できる兵士たち＝ワミンカ」と「輝く人々＝アイワイパンティ」だ。彼らの仕事は主人の伝言を、「世界の隅々まで伝えること」であったという。[14]

別の伝説には「コンティチは帰還した・・・たくさんの従者を連れて・・・」「コンティチは門人を召集した。彼らはビラコチャと呼ばれていた」「コンティチは二人のビラコチャを残して全員に、東に行けと命令した・・・」[15]「コンティチ・ビラコチャと呼ばれる支配者が湖からやってきた。何人かの従者を連れていた・・・」[16]「そこで、ビラコチャスは、いろいろな地域に出かけた。ビラコチャの指令にしたがったのだ・・・」[17]などの言葉が出てくる。

魔人の仕業？

サクサワマンの古代城塞はクスコのすぐ北側にある。午後遅く訪れたが、空は黒っぽい銀色の厚い雲にほとんど覆われていた。冷たい陰鬱な風が高山のツンドラ地帯から吹いてくる。その中を必死になって階段を登り、巨人のために造られたような石の門を通り抜け、ジグザグになった巨大な壁に沿って歩いた。

首を伸ばして巨大なみかげ石を見上げた。歩く途中で出くわした石だ。高さ三・六五メートル、幅二メートルはある。重さは一〇〇トンを優に超えているだろう。だがこれは自然にできたものではなく、人間が作ったものだ。石は調和の取れた角度に切られ、形作られ（ロウかパテで作ったかのようだ）、他の巨大な多角形の石の間に嵌《は》め込まれて壁を造っている。様々な角度を持つ巨大な石が、上下左右にあるが、それらは完璧なバランスを保ち、見事に並べて置かれている。

注意深く切り出された石の一つは、高さが八・五三メートルもあり、重さは三六一トン[18]もあるといわれている。小型自動車五〇〇台の重さだ。そうなると、多くの根本的な問題が出てくる。

インカ人、あるいはその前の人々は、どうやって巨人しかできないような石の仕事ができたのだ？どうやって巨大な石を切り、正確に仕上げたのだ？　何十キロメートルという遠く離れた石切り場からどうやって運んだのだ？　巨石を軽々と地上から持ち上げ、個々の石ブロックを組み替えてもいるようだが、何を使ってどのように壁を造ったのだ？　インカの人々は車輪の存在すら知らなかった。そうした人々が何十という形の異なる一〇〇トンを超える石ブロックを持ち上げる機械を操れるだろうか？　さらに石を選択し、三次元のジグソーパズルに仕上げることができるだろうか？

植民地時代の初期に記録を残した人々も、この石壁を見て、私と同じように当惑している。たとえば、尊敬されているガルシラソ・デ・ラ・ベガは一六世紀に、この城塞を訪れているが、驚きの言葉を残している。

実際に見ないことにはその大きさは想像できないだろう。だれでもこの石壁を近くで見て、注意深く観察すれば、あまりにも途方もないものなので、工事に魔術でも使われたのではないかと思ってしまう。あるいは人間ではなく魔人の仕事のようにすら思える。巨大な石がたくさん使われている。インディオたちはどのように石を切り出し、どのように運び、どのように刻み、どのようにして精密に積み上げたのだろうか？　彼らは鉄も鋼鉄も知らないので、岩に切り込みも入れられず、石を切ったり磨いたりすることもできないはずだ。さらに運搬には必須と思われる馬車も牛車も、彼らの世界には存在しない。石は極めて巨大で、運ばねばならない山道は険しいのだ・・・[19]。

ガルシラソ・デ・ラ・ベガはもう一つ、面白い報告をしている。「インカに関する公式報告書」の中には、歴史上のインカの王がサクサワマンの古代城塞を建設した先駆者の業績に挑戦したことが書かれている。この挑戦は巨大な石を一つだけ数キロメートル離れたところから運び、城塞に追加しようとしたものだという。「二万人以上のインディオたちが、山を越え急激な丘を登り下りしてこの石を引っぱった・・・ところがある断崖にさしかかったところで、石が人々の手から離れて落下し三〇〇〇人もの人々を押し潰した」[20]。徹底的にインカの歴史を調べたが、インカ人が実際にサクサワマンにあるような巨石を使って建設しようとしたという話は、これしか見つからなかった。この報告で明らかになったのは、インカ人は巨石を扱う経験もなければ技術もなかったため、彼らの試みは大惨事を引き起こしたということだ。

これだけでは、もちろんなにも証明したことにはならない。だが、ガルシラソ・デ・ラ・ベガの話は、目の前にそびえる偉大な城塞に対する疑問を深めた。城塞を見つめていると、この城塞はインカ時代のもっと前の、果てしなく古い時代に、遙かに進んだ技術を持った種族によって建設されたのではないか、という思いが強まった。

道路や石壁などの造られた年代を判断することは、考古学者にとっては極めて難しい仕事である。建造物には有機物が含まれていないからだ。こういう場合は放射性炭素も、熱ルミネセンス年代測定法も役に立たない。塩素36を使用した、岩の露出時間を測定する新しい年代測定法なども開発されており実用化が期待されているが、実際に使えるのはまだ先の話だ。年代を判定する専門家たちの言葉を借りれば、この新しい方法が実用化されるまでは、年代測定はほとんど当て推量であり、主観的な仮定に過ぎないという。インカの人々がサクサワマンの古代城塞を頻繁に使用していたことは知られていたので、インカ人が建設したものだろうと考えられていたのはもっともだ。だが、使用していたからといって、建設したとは限らない。そこには明白な関連はない。インカ人たちは、建造物を見つけ、そこに住み着いただけかもしれないのだ。

もしそうだとすると、最初に建設したのは誰だろうか？

古代の伝説ではビラコチャだという。あご髭を生やした、白い皮膚の外来者であり、「輝く人々」「信頼できる兵士たち」だ。

旅行を続けながら、一六世紀から一七世紀のスペインの冒険家たちや民族誌学者の書き残したことの研究を継続した。彼らは古代ペルーのインディオやスペインに征服される前の伝承について、忠実に記録している。これらの伝承の中でもとくに注目すべきは、ビラコチャが来訪したのは、大地をひと呑みにした大洪水で人類が絶滅寸前になったときだ、ということが繰り返し述べられていることだ。

第7章　では、巨人がいたのか？

朝六時、小さな電車はガタンと動きはじめ、ゆっくりとクスコ渓谷の急な斜面を登りはじめた。幅の狭い線路はZ形に連なっている。最初のZの水平ラインをゆっくりと進むと、線路を変え、斜後ろに後ろ向きで登っていく。行き止まりにくると再び線路を変え、Zの上の水平ラインを走る。このように停止と始動を続けながら、古代都市の遥か上の方まで登っていく。インカの壁やコロニアル宮殿、狭い街路、ビラコチャ神殿跡に建てられたサントドミンゴ大寺院が、夜明けのピンクがかった灰色の朝もやの中で、幽霊屋敷のように浮かび上がり、妙に現実離れして見える。妖精のような電灯はまだ街路を飾っており、薄い霧が地上を横切り、数限りない小さな家のタイル屋根の煙突からは、炊事の煙が上がっている。

やがて電車はクスコに背中を向け、まっすぐ北西の方向に走り続ける。行き先は一三〇キロ離れた三時間の距離にある失われたインカ都市マチュピチュだ。私は読書をするつもりだったが、客車の揺れに誘われて眠ってしまった。五〇分後に目覚めたら、絵画の世界に入り込んでいるのに気がついた。前景には明るい陽を浴びた平らな牧草地があり、長くて広い溪谷を横切る小川の両岸で、溶けた霜がいたるところでキラキラと輝いている。

視界の中央には灌木が散在する大きな野原があり、黒と白の乳牛が草を食べている。その近くには家が散在し、背が低く褐色の肌をしたケチュア族インディオがパンチョやバラクラヴァと呼ばれる頭から肩まですっぽり入るウールの大型帽やカラフルな毛糸の帽子をかぶって立っている。さらに遠景には、もみの木とエキゾチックなユーカリの木で覆われた斜面が見える。上を向いて対になってそびえる緑の高い山を目で追っていると、二峰が離れ、その間に高地が見えてきた。その後ろには雪で輝く険しく高い峰がそびえている。

巨人を滅ぼす

ようやく読書に戻ることにしたが、気分が乗らなかったのは言うまでもない。私は、インカとアンデスの人々の伝説にあるビラコチャの突然の出現と大洪水には奇妙な関係があると思い、もっと詳しく調べてみたいと思っていた。

目の前にはホセ・デ・アコスタ神父の書いた本『インディオの自然と道徳の歴史』の一節が広げられている。神父は「これはインディオたちが語る、自分たちの起源の話だ」という。

インディオたちは大洪水についてよく語る。この国にかつて大洪水が起こったというのだ・・・。インディオたちが言うには、大洪水でほとんどの人間が溺死した。だが、チチカカ湖からひとりのビラコチャが現われ、ティアワナコに住みついた。ティアワナコには現在、古代の遺跡や奇妙な建物がある。ビラコチャはそこからクスコに移り、人類は再び増えはじめた・・・(1)。

チチカカ湖と神秘的なティアワナコのことについてさらに調べようと考え、クスコ周辺の伝説を要約した以下の一節を読んだ。

太古の人々は罪を犯し、創造主に滅ぼされた・・・大洪水で・・・。大洪水の後、創造主は人間の形でチチカカ湖から現われた。彼は太陽と月と星を創造した。それから地球上に人間を増やした・・・(2)。

別の神話を見てみよう。

偉大な創造の神ビラコチャは人間が住める世界を創ろうと決心した。最初に大地と空を創った。つぎにそこに住む人々を創った。大きな石の人物像を作り、それに命を与えた。最初、すべてはうまく行った。だが、そのうち巨人たちは仲間うちで争いはじめ、働くことを拒否した。ビラコチャは彼らを滅ぼすことにした。ある者は石に戻され、残りの者は大洪水で溺れ死んだ(3)。

非常によく似た話が、他の地域にも伝わっている。たとえばユダヤの旧約聖書だ。創世紀の第六章には、ヘブライの神が自分の創造物が気に入らず、それを破壊したことが書かれている。私は以前から大洪水の前の忘れられた時代について述べているこの章の文章に、おおいにひきつけられていた。その謎に満ちた文章には「この時代には巨人がいた・・・」とある。[4] 中東の砂漠に消えた「巨人」は、どこか知らないところで、南米のスペイン占領前のアメリカ原住民の伝説に登場する「巨人」とつながっているのだろうか？　この謎をさらに複雑にしているのは、ユダヤとペルーの伝説は、さらに続く詳細な点でも共通しており、怒った神は邪悪で不従順な世界に破滅的な大洪水をもたらした、と描かれていることだ。

私が集めた資料の次のページには、インカの大洪水に関する記述があった。モリナ神父が著書『インカの神話と祭祀についての報告書』に書き残したものである。

マンコ・カパクは最初のインカ人であり、最初に太陽の子としての誇りを持った人物であり、太陽神に対する偶像礼拝もマンコ・カパクから始まった。マンコ・カパクの話には大洪水の話が何度も出てくる。大洪水はすべての人種、すべての創造物を滅亡させた。洪水は世界の最高峰の山をも飲みこんだ。箱に入っていた一人の男と一人の女を除いて、すべての生き物が溺れた。水が引いたとき、箱は風に流されティアワナコに漂着した。その土地で創造主は人々を増やし、国を創りはじめた・・・[5]

スペインの貴族とインカの王室の女性の間に生まれた息子ガルシラソ・デ・ラ・ベガについては、ベガ自身の書いた『インカに関する公式報告書』ですでにおなじみだ。ベガは母方の民族の伝統に関しては、最も信頼できる年代記編纂者として知られている。ベガが年代記を編纂したのは一六世紀で、征服のすぐ後であり、インカの伝統が外国の文化に汚染される前であった。彼もまた深く広く信じられていた伝説を記録に残している。「大洪水の水が引いたとき、ティアワナコ地方に一人の男が現われた・・・」(6)

その男とはビラコチャだった。マントで身を包んだビラコチャは強く「威厳のある風貌で」揺るぎない自信をもって危険な荒れ地を歩いた。ビラコチャは人々を奇跡によって癒《いや》し、天から火を呼び寄せた。インディオにとっては、この人物がどこから出現したのか皆目見当がつかなかったことだろう。

太古の伝承

マチュピチュへの旅をはじめてから二時間が過ぎ、パノラマが変わった。巨大な黒い山脈が真上にそびえているが、光を反射させる雪は残っていない。陰気で暗く狭い渓谷の細い道を走っているようで、空気は冷たく、足も冷たい。寒さに震えながら、私は読書に戻った。

伝説という複雑な蜘蛛の巣の網の中で、一つのことだけがはっきりしていた。伝説はお互いに補完するときもあれば、食い違うときもある。だが、すべての学者の意見が一致している点もある。

インカは何世紀もかかってその帝国を広げていくときに、各地の文化の伝承を借用して吸収し、語り伝えたことだ。したがって、インカ帝国自体の古さについては歴史的な論争が行なわれており、その結果がどう出るかはわからないのだが、インカが、多くの古代文化の信仰形態を伝えている点には議論の余地がない。インカ以前の古代文化は、海岸にも高原にも存在し、その中には知られているものも、無名のものもある。

だがペルーの失われた過去に、どんな文明が存在したかを知る者がいるだろうか？　毎年、考古学者は新しい発見をし、話はさらに過去にさかのぼるばかりだ。いつの日か、はるか昔に文明を伝える人々が海の向こうからきて、仕事を終えるとまた消えたという証拠を発見する可能性はないだろうか？　伝説が伝えているのは、そのようなことのように思える。ほとんどの伝説には、神であり人であるビラコチャが、アンデスの荒涼たる道を歩き、行くところすべてで奇跡を起こす姿が、極めて明瞭に記憶されているのだ。

ビラコチャと二人の弟子は北に旅をした・・・ビラコチャは山道を旅し、弟子の一人は海岸沿いを歩き、もう一人は東の森林側を歩いた・・・。創造主ビラコチャはクスコのそばのウルコスに行き、山で人間社会が栄えるように仕組んだ。ビラコチャはクスコを訪れ、そのまま北のエクアドルに向かった。沿岸の町マンタで彼は人々を置きざりにし、波の上を歩き、太洋のかなたに消えた(7)。

「海の泡」を意味する、偉大な外来者に関する民話の最後には、必ず強く心に訴える別れの話が出てくる。

ビラコチャは人々を奮い立たせ、さらに進んでいった・・・。プエルトビエホ地方に着いたとき、彼は先に送り出していた弟子たちと一緒になった。一緒になるとビラコチャは一団を引き連れ海に出た。ビラコチャとその仲間は、陸を旅するのと同じように楽々と水の上を去ったという。(8)

ここでも印象的な別れの場面が出てくる・・・そして科学か魔術が存在したかのように思えてくるのだ。

タイムカプセル

電車の窓の外では色々なことが起こっていた。左手には黒い水であふれるウルバンバ川が見えた。アマゾン河の支流でインカ族にとっては神聖な川だ。気温ははっきりとわかるほど上昇してきた。電車は底地の谷間にまで降りてきていた。ここは飛び地の熱帯だ。線路の両側は山の斜面だが、びっしりと緑の密林に覆われている。これを見ていて、この地域は大変な障害物によって守られていることを悟った。だれがこの険しい道を越えて、なにもないところにマチュピチュの町を建設しに来たにしろ、何か強烈な動機があったに違いない。

理由がなんであれ、このように遠く離れた地を選んだことは、少なくとも一つの収穫をもたらした。マチュピチュは征服者たちや神父たちが破壊の鬼になっている時期には、発見されなかったのだ。米国の若い探検家ヒラム・ビンガムにより、マチュピチュが世界に紹介されたのは一九一一年のことであり、このころには、インディオたちの魅惑的な古い遺産は、ようやく尊敬の念をもって見られるようになってきていた。すぐにこの遺跡はスペイン人が来る前のペルー文明に新たな光を投げかけることがわかってきた。結果的に遺跡は略奪者や観光客から守られることになり、重要な過去の謎の塊が保存され、未来の世代を驚嘆させることになった。

馬が一頭いるだけの町アグアカリエンテ（「熱湯」という意味）には壊れかかったレストランと安っぽいバーが数軒あるだけだが、そこを通り抜けると、マチュピチュ・プエンタス遺跡駅に到着する。朝の九時一〇分だ。ここからバスに乗り三〇分ほど、曲がりくねった未舗装の道を登り、人を寄せつけない山の険しい斜面を登っていくと、そこにマチュピチュの遺跡と、粗末なホテルがあった。ホテルは法外な値段だが、部屋は清潔ではなかった。客は他にいない。地元のゲリラがマチュピチュの電車を最後に爆破してから数年たつが、外国人はここを訪れることをやめてしまったようだ。

マチュピチュの夢

午後の二時だった。私は遺跡の南端の高台に立っていた。遺跡は苔に覆われた段丘で、ここから北方へ伸びている。山の頂は輪状に雲に取り巻かれているが、時々陽光が雲間から洩れてくる。

谷の遙か下、マチュピチュの土台にあたる部分には曲がりくねった神聖な川が流れている。まるで巨大な城の周囲の濠のようだ。この高台から見る川は、谷の斜面の密林の色を映して深い緑色に見える。所々で水流が白く泡立ち、川面がキラキラと美しく光を放っている。

遺跡の反対側にそびえ立つ山の頂を見つめた。名前はワナピチュという。昔から、マチュピチュを紹介する観光ポスターには必ず写っている山だ。驚いたことに、この山の頂上から数十メートル下のところが丁寧に水平方向に削られていた。誰かがそこまで登り、ほとんど垂直な崖に優雅な吊り庭園を造ったのだ。古代には、ここにカラフルな花がたくさん植えられていたのだろう。

この遺跡とそれを取り巻く環境は不滅の彫刻のように思われた。山、岩、樹木、石、そして水が少しずつ寄せ集められ、この芸術作品を作り上げている。胸が痛くなるほど美しい場所だ。これまで私が見てきた中でも、最も美しい風景の一つだ。

光り輝いてはいるけれども、やはり幽霊の都市のように思われる。まるでうち捨てられた難破船マリー・セレステのようだ。家は細長い高台に並んでいる。それぞれの家は小さく、ひと部屋しかなく、入り口が狭い通りに面している。建築はしっかりしており機能的だが、お世辞にも華麗だとはいえない。それとは対照的に、儀式を行なったと思われる場所は、極めて高度な技術で造られており、サクサワマンの古代城塞で見かけたのと同じような、巨大なブロック石が使われている。滑らかに磨かれた多角形の石は、高さが六メートル、幅一・五メートルで、厚みも一・五メートルあり、少なくとも重さ二〇〇トン以上はある。古代の建築家たちは、どうやってこの石をここまで運んだのだろうか？

アマルフィ

主教座堂

(天使を冠の女性)
アトランニ村

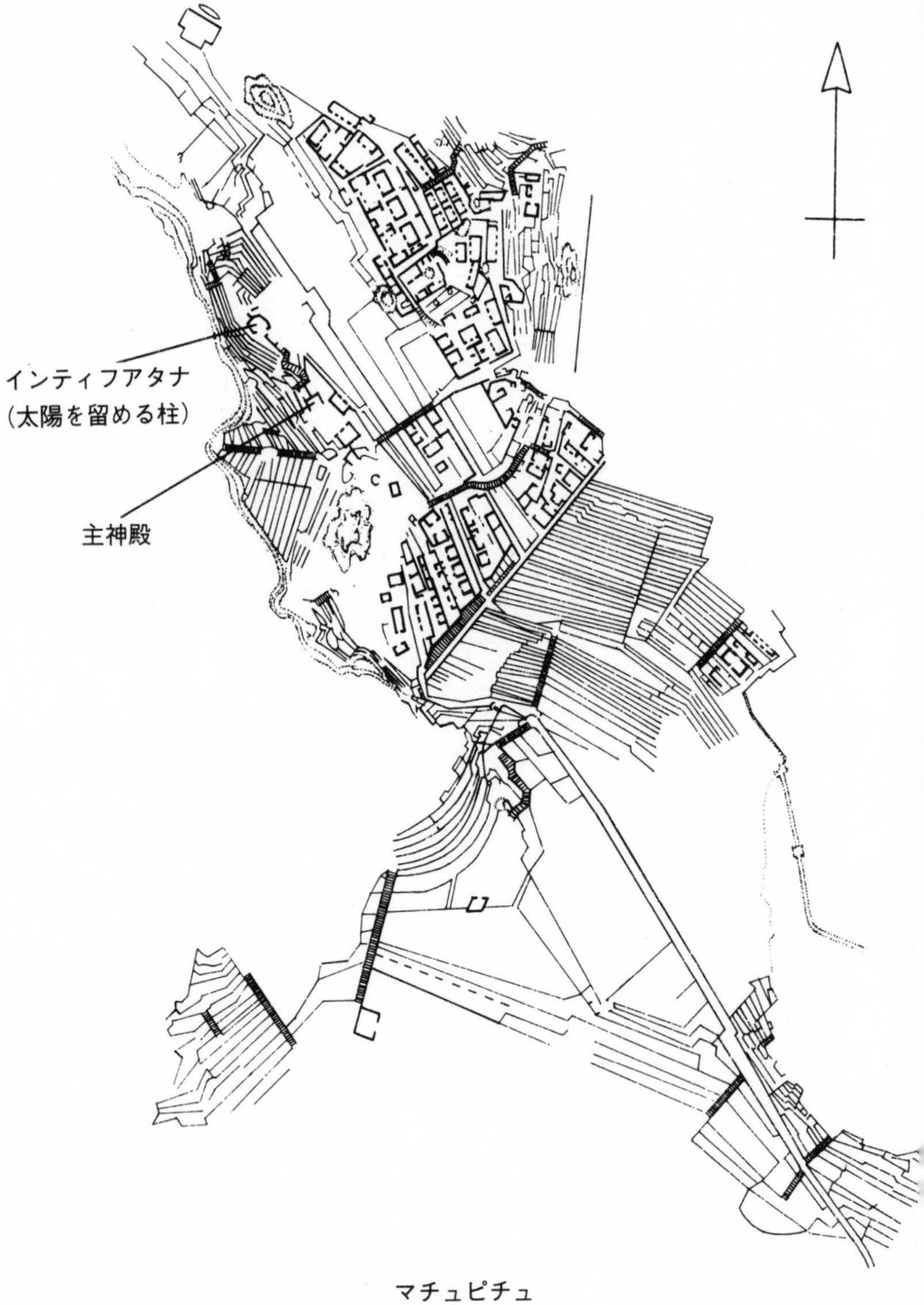

他にも似たような石がたくさんある。それらはおなじみのジグソーパズルのような壁であり、さまざまな角度で組み合わせられている。ブロックの一つを数えてみたら、合計で三三の角度がつけられていた。それらがそれぞれ隣の石の角度と完璧に組み合わされているのだ。巨大な多角石や切り石があるが、その角はレーザーで削ったかのように鋭い。また、自然の石も、数か所で全体のデザインの中に組み込まれている。さらにそこには奇妙で風変わりな装置、インティフアタナと呼ばれる「太陽を留める柱」がある。この注目すべき人工の遺物は灰色の水晶体の厚い基盤の上に作られており、複雑な幾何学形の曲線や角度に削られ、窪みや控え壁がつけられ、中央には縦型のずんぐりした板が立てられている。

ジグソーパズル

マチュピチュはどのくらい古いのだろう? 学界の一致した意見では、一五世紀よりも前に建設されたことはないだろうという。[9] だが大胆な異論が、尊敬を集めている多くの学者から時々提起されている。たとえば一九三〇年代に、ポツダム大学の天文学教授ロルフ・ミュラーは、説得力ある証拠を発見している。ミュラーは、マチュピチュの最も重要な特色は、天体の位置に合わせて作られていることだという。過去数千年間の天空の星座の位置の詳細な数学的計算によると(歳差運動という現象により、星座の位置はだんだんと変化していく)、遺跡の設計は「紀元前二〇〇〇年から紀元前四〇〇〇年」の間になされたはずだと結論している。[10]

従来の歴史学からみると、これは大胆不敵な異説である。もしもロルフ・ミュラーが正しいとすると、マチュピチュは五〇〇〇年前ではなく六〇〇〇〇年の昔から存在した可能性もでてくる。そうなるとエジプトの大ピラミッドよりも古いということになる（もちろん正統派学者の、紀元前二五〇〇年に造られたという意見を認めればの話である）。

マチュピチュの年代に関しては、定説に対して多くの反対意見がある。それらのほとんどはロルフ・ミュラーと同じように、遺跡の一部は従来の歴史学者がいうよりも、数千年は古いという意見だ[11]。

巨大な多角形の石が寸分の隙間もなくぴったりと壁の中に納まっているように、この異論も他のジグソーパズルの一部とぴったりと合いそうだ。この場合は人類の過去のジグソーパズルであり、いまではその全体像を知ることはできない。ビラコチャもそのパズルの一部だ。すべての伝説によれば、ビラコチャの首都はティアワナコにあったという。この偉大な古代都市の遺跡はチチカカ湖の一九キロメートル南、コリャオと呼ばれる地方にあるが、国境を越えてボリビア側に位置する。

私の計算ではリマとラパスを経由すれば数日で到着できるはずだ。

第8章　世界の屋根にある湖

ボリビアの首都ラパスは、巨大な穴の底にある都市だ。底はでこぼこしており、海面からは三キロメートル以上の高さにある。この唐突にへこんだ溪谷は、太古の時代に驚異的な水の落下で、岩や瓦礫が奔流となり作られたのだ。

この世の終わりを思わせるような光景を持つラパスには、個性的だが少々安っぽい雰囲気が漂っている。狭い街路、くすんだ色の壁を持つ家並み、威圧的な大寺院があり、けばけばしい映画館やハンバーガーショップは夜中まで開いている。ここには気まぐれな好奇心をそそる魅力があり、奇妙に興奮させるものがある。だが、この町は歩行者にとっては楽ではない。ふいごのような肺を持っていれば別だが・・・。なぜなら町の中心街が丘の急斜面につくられており、登ったり降りたりが大変なのだ。

ラパス空港は町から約四〇〇メートル高い高地のはずれにある。肌寒い気候のうねるような高地は、このあたりの土地の特徴だ。サンサと私は真夜中をだいぶ過ぎてから着陸した。リマから利用した飛行機が遅れたせいだ。吹きさらしの空港ロビーでは小さなプラスチックのコップに入ったコカ茶が出された。高山病の予防になるという。大幅な遅れと骨の折れる作業の後、ようやく荷物を通関させ、古いアメリカ車のタクシーを呼び止め、ガタゴト音をたてながら、黄色い灯がともる遥か下にある町へ向かった。

大洪水のうわさ

到着した翌日の午後四時、レンタカーのジープでチチカカ湖に向けて出発した。ラパスのラッシュアワーはなぜか一日中続いており理解に苦しむが、ともかくなんとか渋滞から抜け出すと、高層ビルとスラム街を後にし、広く地平線が見渡せる高原地帯についた。ラパスの近くにいる間は、荒涼とした郊外地区が続き、貧民街が不規則に広がっている。道端には自動車の修理屋とスクラップ置き場ばかりが続く。ラパスから遠くなればなるほど、住居の数が減り、やがて人の気配がまったくなくなってしまう。なにもない、樹木の一本もない起伏のあるサバンナの遥か遠くには、雪をかぶったレアル山脈の峰が見える。この風景は、自然の美しさと力を感じさせるが、この土地には別世界のような雰囲気がある。雲の上に浮かぶ魔法の王国のようだ。

最終目的地はティアワナコだが、この夜はチチカカ湖の南端の岬にあるコパカバーナという町を目指す。その岬に行くには漁港ティキネから、臨時のカーフェリーに乗り、狭い水域を横切らなければならない。そこから夕暮れ迫る中、狭くて道幅の一定しない、ヘアピンカーブの多い、山裾を走り抜ける幹線道路を走った。ここからは印象的なパノラマが眼前に広がる。眼下には暗い湖の水

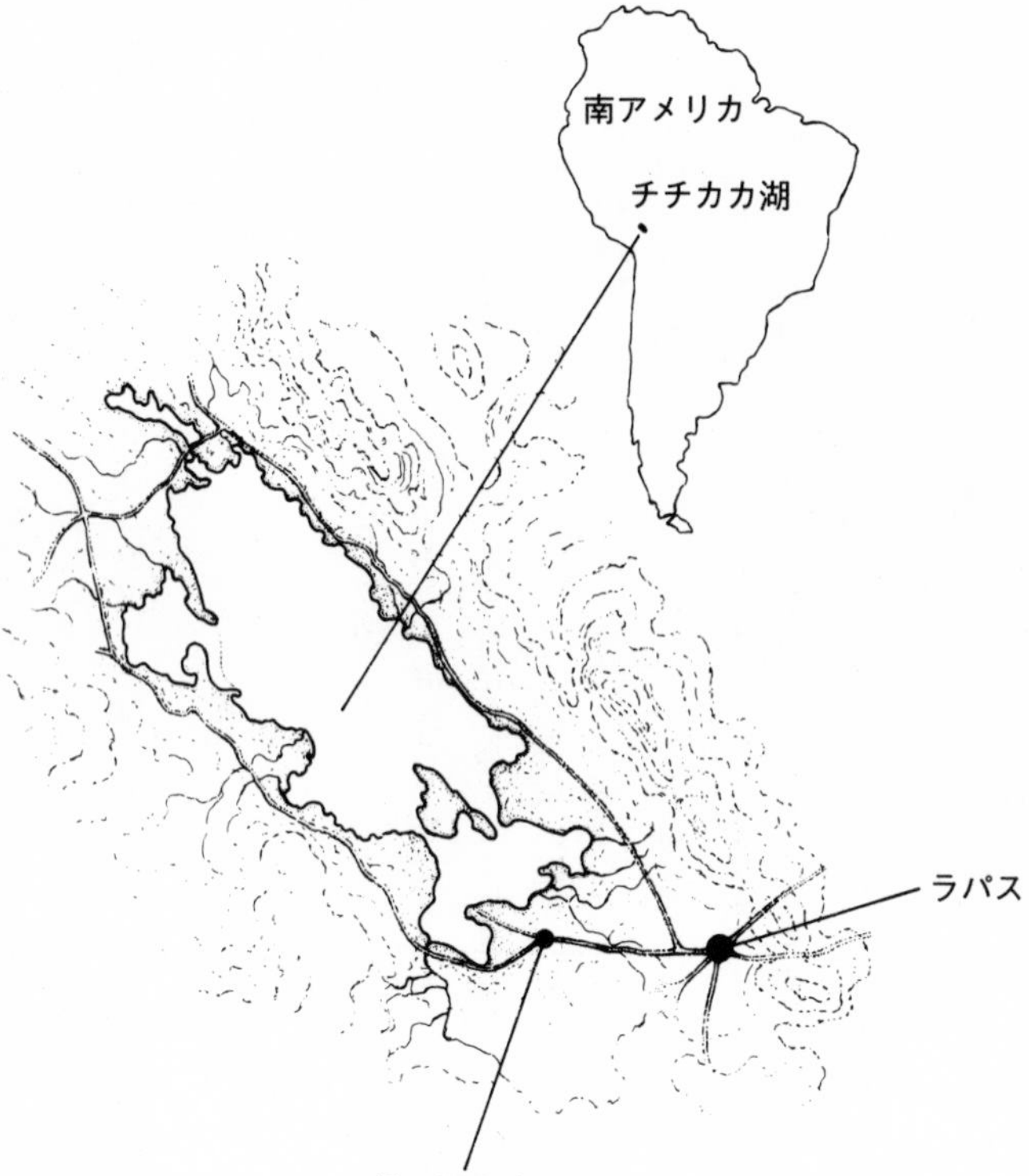

チチカカ湖

が果てしない海のように広がり、陰鬱な陰となり、その後ろにひかえた高い山脈の雪を抱く鋭い峰には明るい陽光があたり、まぶしく輝き、見事なコントラストを描いている。

最初からチチカカ湖は特別な場所という感じがした。海抜三八一〇メートルの高さにあるこの湖には、ペルーとボリビアの国境線がひかれている。また、この湖の広さは八二〇〇平方キロメートル、長さは二二二キロメートル、幅は一一二キロメートルある。さらに深さも相当なもので、場所によっては三〇〇メートルもあり地質学上、謎の多い湖である。

謎とその解答とされているものを以下にあげてみよう。

❶現在は海抜三千メートル以上の位置にあるが、チチカカ湖周辺には何百万、何千万という貝殻の化石が存在する。このことは、このあたりの台地全体が海底から隆起したことを示している。おそらく南アメリカ大陸全体が隆起したときに、この場所も隆起したのだろう。この過程で大量の海水と無数の海の生物がすくいあげられ、そのままアンデス山系に取り残された[1]。これらのことが起きたのは少なくとも一億年以上も前だとされている[2]。

❷こんなに古い時代に起こったことにもかかわらず、チチカカ湖には現在でも「海洋生物」[3]が生息している。現在では太洋から何百キロメートルも離れているのに、魚と甲殻類の多くは海に棲息するものと同じ種類なのだ(淡水系ではない)。漁師のネットにかかってくる生物の中にはタツノオトシゴまでいる[4]。さらにある専門家が言うように「様々な種類のアロケステスや、その他の海洋生物が生棲していることから考えて、かつてのこの湖の水は現在よりももっと塩分

が強かったことは間違いない。より正確に言うと湖の水はもともと海水なのだ。大陸が隆起したときに海水がせき止められ、アンデスに閉じ込められてしまった」のだ。(5)

❸チチカカ湖の誕生のいきさつについて大ざっぱに説明したが、この内陸の「海」とこの高原地帯は、その後さらに多くの激しい変化を経験している。そのなかでも湖の大きさが劇的に変化しているのが特徴的だ。あたり一帯に太古の「海岸線」の跡がはっきりと残されているのでそれがわかる。不思議なことに、この「海岸線」の跡は水平ではなく、北側から南側へ相当な距離にわたり斜めに刻まれている。北方の地点では現在のチチカカ湖よりも九〇メートルも高く、六四三キロメートルほど南の地点では現在よりも八三メートルも低い。(6) このことだけでなく他の事象も考え合わせて、地質学者たちは高原はいまでも少しずつ隆起を続けているに違いないとしている。ただ隆起がアンバランスで北側が激しく、南側が緩やかだったというのだ。この過程においては、チチカカ湖の水面の高さの変化よりも、湖が横たわる高原そのものが変化したことが重要視されている。(7) だが、もちろん湖の水面の高さも変化している。

❹だが、大きな地質の変動には長い時間がかかるというこの推論では解決できない問題もある。たとえば、ティアワナコには立派な船着き場もあり、この町がチチカカ湖に面した港町であったことには議論の余地がない。(8) だが、問題は、現在のティアワナコの遺跡は湖から一九キロメートル南の離れた場所にあり、現在の水面から三〇メートルも高いところにあることだ。(9) したがってティアワナコの町が建設された後に、次のどちらかの変化が起こったことになる。つまり、湖の水面が急激に下がったか、あるいはティアワナコの町が隆起したかだ。

❺どちらにしろ大規模で激しい地形の変化が起こったことは明白だ。その中でも高原の海底からの隆起は、太古の昔に起こったことで、人類文明の夜明け前のことである。もう一つの変化はそれほど昔のことではなく、ティアワナコが建設された後に起こった。[10] そこで問題となるのは、「ティアワナコがいつ建設されたのか?」ということだ。

従来の歴史観では、ティアワナコが建設されたのは五世紀よりも前のことではないだろうという。[11] もちろん別の年代を指摘する意見もある。この異説は多くの学者からは認知されていないが、この地域に起こった地質的隆起の規模を考えれば、まったく矛盾はないように思われる。ラパス大学のアーサー・ポスナンスキー教授と、ロルフ・ミュラー教授（マチュピチュの時代考証にも異議を唱えている）が、天文学と数学を駆使して計算した結果では、ティアワナコの建設時期はかなり古代にさかのぼり紀元前一万五〇〇〇年頃になる。この二人の学者による年代学では、ティアワナコが紀元前一万一〇〇〇年頃に突然、自然による驚異的な大変動に襲われたことも示唆している。[12]

アーサー・ポスナンスキー教授とロルフ・ミュラー教授の発見については、第11章で取り上げる。彼らの研究の成果によれば、アンデスの町ティアワナコは、有史以前の暗くて深い闇の時代、最後の氷河期に繁栄したことになるのだ。

第9章　昔、そして未来の王

アンデスを旅行中、ビラコチャの伝説の主流から外れた興味深い異説に再び目を通していた。ここで紹介する異説は、コリャオ地方チチカカ湖付近で伝承されてきた話であり、「スヌパ」という名前の人物が神のごとく崇拝されたというものである。

スヌパが高原に現われたのは大昔で、北方から五人の弟子を連れてやってきた。威厳のある風貌をした白人で、あご髭があり、目が青いスヌパは冷静かつ禁欲的で、泥酔、一夫多妻、戦争をしないようにと説教をした。(1)

アンデスを長距離にわたって旅したスヌパは、平和な王国を創り、人々にあらゆる文明の技術を教えた。(2)だが、スヌパは、嫉妬した共謀者たちに打ち倒され深い傷を負わされた。

彼らはスヌパの神聖な身体をトトラ草でできた船に横たえ、チチカカ湖に流した。船は驚くべき速さで消え去り、スヌパを殺そうと追ってきた残酷な人々は恐怖におののき仰天した。この湖には潮の流れなどないからだ。船はコチャマルカの岸に到着したが、現在そこにはデサグアデーロ川がある。インディオたちの伝説では、船が岸に激突し、デサグアデーロ川ができたのだという。それまでそこには川がなかったというのだ。また神聖なる身体は、その川の流れに乗って、遠く離れた海岸アリカまで漂流した・・・。[3]

船・水・救い

この話と古代エジプト神話の死と復活の王オシリスの話の間には、興味深い共通点が数多くある。この神話の神秘的な人物についての詳細は、ギリシアの歴史家プルタルコスが書き残している。[4] それによるとオシリスは人々に文明をもたらし、あらゆる有益な技術を教え、食人風習や人身御供の風習を廃止させ、人々にはじめて法律というものを教えたという。オシリスはエジプトを離れ、世界中を旅行し、他の国にも同じように文明の恩恵を与えた。野蛮人に対面したオシリスは、決して力で法を認めさせようとはしなかった。その代わりに論争し、理屈で相手を説得することを好んだ。また、オシリスは自分の教えを楽器で伴奏される詩と歌の形で残したと記録されている。

だが、オシリスが留守の間に、義理の弟セットに率いられた廷臣七二名が陰謀を企てた。オシリスがエジプトに帰ったとき、共謀した廷臣たちは彼のために宴会を開いた。そこには素晴らしい木製の箱がおかれており、この箱にぴったりと入る客には金貨が贈られるという。オシリスはこの箱が、オシリスの身体にぴったり合わせて造られていることを知らなかった。したがって招かれた客が一人一人箱に入ってみたが、サイズが合わなかった。だが、オシリスにはぴったりで、そこにオシリスは気持ちよく横たわった。オシリスが箱から出る前に、共謀者たちは箱に飛びかかり、蓋を閉め、釘をうち、すきまには溶けた鉛を流し込み、空気が入らないようにした。箱はそれからナイル河にほうりこまれた。箱は沈むはずだったが、浮いたままどんどんと流れていった。長い距離を流れた箱は海岸に到着した。

この時点でオシリスの妻、女神イシスが介入した。女神イシスはあらゆる魔法を使えることで知られているが、それを駆使して箱を探し出し秘密の場所に隠した。だが悪人である弟セットは沼地を捜しまわり箱を見つけ、開け、凶暴な怒りに駆られて高貴な死体を一四に切り刻み、あたり一面にまき散らした。

女神イシスは再び夫の救出に向かった。小さなパピルスの茎で造った船にタールを塗り、ナイルに乗り出し、死体の破片を探した。死体を発見すると、強力な呪文を唱え、ばらばらになった身体を一つに戻し、以前の身体を回復した。その後、オシリスはそのままの完璧な状態で、星への生まれ変わりの過程をへて、死の神となり幽界の王となった。伝説によると、オシリスは闇の世界から時々人間の形を装って地上に戻ってくるという(5)。

確かに二つの伝説のあいだには大きな違いがある。だが、不思議なことにエジプトのオシリスと南アメリカのスヌパ・ビラコチャの間には以下のように共通する点がある。

●両者とも文明をもたらした
●両者とも陰謀を企てられた
●両者とも倒された
●両者とも容器あるいは船のようなものに入れられた
●両者とも水のある所に流された
●両者とも川を漂流した
●両者とも最終的に海にたどり着いた

これらのことは偶然として無視するべきだろうか？　あるいは二つの伝説はどこか深いところでつながっているのだろうか？

スリキ島のアシで造った船

高原の冷たい風を受けながら、私はモーター付きの船の先端に座っていた。船は時速二〇ノットの速度でチチカカ湖の氷のように冷えきった水の上を進んでいる。

空は青く澄み渡り、湖岸に近い湖面は明るいトルコ石のような緑色だが、湖全体は銅と銀が混ざったような色でキラキラと輝き、永遠に広がっているかのように見える・・・。

伝説の中にはアシで造った船の話がでてくるが、私はその追跡調査が必要だと考えた。なぜなら「トトラ草でできた船」は、この湖の昔からの交通手段であることを知っていたからだ。だが、最近ではこの種の船を造るような古代技術は衰退している。そこで、現在でも古代技術を使ってこの船を造っているスリキ島に向かったのだ。

湖岸に面したスリキ島の小さな村で、二人の年老いたインディオがトトラ草の束で船を造っているのを見つけた。ほとんど完成に近い優雅な工芸品は、長さが四・五メートルほどあった。真ん中が膨らんでいるが、両端は絞まっており、船首と船尾は空に向けて高くカーブを描いていた。

座ってしばらくのあいだ作業を眺めた。二人のうちのより年配の職人は、茶色のフェルトが巻かれた奇妙な形のウールの帽子をかぶっていたが、裸足の左足を何度も船の脇に押しつけては踏ん張っていた。てこの原理を使ってアシの束を紐でしっかりと締め付けているのだ。年老いた職人はときどき紐で、額の汗を拭ったが、これは紐に湿気を与え接着力を強くするためのようだった。

船はニワトリに取り囲まれ、時々アルパカ（南米ペルー産のラマ属の家畜）の子供が遠慮がちに視察に来た。アルパカは倒れそうな農家の裏庭に散乱するアシのなかから覗いていた。この船以外にもそのあと数時間の間に、何隻かを建造するところを見学できた。この光景は確かにアンデスのものに違いない。だが、見ているうちに何度も別の時間に、別の場所にいるような既視感に陥った。スリキ島で造られているトトラ船は、エジプトのファラオ（古代エジプト王の称号）たちが数千年前にナイルを乗り回した美しいパピルス船と、作り方も出来上がった姿もまったく同じだからだ。エジプトを旅行中、古代の墓の壁に描かれている船の姿を何度も検証してきている。その同じ船が、チチカカ湖のへんぴな島で、あざやかに生命を吹き込まれているのを見て、これまでの調査で、このような偶然がおこる可能性を予期していたにもかかわらず、背筋がゾクゾクした。遠く離れた場所で造られた二つの船のデザインが、詳細にいたるまで似ている理由を、満足に説明できた者はこれまで誰もいない。古代の航海に詳しいある専門家は、この謎について以下のように述べている。

まったく同じコンパクトな形であり、両端が高く持ち上がり、一本のロープで甲板から船の底までが縛られている・・・わらは一本一本細心の注意を払って船体に巻き付けられ、完璧な対称形をなし、船全体は華麗な流線型となっている。束は強く締め付けられ、まるで・・・金色に塗装された丸太製で、船首と船尾の部分が曲げられているかのように見える。(6)

古代ナイルのアシ船とチチカカ湖のアシ船（地元のインディオたちは、ビラコチャたちがこの船を最初に設計したと言う）(7)には、他にも共通点がある。たとえば両方とも、奇妙な二本足が広がったマストに帆が取付けられるようになっている。(8)また、両方とも重たい建築資材を運ぶ、長距離輸送に使用されている。エジプトではギザやルクソールやアビドスの寺院に向けてオベリスク（正四角錐台の石）や巨大な石を運搬したし、南米ではティアワナコの謎の大建造物のために石を運んでいる。

太古の昔、まだチチカカ湖が三〇メートルも浅くなっていないころ、ティアワナコは湖畔にあり、広大で神秘的な景色を一望していた。だがビラコチャの首都であった偉大な港町は、現在、風が吹き抜ける高原の荒涼とした丘に囲まれた廃虚となっている。

ティアワナコへの道

スリキ島から本土に戻り、レンタカーのジープを運転し、土煙をあげながら高原を疾走した。途中、プカラニとラアの町を通ったが、そこではアイマラ族のインディオたちが狭い補修された街路をノロノロと歩き、陽が当たっている小さな広場に座り、おだやかな表情を浮かべていた。

学者たちが主張するように、ティアワナコを建設したのは彼らの祖先なのだろうか？　あるいは伝説が正しいのだろうか？　神のような力を持つ異邦人が、遥か太古の時代にやってきて住みつき、この古代都市を建設したのだろうか？

第10章　太陽の門がある都

スペインによる征服の後、ボリビアのティアワナコ遺跡を訪れた初期のスペイン人旅行者も、この遺跡の建物の大きさと、謎を秘めた雰囲気に感銘を受けている。ペドロ・シエサ・デ・レオンは以下のように報告している。「原住民にこの大遺跡はインカ時代のものか？　と尋ねたところ、彼らは笑い、インカの時代よりもずっと前に建てられたという・・・・先祖代々伝わる話ではそこに見えるものはすべて一晩で出現したという・・・」[1]。同時代に訪れた別のスペイン人は、大石が奇跡的に地面から持ち上げられたという伝説を報告している。「大石はトランペットの音とともに空中を運ばれた」[2]

スペインによる征服後間もない頃、この都市の詳細は歴史学者ガルシラソ・デ・ラ・ベガによって書き残されている。当時はまだ宝物や建物部材の盗掘もなかったが、長い時間の経過によって荒廃していた。この遺跡はガルシラソ・デ・ラ・ベガを驚嘆させるに十分なものだった。

ここで、巨大で信じがたいティアワナコの建造物について述べなければならない。ここには古代に造られた高い人工の丘があるが、土台は石であり、地面が動かないようにできている。また石を削って造った巨大な彫像がある・・・それらは磨耗しており、太古のものだということがわかる。壁があるが、余りにも巨大で、人間の力でどのようにしてこの場所に据え付けたのか、想像するのが難しい。いくつかの奇妙な建物が残っているが、その中でも驚異的なのはいくつかの石の門だ。これは一つの石から造られている。その土台の大きなものは長さ九・一メートル、幅四・五メートル、厚さ一・八メートルもある。土台も門も一つの石からできている。どうやって、どんな道具や装置を使ってこのように巨大な建造物を造ることができたのかについては、答えることができない・・・それだけではない。どうやってこの巨大な石をここまで運んできたのであろうか・・・[3]。

これは一六世紀に書かれたものだ。それから四〇〇年以上もたった二〇世紀の終わりの今、私もガルシラソ・デ・ラ・ベガと同じように当惑した。ティアワナコ遺跡は近年になって公然と盗掘されてきたが、それでも周辺には扱いに困るほどの巨大な一枚岩で造られた遺跡があり、見事な彫刻が施されており、人間を超える力で造られたかのように思えるのだ。

低所にある神殿

師に教えを仰ぐ弟子のように、低所にある神殿の床に座り、学者たちが一致してビラコチャに違

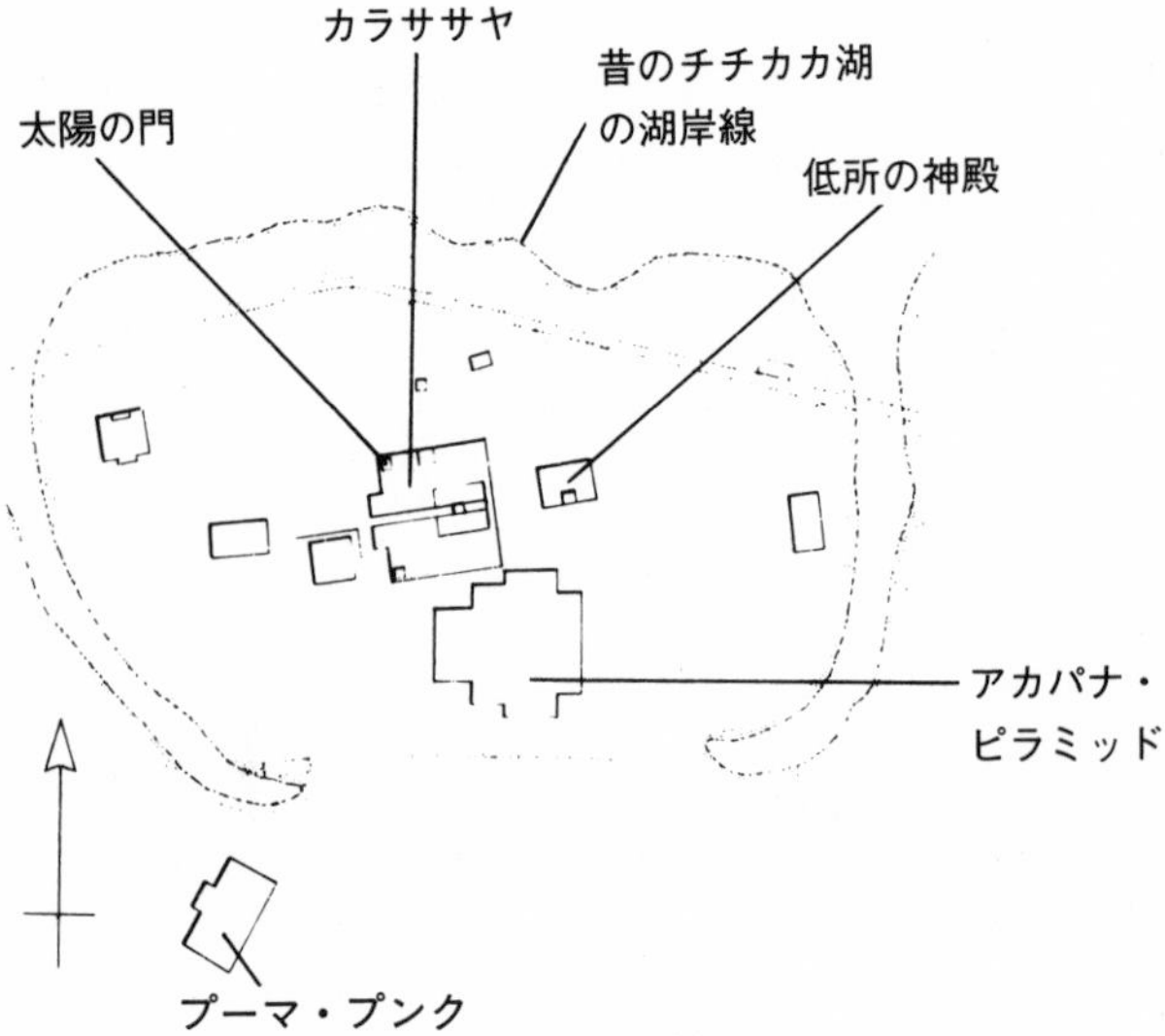

ティアワナコ

いないと見なしている、謎の人物の顔を見上げた。見知らぬ時代の見知らぬ人の手によって、赤い岩の大きな柱に肖像が彫刻されたのだ。現在では磨耗が激しいが、平和な心を持つ人物の肖像のように思える。そして力をもつ人物の肖像のようだ・・・。

額は高く大きく、目は丸い。鼻はまっすぐで鼻ばしらの所は狭いが、鼻孔に向かって広がっている。唇はふっくらしている。だが最も目立つのは、形がよく威厳を感じさせるあご髭だ。この髭のため、額よりも顎の方が広がって見える。さらに良く見ると、彫刻師は、口の周辺を剃った人物をモデルにしたようだ。そのため髭はほっぺたの中頃、鼻の鼻孔と同じ高さから始まっている。髭はそこから大きく口許に広がり、顎のところで大袈裟なヤギ髭になり顎の輪郭に沿って耳まで続いている。

耳の上下、頭のわきには動物の風変わりな図柄が彫刻されている。より正確には、変わった動物の図柄が彫られている、というべきかもしれない。というのも、その動物は、巨大で不格好な、太古の哺乳動物のようで、太い尾と棍棒のような足を持っているのだ。

他にも興味深い点がある。たとえば石像のビラコチャの両腕は、長く流れるローブの前で、片方を上に、もう片方を下にして組まれている。このローブの両側に刻まれた身をくねらす蛇は、地上付近から肩のところまで螺旋を描きながら這い上がっている。この見事なデザイン(オリジナルは華麗な服に刺繍されていたのだろう)に見とれながら心に思い浮かべたビラコチャは、魔法使い、魔術師、あるいはあご髭のある魔法使いの予言者マーリン(アーサー王に仕えたといわれる予言者)のようであり、風変わりだが上等な服を身にまとっており、天から火を呼び寄せていた。

ビラコチャの石像が立つ「神殿」に天井はなく、そこは大きな長方形のスイミングプールのような穴になっており、深さは地面から一・八メートルある。床は長さが一二メートル、幅が九メートルで、堅く平らに砂利が敷かれている。強固な縦壁は、大きさの異なる精密に仕上げられた切り石のブロックを積み上げて造られている。石は密接して積み上げられており、接触部にモルタルはなく、ところどころに背の高い荒削りの石柱が据えられている。南の壁には階段が造られており、この遺跡に入るときにはそこから降りた。

ビラコチャの石像の周りを何度も回ってみた。手を陽光で温まっている石柱にあて、石像が造られた目的を想像しようとした。高さはたぶん二メートルはあり、南を向いている。背中はチチカカ湖の湖畔に向いている(昔は湖まで二〇〇メートル以内の距離だった)[4]。中央のこの石像の遙か後方には、さらに二つの小さめの石像が立っている。これはたぶんビラコチャの伝説に登場する仲間たちだろう。三つの石像は厳密に垂直に立っており、あざやかな影を地面に映している。私が凝視している間に、太陽が頂点を過ぎたせいだ。

再び地面に座り込み、ゆっくりと寺院のなかを見回してみた。ビラコチャはオーケストラの指揮者のように君臨していた。だが、もっと目立つものが別にあった。それは壁に沿って、高さの異なる色々な石に彫刻された、何十という人間の頭だ。頭は壁から立体的に飛び出ており完全な形になっている。この頭の機能については学者たちの間で様々な意見がある。

ピラミッド

一段低い位置にある神殿の床から西の方角を見ると、広大な壁が見える。その中には巨大な厚い岩で幾可学的な形に造り上げられた見事な門が見える。午後の太陽がつくるこの門の影が巨人像にかかっている。壁に囲まれた広場はカラササヤと呼ばれ、パレードができるほど広い。カラササヤとは現地のアイマラ語で、「垂直に立つ石の場所」という意味だ(5)。また、ここにある巨人像がガルシラソ・デ・ラ・ベガが言う、磨耗した太古の彫刻の一つなのだ。

このカラササヤを見に行きたいと思ったが、その前に南にある人工の丘に注目した。この丘は高さが一五メートルで、寺院から階段を登っていくとすぐ目の前にそびえ立っている。ガルシラソ・デ・ラ・ベガも触れているこの丘は、アカパナ・ピラミッドとして知られている。エジプトのギザのピラミッドと同様に、このピラミッドも東西南北の方位を驚くほど正確にとらえている。だがエジプトのピラミッドと異なり、土台の形は入り組んでいる。一辺がほぼ二一〇メートルもある図体の大きい建築物で、ティアワナコの主要大建造物の一つとなっている。

ピラミッドに向かって歩き、周りを歩いてからそれによじ登ってみた。もともとこの丘の四方は直線で、階段状のピラミッドになっており、表面は安山岩の切り石で覆われていた。だがスペイン征服後の数世紀間に、この場所が建設業者の採石場となってしまった。遠くのラパスからも採石に来たのだ。その結果、このピラミッドの表面を覆う見事なブロック石は一〇％しか残っていない。

どんな手掛かりや証拠を、それらの名も知れぬ盗賊たちは持ち去ってしまったのか？　破壊された、草が高く茂る丘を登り、アカパナ・ピラミッドの頂上を目指しながら、このピラミッドの真の役割は永遠に判明しないだろうと直感的に思った。はっきりしているのは儀式や装飾のための建造物ではないことだけだ。どうやら少数の人だけが理解できる「装置」あるいは機械のようだ。考古学者たちは、丘の内部の奥深くに複雑な網状になった、見事な切り石で造られた水路を発見している。水路は細部まで正確に角度を付けられ、つなぎ合わされている。接合部分の緩みは五ミリ程度しかない。この建造物の最上部には大きな貯水装置があり、そこから水が大量に流されたのだ。水路はそこからだんだんと低くなっていき、ピラミッドを囲む濠の中に流れ込み、最後はピラミッドの南側の土台のところに流れ込んだ。[6]

この水路の建設には細心の注意が払われている。優れた職人が辛抱強く莫大な時間をかけて造ったものだ。そうなると、アカパナ・ピラミッドは何か重要な目的があって建設されたことになる。多くの考古学者が、この水路の目的は雨や川の信仰に関係していると推論している。水の力、奔流に対する原始的崇拝だというのだ。

不吉な推論もある。このピラミッドの知られていない「技術」とは滅亡に導く技術だというのだ。アカパナの名は現在でもこの土地で使われている古代のアイマラ語の「HAKE」と「APANA」からきている。「HAKE」は『人々』を意味し、APANAは『(おそらく水による) 滅亡』を意味する。つまりアカパナは人々が滅亡するところなのだ・・・」[7]

別の学者は、この水力学システムの特徴を注意深く詳細に調べた結果、別の推論をしている。それによると、この水力は何かを作ることに使われたという。たとえば流れる水を使って鉱石を洗ったのではないかというわけだ。[8]

太陽の門

謎のピラミッドの西側を離れ、南西の端に位置する囲い地カラササヤに向かった。ここにくると、なぜこの地が「垂直に立つ石の場所」と呼ばれるかがわかる。まさにそのとおりなのだ。分厚い台形のブロックで造られている壁の所には、一定の間隔で巨大な短剣のような一枚岩が並んで立っている。この短剣の高さは三・六五メートルほどあり、高原の赤い大地に、つかの方から突き刺さっている。そして巨大な防御壁を作り上げている。四五平方メートルの広さを囲み、地上からの高さは、底地の寺院が掘り下げられた深さの二倍となっている。

ではカラササヤは城塞だったのか？　明らかに違う。現在学者たちが一般的に認めているのは、この場所が精巧な天体観測所として機能していたということだ。この場所の目的は、敵を城塞で押しとどめることではなく、秋分や春分、夏至や冬至など一年の多彩な季節を数学的に精密に割り出すことにあったのだ。壁のいくつかの付属物、そして壁そのものも、特定の星座グループと対応しており、春夏秋冬の太陽の出没方位角の計算ができるように設計されていたようだ。[9] さらに、調査した人々によれば、この敷地の北西に立つ有名な「太陽の門」は、世界的な芸術品であるだけでなく、門の石には緻密で正確なカレンダーが彫刻されているという。

彫刻に親しめば親しむほど、このカレンダーの奇妙なレイアウトと絵柄は、芸術家の思い付きから生み出されたものだとは、とても思えなくなる。この絵文字は深い意味を持っており、科学者の観察と計算を語る雄弁な記録なのだ・・・。カレンダーはこのように描かれ、レイアウトされざるを得なかったのだ。[10]

私は事前の基礎調査以来、「太陽の門」とカラササヤ全体には特別に関心があった。なぜなら次章で解説する天文学と太陽運行の調整計算によって、カラササヤが最初に建設された時期を計算することができるからだ。この調整によると、論議を呼びそうな数字だが、カラササヤは紀元前一万五〇〇〇年に建設されたことになる。だいたい今から一万七〇〇〇年前だ。

第11章　太古の暗示

大作『ティアワナコ　アメリカ人の揺りかご』のなかで、故アーサー・ポスナンスキー教授（ドイツ系ボリビア人の権威ある学者で、遺跡の研究に五〇年を費やしている）は、自説の天文考古学の計算方法について説明をし、ティアワナコの起源に関する定説を覆し、物議をかもした。それによると、計算は「厳密に、カラササヤが建設されたときと、今日の黄道傾斜の違いを元にして導き出されたものだ」という(1)。

それでは「黄道傾斜」とは正確にはどういったものか、またなぜそれでティアワナコの建設時期が一万七〇〇〇年前になるのか？

辞典を見ると「黄道傾斜とは、天の赤道面と黄道面のなす角度で現在は二三度二七分」と定義されている(2)。

このあいまいな天文学上の定義をさらに明瞭にするには、地球を宇宙という太洋を航海する船と見なすとわかりやすい。すべての船は（地球でもヨットでも）波に合わせてわずかに横揺れする。

その横揺れする船に乗っていると考えよう。甲板に立ち海を眺めてみる。波の頂点では船が持ち上がり、視界が広がるだろう。だが船が下がると視界が狭くなる。この過程は一定している。数学的で、まるで規則正しいメトロノームのチック・タックというリズムのようだ。これは安定していて、ほとんど気づかないほどの揺れで、永遠に水平線とあなたの視界との間の角度を変え続ける。

それではもう一度地球を見てみよう。子供でも知っているように宇宙に浮かんでいる美しく青い地球の自転軸は、太陽の周りを回る軌道と垂直ではなく、わずかに傾いている。したがって地球の赤道も、天の赤道（地球上の赤道を天球の赤道に拡大したと想像したもの）も、太陽の周りを回る軌道との間には角度のずれがあることになる。その角度のずれが「黄道傾斜」となる。だが地球は船であり、横揺れしており、傾斜角度の変化は周期的で非常に長い期間がかかる。一周期は四万一〇〇〇年だが、精密なスイス製クロノグラフ（時間を図形的に記録する装置）のグラフ上で、傾斜角度は二二度一分から二四度五分の間で変化している。[3] 随時変わる傾斜角度も、あるいは過去のすべての角度も（歴史上のいつであっても）いくつかの方程式を使用すれば計算できる。それらはグラフ上の曲線となって示される（一九一一年のパリにおける天文暦国際会議において、はじめてこのグラフが描かれた）。このグラフを元にして、角度を合わせれば、間違いなく正確な歴史的時期を示すことができる。

ポスナンスキー教授がカラササヤの建設年代を特定することができるのは、傾斜周期が太陽の日の出と日没の方位角を何世紀にもわたって少しずつ変化させるからだ。[4] 太陽との照準が狂ってしまっているいくつかの建造物を調べ、照準を補正し、カラササヤが建設された時の「黄道傾斜」は二三度八分四八秒であることを、ポスナンスキー教授はきわめて論理的に証明した。この角度を天文暦国際会議のグラフに照合すると、建設時期は紀元前一万五〇〇〇年となる。(5)

もちろんほとんどの保守的な歴史学者も考古学者もティアワナコの建設時期をそれほど古いとすることを好まない。第8章で述べたように、彼らは五〇〇年という無難な範囲での推定を好む。だが、一九二七年から一九三〇年にかけて、数名の別の専門分野の科学者がポスナンスキー教授の「天文学的・考古学的調査」を綿密に検証した。この強力な科学者のチームは、アンデスの他の多くの考古学的遺跡も調査している。メンバーはハンス・ルーデンドルフ博士（ポツダム天文台の所長）にフリードリッヒ・ベッカー博士（ヴァティカン天文台）、それに二人の天文学者アーノルド・コールシュッター博士（ボン大学）と、ロルフ・ミュラー博士（ポツダム天体物理学研究所）である。(6)

三年間の研究の結果、科学者たちは、ポスナンスキー教授の意見は基本的に正しいと結論した。だが教授の発見が、現在優勢である歴史観にどのような影響を与えるかについては関知しようとしなかった。ただティアワナコの多彩な建造物の天文学的位置についての調査結果を発表しただけであった。そのなかでも、最も重要な意味をもつのは、もちろん天体を観測して得られたカラササヤの建造年代が、大変に古いという結論だ。五〇〇年よりも遙かに・・・遙かに古いのだ。ポスナンスキー教授のいう紀元前一万五〇〇〇年という数字は、可能性の範囲内に十分に入るというのだ。(7)

ティアワナコが歴史の夜明けよりもかなり前に繁栄したとすると、どのような人々が、何を目的として建設したのだろうか？

魚を着る人物

カラササヤの内部には二つの巨大な石像がある。その一つはエル・フライレすなわち「修道士」というニックネームが付けられており、南西の角にある。東側の端中央にあるのが巨人で、下の寺院からも見えた石像だ。

赤い砂岩に彫刻されたエル・フライレは磨耗が激しく、古さも特定できない。高さは二メートルほどで、重々しく大きな目と口をもつ人間らしき姿に描かれている。右手にはナイフのようなものをしっかりと握っているが、それは曲線を描いており、インドネシアの短剣のようだ。左手にはハードカバーの本のようなものを持っている。だが、この「本」の上からは何か道具らしきものが飛び出ているが、あたかも鞘《さや》に差し込んでいるかのようだ。

胴から下は魚の鱗で覆われた服を着ているように見える。この見方を裏付けるかのように、彫刻師は鱗の一つ一つを高度に様式化された魚の頭の形に描いている。ポスナンスキー教授によれば、明らかにこの模様は一般的な「魚」を意味すると解釈される[8]。したがってエル・フライレは、想像上のものかあるいはシンボルとしての「魚人」を描いたものとなる。この像にはベルトがあるが、そこには大きな甲殻類の姿が彫刻されているようだ。そうなるとこの考えが正しい可能性がさらに高まる。だがこれは何を意味するのか？

この問題に光を投げかけると思われる土地の伝説を知ることができた。これは非常に古い伝説で、「湖の神で、魚の尾を持つチュリュアとウマントゥア」についてのものだ[9]。この伝説と魚人の像は、南米から遙か遠く離れたメソポタミアに存在する神話と奇妙に符合している。メソポタミアの神話には水陸両生の人々についての奇妙な話がながながと語られているが、この人物は「理性の持ち主」で、歴史が始まる前の太古の時代にシュメールの土地を訪問したという。水陸両生の一族の指導者はオアンネスあるいはウアンという名前であった。[10] 古代セム人の筆記者ベロッソスは次のように書いている。

オアンネスの身体全体は魚のようであった。魚の頭の下には別の頭があり、下には人間と同じような足もあったが魚の尾ひれとくっついていた。声も言葉も歯切れよく、人間のものだった。オアンネスの肖像画は現在も残っている・・・。陽が沈むと、この人物は海に飛び込み、深い海底で一晩を過ごした。オアンネスは水陸両生だったのだ。[11]

ベロッソスの報告によると、オアンネスの特徴は文明を伝えたことだった。

昼間は人間たちと会話を交わした。だが食事はしなかった。また人々に文字や科学やあらゆる芸術についての理解を深めさせた。家の建て方を教え、寺院を建てさせ、法律を定め、幾何学の原理を説明した。地球上の種の見分け方や、果物の採集方法を教えた。簡単に言うと、人類を人間化し、礼儀作法に関するあらゆることを教えたのだ。彼の教えは極めて普遍的で、それ以降、なにも追加して改良する必要はなかった・・・。[12]

現存するオアンネスの姿を、バビロニアやアッシリアの浮き彫りで見たが、それらは明らかに「魚人」であることを示していた。衣服の図柄には主に魚の鱗が使われており、南米のエル・フライレが着ているものとそっくりだ。もう一つ似ているのは、バビロニアの人物は両手に奇妙なものを持っていることだ。記憶が正しければ（後で確認したところ正しかった）、エル・フライレの持っているものと同一ではないが、注目するに足るほど十分似ているだろう[13]。

カラササヤのもう一つの偉大な「偶像」は、敷地の東端にある。門の方向を向いており、堂々とした一枚岩の灰色の安山岩で重厚に仕上げられており、高さは二・七メートルもある。幅の広い頭部はがっしりした肩の上にまっすぐに据えられ、コンクリートの厚板のような顔は無表情で遙か遠くを見つめている。冠かヘッドバンドのようなものを装着しており、髪の毛は編まれ、長い縦方向のまき毛となっているが、それは背中を見るとよくわかる。

石像の表面のほとんどが彫刻され装飾されており、まるで入れ墨をしているかのようだ。エル・フライレと同じように、胴から下の衣服は魚の鱗と図案で覆われている。またエル・フライレ同様、両手にはそれぞれ得体の知れない品を持っている。左手に持っているのは、本ではなく、鞘《さや》のようだ。鞘の上からはフォーク状のものが飛び出ている。右手の物品はほぼ円筒形だが、手で握られている中央部分が狭く、肩のあたりと底が広くなり、再び上の部分が狭くなっている。いくつかの部分に分かれており、部品が重ねられているようにも見えるが、これが何なのかを推測することは不可能だ。

アッシリアの浮き彫りの「魚人」

絶滅した種の姿

「魚人」から離れ、ようやくカラササヤの北西にある「太陽の門」に到着した。この門は独立した一枚岩の灰色がかった緑色の安山岩で、幅三・八〇メートル、高さ三メートル、厚さが四五センチあり、重さは一〇トンと推測されている。[14] パリの凱旋門に似たものを思い浮かべるとよいが、規模はだいぶ小さい。ここの情景における「太陽の門」は、二つの見えない次元、「無」と「虚」を結ぶ扉のようだ。石細工はとくに見事で、専門家たちは「アメリカ考古学上の不思議の一つ」と呼んでいる。[15] 最も謎とされているのは「カレンダー小壁」と呼ばれる彫刻で、東向きの正面の門型フレームの上部に施されている。

中央上部の高所には、学者たちがビラコチャに違いないとみなしている像があり、[16] 小壁を圧倒している。この像は天から火を降らせるビラコチャの恐ろしい面を表わしているようだ。だが温和な父親のような表情も合わせ持っている。頰に同情の涙を流しているのだ。だが表情は厳しい。王冠は威厳があり堂々としており、両手には稲妻の矢を握っている。[17] 二〇世紀の最も著名な神話学者の一人であるジョセフ・キャンベルは、「太陽の門から宇宙に流れ出る恩恵のエネルギーは、すべてを滅ぼす稲妻の不滅のエネルギーと同じだ、ということを表わしている」と解釈する。[18]

左右を眺め、ゆっくりと残りのカレンダー小壁を研究してみた。この彫刻は見事にバランスがとれており、八つの肖像がそれぞれ三段にわたって合計二四ほど描かれている。それが中央の高位の神像の左右にそれぞれ配置されている。このカレンダーを構成している肖像について、多くの人々が説明しようと試みてきたが、説得力のある見解はまだ出されていない。[19] 確実に言えることは、独特の血の通わないまるで漫画のような雰囲気を持っており、一列連隊をつくりビラコチャの方に向かっている様子が、冷たく数学的で、機械的なことだ。あるものは明らかに鳥の仮面をかぶっている。鋭い鼻を持つものもいる。そしてそれぞれが高位の神像の持っているものと同じような道具を手にしている。

カレンダー小壁の下側は、「メアンダー(曲折模様)」として知られるデザインで満たされている。幾何学的な段状のピラミッドが連続した線で描かれ、交互に逆さまになったり右側が上に来たりしている。これもまたカレンダーの機能を持っていると考えられている。右側から三つ目のピラミッドに、はっきりと象の頭と耳と牙と鼻が彫刻されている(左側から三つ目にも同じものがあるが、鮮明ではない)。これはとても奇妙なことだ。なぜなら新大陸のどこにも象はいないからだ。だが、後で調べたところ、有史以前の太古の時代には、南米大陸にも象がいたことがわかった。その象は「キュビエロニウス」と呼ばれる長鼻類で、牙と長い鼻を持ち、とくに南米の南方地方にたくさん生息していたが、紀元前一万年頃、突然、絶滅している。[20] この象の仲間は、「太陽の門」に描かれている「象」に、極めて似ている。[21]

近づいて、さらに綿密に象を観察した。よく見るとそれは鳥冠を持つ二羽のコンドルが咽と咽を接する姿だった(コンドルの鳥冠が象の耳を、首の上部が牙を構成していた)。だが、この二羽のコンドルは、どうしても象に見えてしまう。その理由の一つは、ティアワナコの彫刻師たちは、特徴ある視覚のトリックをたびたび採用していることにある。彼らの繊細でこの世のものとも思えない図柄は、一つの物体を描いているようで、別の物体を描いていることがよくある。したがって、明

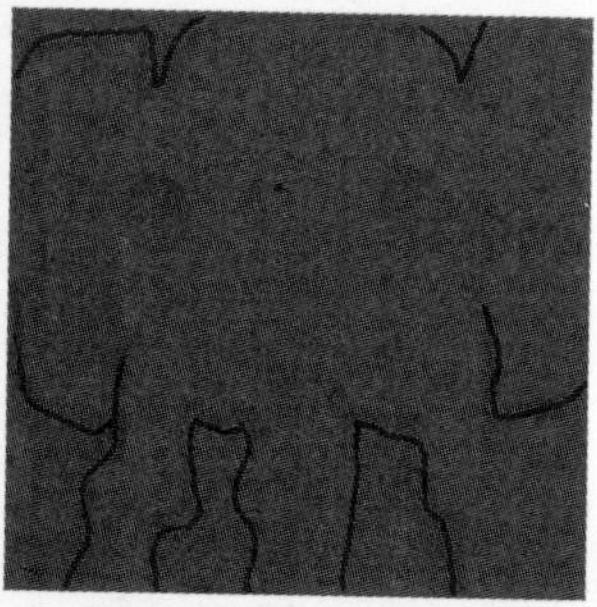

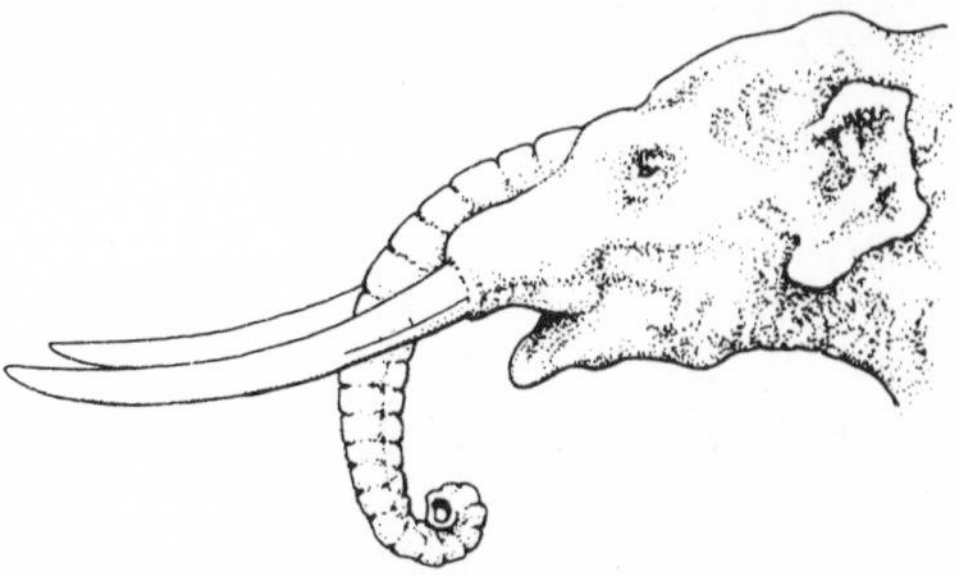

左上：ティアワナコの「太陽の門」にある長鼻と牙のある象のような動物の詳細。　**右上：**「キュビエロニウス」の姿を生物学的に再現したもの。南アメリカの長鼻類でティアワナコ付近に生息していたが、紀元前1万年頃、絶滅している。　**左中：**正体不明な動物だが「トクソドン」の可能性がある。地下の寺院のビラコチャ像の側面に彫刻されている。　**右中：**これも「トクソドン」かもしれない。ティアワナコにある。盛り上がった鼻孔がなかば水中に生息する現代のカバのような動物であることを思わせる。「トクソドン」もなかば水中に生息したことで知られる。

左：「トクソドン」の姿を再現して描いたもの。南アメリカに生息した動物で紀元前1万1000年頃絶滅している。

らかに人間の顔についた耳だと思っていると、それが鳥の羽だったりする。同じように見事に飾りたてられた王冠は、魚とコンドルの頭を交互に描いて構成されていたり、まゆが鳥の首と頭で描かれていたり、スリッパの先が動物の頭で描かれていたりする。したがって、コンドルの頭でできた象の仲間も、目の錯覚である必要はない。それどころか、このような創意に富む構成はこの小壁の芸術的特徴と見事に一致している。

「太陽の門」には多種多様な動物の絵柄が彫刻されているが、いくつかの絶滅した動物が描かれている。調査段階でわかったことだが、数名の観察者が、間違いなく描かれていると指摘している動物がいる。それは「トクソドン」[22]である。三本の足指をもった、水陸両生の哺乳類で身長が三メートル、肩の高さが一・五メートルもある動物で、ずんぐりした背の低いサイやカバによく似ている。[23]「キュビエロニウス」と同じように「トクソドン」も鮮新世後期（一六〇万年前）に南アメリカで隆盛していたが、更新世の終わりに死滅している（一万二〇〇〇年ほど前）[24]。

私には、これらはティアワナコの起源が更新世の終わり（一万二〇〇〇年ほど前）であったとする天文考古学的な確かな証拠のように思える。さらにティアワナコの起源が一五〇〇年前であるという古典的歴史年代学者たちの見解が崩れることになる。なぜならこれらの彫刻は生きていた「トクソドン」をモデルにしたはずだからだ。「太陽の門」の小壁には四六以上の「トクソドン」の頭の絵が彫刻されていることは、重要なことに違いない。[25]「トクソドン」はティアワナコから出る陶器の破片に描かれているのが、何度も発見されている。さらに確信を深めたのは、「トクソドン」の立体的な彫刻がいくつか発見されていることだ。[26]さらに他の絶滅した動物の肖像も発見されている。その中には、昼間動き回る四肢動物「シェリドテリウム」や現在の馬よりも身体が大きく、三本の足指を持つ「アメリカ原生馬」がいる。(27)

このように見ると、ティアワナコは過去の奇妙な動物が描かれている絵本のようだ。一七世紀に絶滅したインド洋の飛べない鳥、ドードーよりもはるか昔に死滅した動物が、永く残る石に描かれているのだ。

だがこの記録作りはある日突然中止されており、闇が舞い降りている。このこともまた「太陽の門」の石に記録されている。ここでの創作活動は中断させられ、芸術作品は未完成のままなのだ。小壁が完成されていないのは、何か恐ろしいことが突然に発生し、ポスナンスキー教授の言葉を借りると、彫刻師が「最後の仕上げをしている最中に、ノミをその手から永久に落下させた」からだ。(28)

第12章　ビラコチャの最後

第10章で、ティアワナコは当初チチカカ湖畔の港町として建設されたことを述べた。当時の湖は現在よりも広く、三〇メートルも深かったのだ。埠頭や堤防などの巨大な港湾設備が残されており、港であったことは疑う余地がない（昔の湖畔のところには捨てられた切り石も残っている）[1]。ポスナンスキー教授の試算（正統派学者は賛同していない）によればティアワナコが港として頻繁に使われたのは紀元前一万五〇〇〇年前で、同じ頃にカラササヤも建設されており、その後五〇〇〇年にわたって繁栄したという。またこの五〇〇〇年の間、チチカカ湖の湖畔の位置はまったく変化していなかったという[2]。

この期間、港町の主要港湾施設はカラササヤの南西数百メートルの場所に位置しており、現在ではプーマ・プンク（「ピューマの門」の意）と呼ばれている。ここを発掘したポスナンスキー教授は人工的に造られた二つの船着き場があることを確認した。それは、「巨大な船着き場ないしは桟橋で、数百の船が重い貨物を同時に荷下ろしできただろう・・・」という[3]。

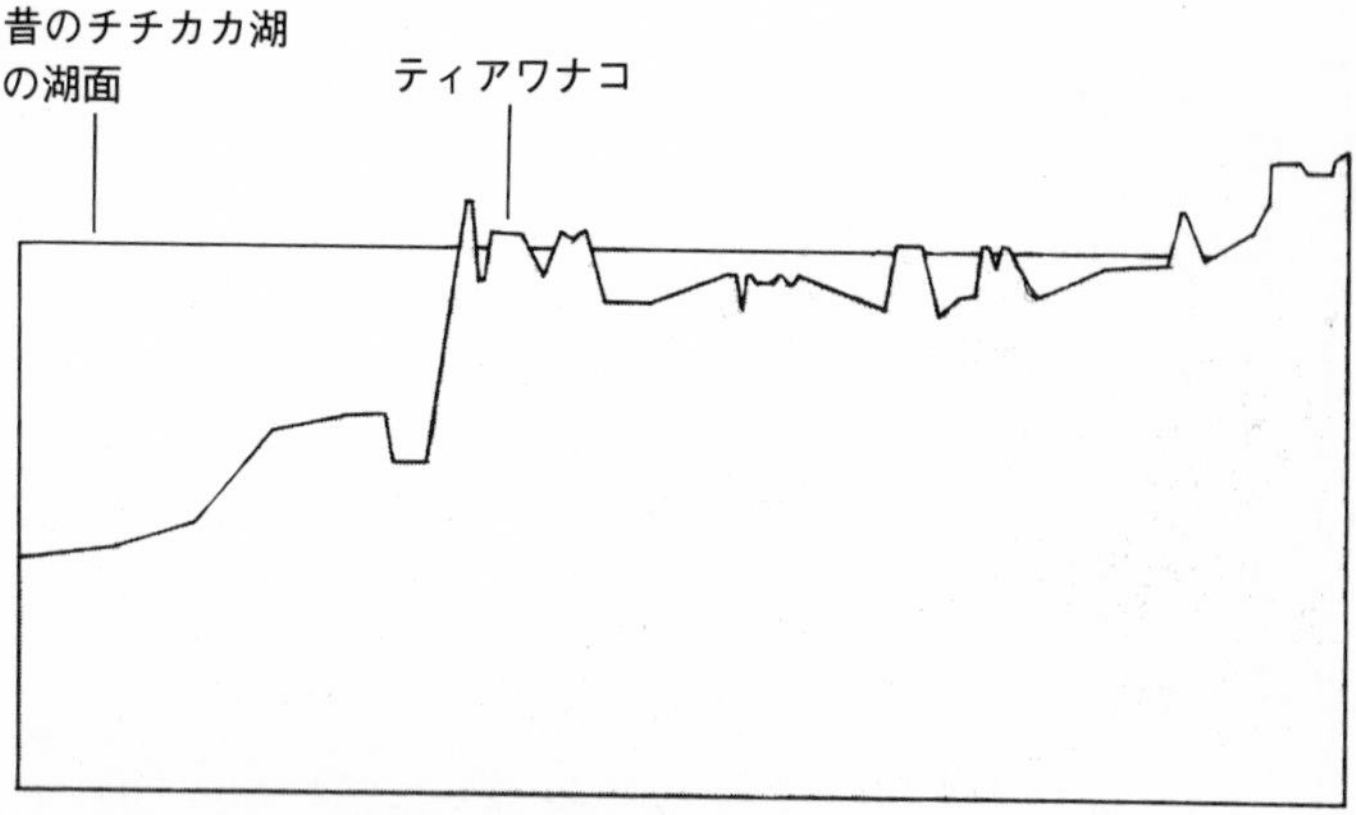

チチカカ湖は、1万2000年前は現在より30メートル深かったため、当時ティアワナコは島であったと考えられる。

桟橋を造るのに使われた建設ブロックが、現在でも現場に残っているが、その一つは重さが四四〇トンはあると推測されている。[4] この場所には他にも一〇〇トンから一五〇トンのブロックがたくさん転がっている。[5] さらに多くの巨大な一枚岩は、「I」の形をした金属製の留め金で留められていた跡がはっきりと残っている。南アメリカ全体で、留め金を使う技術は、ティアワナコだけにしか見られない。[6] 前にこれと同じような特徴のある凹みを見たのは、上エジプトのナイル川の島エレファンチンの遺跡においてであった。[7]

同じように示唆に富むのは、これら太古の石の多くに十字の印が刻まれていることだ。とくにプーマ・プンクの北側では何度も見ることができる。この二重の十字は完璧なバランスと調和を保ち、硬い灰色の岩に明瞭な線で深く刻まれている。保守的な年代学者もこの十字の跡は一五〇〇年以上前のものであることを認めている。したがって、少なくともこの十字を刻んだのは、キリスト教をまったく知らない人々だった。最初のスペイン人牧師が高原に現われるよりも一〇〇〇年は昔だったからだ。

それではキリスト教徒はどこで十字を手に入れたのか？　イエス・キリストが磔《はりつけ》にされた木の形からも来ているだろう。だが、もっと古い起源を持つのかもしれない。古代エジプト人も十字に良く似た象形文字を使っていた（上が輪になった十字章で「アンサタ十字」と呼ばれる）。このシンボルは生命の象徴であり、人生の息吹・・・永遠の生命を意味した。[8]　このシンボルはエジプトが起源だろうか？　あるいはもっと別の場所で、もっと古くからあったのではないか？

このような考えを次から次へと想起しながら、ゆっくりとプーマ・プンク周辺を歩いてみた。広大な周辺部は数百メートルの長方形で、低いピラミッド型の丘があり、そのほとんどが背の高い雑草で覆われている。何十というブロックの残骸が、あたり一面に散乱している。まるでマッチ棒をまき散らしたみたいだ。ポスナンスキー教授は、これは、紀元前一万一〇〇〇年頃に自然の大災害がティアワナコを襲った傷跡であると考えている。

突然の大変動とは地震であり、火山が噴火する中、チチカカ湖の水が溢《あふ》れだした・・・。洪水の原因としては北方のより高いところにあった湖の堤防が決壊したことも考えられる・・・それで水が流れ出し、チチカカ湖に流れ込み、それが奔流となって押し寄せたのかもしれない。[9]

ポスナンスキー教授は、ティアワナコが壊滅したのは洪水のためであったとする証拠について述べている。

湖底の植物であるパルデストリナ・クルミネア（PALUDESTRINA CULMINEA）、パルデストリナ・アンデコラ（PALUDESTRINA ANDECOLA）、アンシルス・チチカセンシス（ANCYLUS TITICACENSIS）、プラノルビス・チチカセンシス（PLANORBIS TITICACENSIS）などが、沖積層において、この大洪水で死んだ人間の骸骨とともに発見されている・・・さらに様々なオレスティアス（ORESTIAS）の骸骨、現在のボガス（BOGAS）の仲間の魚たちが、人間の遺骨とともに同じ沖積層に存在する・・・[10]。

さらに人間と動物の骸骨が一緒に横たわって発見されたという。

大混乱の無秩序の中で細工された石、道具、農具、その他あらゆるものが流され、破壊され一ヵ所に積み重なった。だれでもこの近辺を二メートルも掘ってみるとよい。破壊的な水の力と地層の激しい動きによって、様々な骨や陶器や、宝石や、道具や農具がごちゃまぜになり、堆積したことがわかるだろう・・・破壊された野原一帯は沖積土で被われ、チチカカ湖の貝が混ざった湖底の砂や、破壊された長石、火山灰が壁に囲まれたところに堆積している・・・[11]。

悲惨な大災害がティアワナコに一撃を加えたのだ。ポスナンスキー教授の見解が正しければ、この災害が起こったのは一万二〇〇〇年以上も前になる。その後、洪水の水が引いても、「高原の文化は高度に発展することもなく、むしろ全面的に衰えていった」のだ。(12)

苦闘と放棄

ティアワナコを飲み込んだチチカカ湖の洪水を引き起こした地震の後にも、多くの大変動があったため、この地方の衰退はさらに加速度的に進んだ。最初、膨張して溢れたチチカカ湖の水は、逆にゆっくりと減り、チチカカ湖は浅く小さくなりはじめた。年月が過ぎるとともに湖は数センチずつ後退を続け、偉大な都市は置きざりにされた。湖はこの都市の経済にとって極めて重要であったにもかかわらず、無慈悲にも水から引き離されていった。

同時に、ティアワナコ近辺の気温が低下し、農作物の栽培が前に比べて難しくなったことも判明している。(13) トウモロコシは十分に熟せず、ジャガイモさえ満足に成長しないようになった。(14) かつて起こった様々な出来事をすべてつなぎ合わせるのはなかなか難しい。だが、「地震によりティアワナコが洪水にあった後、安定した時期があったようだ」という。(15) それからゆっくりと確実に「気候が悪化し厳しくなり、最終的にはアンデスの人々はより生活が楽なところを求めて移動していった」という。(16)

だが、「ビラコチャの人々」と地元の伝説で呼称される、高度な文明を持っていたティアワナコの人々は、苦闘を重ねてから去って行ったようだ。この高原のいたる所で、高度に科学的な農業実験が行なわれたことを示す不思議な形跡が残されている。悪化する気候に、苦心して非常に巧妙に対応しようとしたのだ。たとえば最近の調査によれば、太古の時代に誰かが、高所で成長する植物やイモのような農作物の毒の化学特性に関して、驚くべき詳細な分析を行なっていたことが判明した。そして同時に解毒技術が発明されており、毒のある栄養価の高い植物を無害で食べられるようにしていたというのだ。[17] だが、「どのように解毒技術を開発したかは、いまでも説明ができない」と、ワシントン大学の人類学助教授デイビッド・ブラウマンはいう。[18]

同じように、太古の同じ時期に、誰だかはわからないが、水が引いて露出した湖の底に、大変な労力を使って土を盛りあげている。盛り上げられた土は波状になっており、交互に高くなったり、低くなったりしている。この起伏するパターンと浅い運河が何であるかが正しく理解されたのは一九六〇年代のことだ。この場所はインディオたちによってワル・ワアルと呼ばれているが、今日でもはっきりとその起伏がわかる。ワル・ワアルは太古に完成された複雑な農業用灌漑であり、その能力は「近代の農業技術を上回っている」[19]のだ。

近年になって、盛り上げた土地のいくつかが考古学者や農業学者によって修復された。ここで実験的に栽培されたジャガイモは、通常の最も生産性の高い農場の三倍の収穫を上げた。同じように、ある非常に寒い時期があり霜が降りたが、「実験農場にはほとんど影響がなかった」。つぎの年は破壊的な干魃だったが、盛り上げられた土に育てられた作物は無事に育った。「その後に洪水があり、回りの農地は水で覆われたが、盛り上げたところは冠水しなかった」。名前もわからない太古の文明が発明したこの単純だが効果的な農業技術は、ボリビアの農村で大成功を収めたので、世界の開発機関や政府機関が注目し、現在、世界数か所でこの技術を応用した試験栽培が行なわれている。[20]

人工の言語

ティアワナコおよびビラコチャのもう一つの遺産と思われるのは、土地のアイマラ・インディオたちが使っている言語だ。学者によってはこの言語は世界最古だという。[21]

一九八〇年代にボリビアのコンピュータ科学者イバン・グスマン・デ・ロハスは、偶然だが、アイマラ語は単に古いだけではなく、極めて精巧に巧妙に作られた人工の言語らしいという重大な発見をした。とくに注目すべきはアイマラ語の人工的構文法だ。厳格に構成された、曖昧なところのまったくない構文であり、現在の「自然にできあがった」構文では到達不可能なレベルに達しているという。[22] 合成され高度に組織化された構造を持つため、アイマラ語はコンピュータの、一つの言語から別の言語への翻訳に使われるアルゴリズム（一定の型の問題を解くための特定の操作手法）に簡単に変換できる。「アイマラ・アルゴリズムは橋渡し言語として使える。ある言語で書かれた資料をアイマラ語に変換すれば、他のたくさんの言語に簡単に変換ができる」のだ。[23]

ティアワナコ周辺でコンピュータに適した構文を持つ人工的な言語が使われているのは偶然だろうか？　あるいはアイマラ語は伝説が語るビラコチャの高度な文明の遺産なのだろうか？　もしそうだとすれば、他にどんな遺産が残されているのだろうか？　古い忘れ去られた知恵の破片はどこに散らばっているのか？　その破片は、スペイン征服の前、一万年ほどこの地域で発達し栄えた様々な文明に影響を与えているのか？　あるいはナスカの地上絵を描くことができたのも、インカ帝国の祖先たちがマチュピチュやサクサワマンの古代城塞の「あり得ないような」壁を建設できたのも、これらの断片があったからこそ可能だったのだろうか？

メキシコ

私の頭から離れないのは、ビラコチャの人々が太平洋の「水の上を歩いた」、あるいは「奇跡のように去った」と、数々の伝説で伝えられているイメージだった。

彼らはどこへ去ったのだろうか？　何が目的で去ったのか？　考えてみれば、結局、敗北して去ったわけだが、なぜティアワナコ周辺に留まろうと不屈の努力をしたのだろうか？　そこで何かを達成しようとしたようだが、なにがそれほど重要だったのか？

数週間、この高原地帯で調査を行ない、ラパスとティアワナコの間を往復した。そこでわかったのは、別世界のような遺跡でも、首都の図書館でも、これ以上、答えを提供してはくれないということだった。ボリビアで足跡はとだえてしまったのだ。

再び彼らの足取りを発見したのは、三二〇〇キロメートル北方のメキシコに着いたときだった。

第3部　翼ある蛇　中央アメリカ

第13章　世界の終わりと血の捧げもの

メキシコ、ユカタン州北部チチェンイッツア

背後に、三〇メートルの高さでそびえ立つ完璧な段階式のピラミッドは、ククルカンの神殿だ。四つの階段はそれぞれ九一段あり、それに頂上の階段を加えると、ちょうど三六五段になる。これは太陽暦の一年間の日数と同じだ。さらにこの古代神殿の幾何学的デザインと方位はスイス時計並みの精度を持っており、劇的で謎めいたある目的を果たすように設計されている。その目的とは、春分と秋分の二回、時計のように正確に形作られる三角形の光りと影を利用し、北側の階段において巨大な蛇が身をくねらせるように見せることだ。この幻影は正確に三時間二二分継続される。(1)

ククルカン神殿を去り東に向かって歩いた。目前には、白い石の柱が林立している。昔はこの柱の上に巨大な屋根がのっていたのだろう。中央アメリカの人々は、建築において柱を使いこなすことを知らなかったという誤った考えが一般化されているが、目の前の光景はそれをはっきりと否定している。太陽は雲一つない透き通る青空を突き抜けて、容赦なく灼熱の熱線を地上に叩きつける。

この柱がつくる深い影は涼しそうで魅惑的だ。柱の前を通り過ぎると、隣接する急勾配の階段の下に出るが、この階段の上に戦士の神殿がある。

階段を登るにつれ、だんだんと巨大な像が近づいてくる。チャコモルの偶像だ。半分横たわり、半分座ったこの像は奇妙な緊張感を漂わせており、何かを待っているかのようだ。膝は立てられ、厚みのあるふくらはぎは折り曲げられて腿と接触し、足首は尻に接し、肘は地面に接し、手は腹の前で折り曲げられ、空の皿を支えている。背中はぎこちない角度に固定され、まるでこれから起き上がろうとしているようだ。もしも起き上がったら、一メートル五〇センチの高さにはなるだろう。この像は後ろに大きくのけぞっているが、強烈で冷酷なエネルギーを感じさせる。正面から見たこの像は薄い唇を持ち、原材料の石のように無慈悲で厳しく無関心な表情をしている。目は西方を向いているが、この方角は伝統的に暗闇、死、黒い色を意味する方向だ。(2)

やや重苦しい気持ちで戦士の神殿の階段を登った。心にあったのは、スペイン征服の前、この地方一帯では頻繁に人間を生贄《いけにえ》にする風習があったという、忘れがたい事実だ。チャコモルが腹のあたりに支えている皿は、生贄がまだ生きているときに切り取られた新鮮な心臓を置くところなのだ。「犠牲者の心臓が取り出される時には・・・」と、一六世紀のスペインの観察者は以下のように述べている。

> おおげさな趣向をこらす・・・犠牲者は石の上に寝かされ、四人が腕と足を広げさせて押さえ付ける。そこに手にナイフを持った執刀者がやってきて、優れた技術で乳首の下側の肋

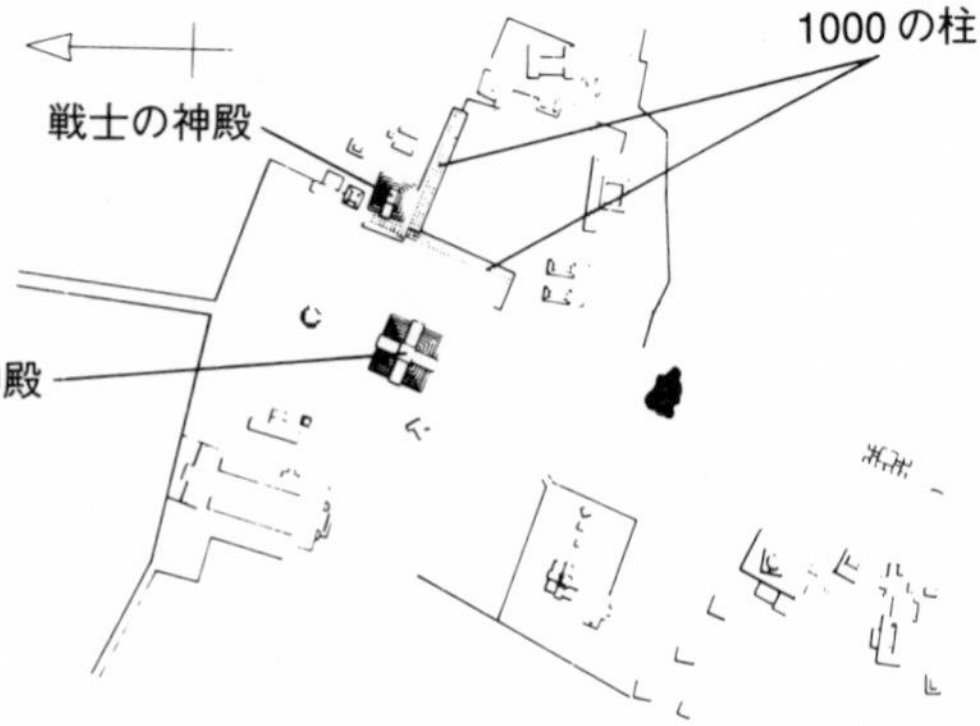

チチェンイッツア

骨の間に切り込みを入れる。次に切り込みに手を突っ込み、飢えた虎のように心臓をちぎり取り、皿の上に置く・・・。[3]

どのような文化が、このような悪霊に駆られたような行為を祝い、はぐくむことができたのか？一二〇〇年も前に造られたチチェンイッツアの遺跡は、マヤ族とトルテック族の要素を取り入れた混合社会の産物だ。残酷で野蛮な儀式の中毒になったという点では別にこの社会が特別だったわけではない。むしろ反対に、メキシコで繁栄した偉大な土着文明のすべてが、人間虐殺の儀式にふけっていたのだ。

虐殺の場

タバスコ州ビヤエルモサ

立ったまま、幼児生贄の祭壇を見ていた。この儀式はオルメク文化が生んだものだ。オルメクは中央アメリカの「母なる文化」と呼ばれており、三〇〇〇年以上の歴史がある。およそ一・二メートルの厚みのある硬い花崗岩でできているこの祭壇には、興味深い頭飾りをした四人の男が浮き彫りにされている。四人はそれぞれ健康的で丸々と太った赤子を抱いているが、赤子が絶望的に怖れて、嫌がっている様子が浮き彫りにされている。祭壇の後ろ側には装飾がない。前方には別の男が描かれている。この男は何かに捧げるように死んだ赤子のぐったりとした身体を両手で支えている。

オルメクは知られている古代メキシコの文明のなかでは、最古の文明だ。この文明が栄えたときすでに人身御供《ひとみごくう》の習慣は定着していた。二五〇〇年後のスペイン征服期に、この非常に古く根の深い生贄の風習を受け継いでいたのが、アステカの人々だった（他にもいたが・・・）。

アステカの人々は狂信的な熱意をもって行なっていた。

たとえば記録によると、アステカ王朝で最も強大な権力を誇った第八代の皇帝アウィソトルは「アステカ王国の首都テノチティトランにウィツィロポチトリ神殿を建立したときに、囚人を四列に並べてこれを祝ったが、この囚人たちは神官たちが数日間かけて各地から連れてきた人々だった。このときには一回の儀式で八万人もの生贄が捧げられた」[4]

アステカの人々は、生贄にされた人々の皮を剥いで、それを身に付けることを好んだ。スペインの神父ベルナルディノ・デ・サアグンは、スペイン征服のすぐ後に、このような儀式に参列している。

宗教式典の参加者は捕虜の皮を剥ぎ、手足を切り取る。次に裸の身体に油を塗り、剥いだ皮をかぶる・・・血と油を垂らしながら、見るも恐ろしい格好の男たちが町を走りまわり、人々を恐怖に陥れる・・・二日目の儀式にも、戦士の家族たちは同じように残忍な祝宴に参加した。(5)

スペインの記録者ディエゴ・デ・デュランもまた、大量生贄の現場に立ち会っている。このときの犠牲者の数は大変に多く、神殿から血が流れ、「階段の下まで達し、冷却して凝固し、誰もが恐怖におののいた」という。(6) 一六世紀初め、アステカ帝国の生贄の犠牲者はさらに増え、その数は毎年二五万人にのぼったと推定されている。(7)

躁《そう》病にかかったように人の命を断ったのは何のためなのだろうか？ アステカ人に言わせると、生贄を捧げて世界の終わりが来るのを遅らせようとしたのだという。(8)

五番目の太陽の子

アステカ人たちも、メキシコのそれ以前の文化の人々と同様に、宇宙には偉大な周期があると考えていた。神官たちは、人間が創られてからすでにそのような周期、あるいは「太陽」が四回あったと、当然のこととして述べていた。スペインが征服した時期は第五代目の「太陽」にあたった。そして現在も、人類はまだ第五代目の「太陽」の時代に生きているという。このことは「バチカン・ラテン古写本」として知られる珍しいアステカの文献を集めたものの中に書かれている。

第一の「太陽」マトラクトリ・アトルは四〇〇八年間続いた。当時の人々は、アトシトシントリとよばれる水生のメイズ（トウモロコシの実）を食べた。この時代には巨人が生きていた・・・第一の「太陽」はマトラクトリ・アトル（一〇の水という意味）によって水で滅ぼされた。これはアパチオワリストリ（大洪水という意味）とよばれ、永遠の雨という魔術のせいだった。人々は魚に変えられた。ある人々は、カップル一組だけが、水のそばの大木に守られ、生き残ったという。また、七組が洞窟のなかで水が引くのを待ち、生き残ったという話がある。世界中で人間は再びその数を増やし、彼らはそれぞれの国で神と崇められた・・・

第二の「太陽」エエコアトルは四〇一〇年間続いた。当時の人々はアトシトシントリとよばれる野生の果物を食べた。この「太陽」はエエコアトル（風の蛇）によって滅ぼされた。人々は猿にされたが・・・一人の男と一人の女が岩に捕まり、滅亡から逃れた・・・

第三の「太陽」トレイキヤウイリョは四〇八一年間だった。第二の「太陽」から生き残ったカップルの後裔《こうえい》たちは、トシンコアコクとよばれる果物を食べた。第三の「太陽」は火によって滅ぼされた・・・

第四の「太陽」トソントリリクは五〇二六年間続いた・・・人々は血と火の洪水のなか、飢餓で死んだ・・・(9)

もう一つ、スペイン征服者の破壊を免れた「文化の記録」がある。それはアステカ王朝の六代目皇帝アシャヤカトルが造らせた「サン・ストーン」である。この巨大な記念碑は一四七九年に硬い玄武岩を切って造られている。重さが二四・五トンもあり同心円の模様が連続的に彫られており、それぞれには記号のような文字で文章が書かれている。古写本と同じように、ここに書かれている話も、世界はすでに四つの時期、「太陽」を終えているというものだ。最初の最も古い時期はジャガーの神オセロトナティウで表象されている。「この時期には、神によって創られた巨人が生きていたが、最後にはジャガーに食われてしまった」。第二の「太陽」は、蛇の頭で表象されるエエコアトルで空気の神だった。「この時期の終わりに人間は強い風とハリケーンで死滅させられ、猿に変えられてしまった」。第三の「太陽」のシンボルは、雨と天空の火の頭領だった。「この時期は空からの火の雨と、火山によってすべてが滅ぼされた。すべての家は焼かれた。人々は鳥に変えられ、この大災害を生き残った」。第四の「太陽」は、水の女神チャルチウトリークエの頭で表象された。「破壊は豪雨と洪水によるものだった。山脈は消え人々は魚に変えられた」[10]

第五の「太陽」、つまり現在の期間のシンボルは太陽神トナティウそのものの顔である。太陽神の舌は黒曜石のナイフのように描かれ、口から飛び出ており、人間の血と心臓に飢えていることを知らせている。顔にはしわがたくさんあり、老齢であることを示している。またこの顔はオリンという運動を示すシンボルの中にある。[11]

第五の「太陽」が「運動の太陽」と呼ばれるのはなぜだろうか？　それは「そのときには地球が動き、そのため人類が死滅するからだ」と年寄りたちはいう。[12]

ではこの破局はいつ訪れるのか？　アステカの神官は「すぐに」という。かれらは第五の「太陽」

はすでに老齢で、周期の最後に来ていると信じていたのだ(トナティウの顔にしわがある理由だ)。古代中央アメリカの伝承ではこの時期の始まりを太古だと見ており、キリスト暦では紀元前四〇〇〇年頃だと考えられている。[13] だが、その終わりの時期を計算する方法は、アステカ人の時代になると忘れ去られている。[14] この必須の情報がないために、人間の生贄が頻繁に捧げられ不可避の破局を少しでも先に伸ばそうとしたのだ。実際のところ、アステカ人たちは、自らを神によって選ばれた民だと信じていた。聖なる使命を与えられており、戦争を起こし、その捕虜の血をトナティウに捧げて、少しでも第五の「太陽」の寿命を延ばさなければならないと確信していたのだ。[15]

アメリカの先史学の権威であるスチュアート・フィーデルはこのことを以下のようにまとめている。「アステカ人たちは、すでに四回も滅亡しているこの人類を生存させるためには、神に人間の心臓と血を常に与えていなければならないと信じていた」[16]。この信仰は驚くほどそのままの形で中央アメリカのすべての偉大な文明に伝えられている。だがさらに古代の人々の中には、アステカ人たちとは異なり、第五の「太陽」が終わる日を正確に計算していた人々がいた。

光をもたらす者

オルメク時代の遺産としては、暗くて威嚇的な彫刻だけが残り、文書は残っていない。だが、新大陸に生まれた最も偉大な文明として知られるマヤ文明は、豊かな暦の記録を残している。マヤの謎の碑文を現在使われている西暦に直すと、興味深いことがわかる。その碑文によると第五の「太陽」が終わるのは二〇一二年の一二月二三日だという。[17]

二〇世紀後半の合理的知性の風土にあっては、最後の日の予言を真面目に取り扱うのは、時流にあわない。最後の日は迷信深い人々の作り事であり、無視してもまったく大丈夫だ、とほとんどの人は考えている。だがメキシコを旅行している最中、時々、古代の歴史物語には耳を傾ける必要があるのではないか、という直感の声がたびたび聞こえてきて悩まされた。つまり、ありそうもないことかもしれないが、物語を後世に伝えた人々が、これまで信じてきたような迷信深い野蛮人ではなかったらどうなるのか？　彼らは、われわれの知らないことを知っていたのではないか？　もっとはっきり言えば、第五の「太陽」の最後の日が正しかったらどうなるのか？　別の言葉で言うと、マヤの賢人が予言したように、恐ろしい地球の大災害が地球の内部の奥深くで始まっているのではないだろうか？

ペルーでもボリビアでもインカでも、その祖先たちが時の計算に心を奪われていたのに気がついた。それがメキシコでも、マヤ人たちが同じような抑えがたい欲望にかられていたことを発見した。世界が終わる日を計算したマヤ人にとっては、ほとんどすべてのことが数字と年月の流れ、そして大事件の発生に行きつくようだ。大事件発生の背後にある数字を正しく理解できたら、大事件発生のタイミングを正しく予測することができると信じるようになった。[18] 中米の伝説には、人類が滅亡するという予測が、生々しく描写されているが、私はそれを無視できないと感じ始めていた。巨人や洪水がでてくる話は、遠く離れたアンデス地域の伝承と不気味なほど似ている。

だが、私はもう一つの関連する事項についても追跡をしたかった。それはあご髭のある白い皮膚を持つ神人ケツァルコアトル（アステカの主神、「翼ある蛇」）のことであり、この神人は太古の昔に海からメキシコにやってきたと信じられている。ケツァルコアトルは、マヤが人類最後の日を計算するのに使用した、高度な数学とカレンダーを作る公式を発明したと言われている。[19] ケツァルコアトルは、「暗黒の時代に光明と文明をもたらした」ティアワナコ周辺のアンデスの色白の神ビラコチャにも、驚くほどよく似ているのだ。

21 メキシコ、ユカタン州北部チチェンイッツア。前方にあるのがチャコモルの偶像だ。伝統的に死を象徴する西の方角を見つめている。偶像の後にある神殿には、背の低い柱で支えられた供物台が見える。偶像が腹部に載せている皿は生贄から取り出した新鮮な心臓を置く場所だった。このような儀式を通して世界の終わりが来るのを遅らせることができると信じられていた。

22▲ チチェンイッツアにあるククルカンの神殿。高度な測量技術を駆使して造られた階段式のピラミッドで、時計のような正確さで春分と秋分には光と陰の特別な効果が現われる。この2日間は、巨大な蛇が北側の階段で身をくねらせるように見える。

23, 24▼ ラベンタの幼児生贄の祭壇の側面と正面。オルメク文明の遺跡とされている。オルメクは現在、中央アメリカ最古の文明とされており、中央アメリカの「母なる文化」と呼ばれている。

25、26、27、28
多彩な「オルメク頭像」。重さは60トンのものもある。人種的特徴はアメリカ先住民のものとは異なっている。

29、30、31、32

はっきりとしたニグロイドの特徴を持つオルメクの頭像と一緒に出土した石碑。あご髭をはやした白色人種のように見える（ラベンタとモンテ・アルバンで出土）。中央アメリカのケツァルコアトルは（アンデスのビラコチャも）、背が高く、肌が白く、あご髭を生やしていたと語り伝えられている。

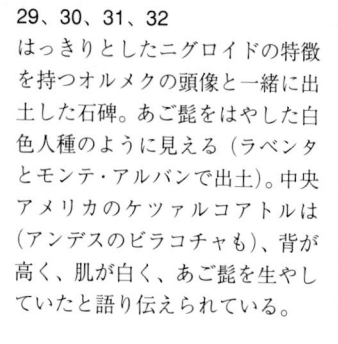

33▲ ラベンタのオルメクの遺跡から見つかった「蛇の中の男」。「X」型の十字架が頭巾の中にあるのに注目。これはキリストの時代より以前の十字架と似ている。また蛇のシンボルがいたる所で発見されている。たとえばアンデスのティアワナコであり、古代エジプトだ。男が座っている「羽毛を持つ蛇」の内部が機械のように見えることにも注目。

34▼「碑銘の神殿」。マヤ文明の遺跡が残るパレンケの優雅な階段式ピラミッド。

39◀
ウシュマルの「魔術師のピラミッド」。マヤの伝承では小人が超能力を使って、この36メートルの高さの建造物を一晩で造り上げたという。

■前ページの写真

35（上左）「碑銘の神殿」の中の墓室。パレンケの支配者パカル王の墳墓だとされている

36（上右）石棺の蓋の碑銘の拓本。ここでも興味深い機械的デザインが見られる。
が座っているのは何かの装置の中のように見える。

37（下左）メキシコのトゥーラのピラミッドのそばにある偶像。

38（下右）その中の偶像の一体が手にしている武器らしきもの。中央アメリカの伝
では、「シウコアトル」（炎の蛇）と呼ばれる武器があり、人間の身体を
き寸断することができたという。

40▲ メキシコ市からの観光客がテオティワカンの月のピラミッドの頂上近くに集まり、「死者の道」と呼ばれる天体に合わせて配置された巨大な軸線を見下ろしている。道の左側（東）に見えるのは巨大な太陽のピラミッド。テオティワカンを造った文明は歴史から姿を消してしまっている。

41▼ ケツァルコアトルの神殿から見た太陽のピラミッド（手前）と、月のピラミッド（後方）。

第14章　蛇の人々

長いこと古代アンデスのあご髭の神ビラコチャの伝承にあたっていた私は、古代メキシコの主神ケツァルコアトルについて語られていることが、ビラコチャの伝説と非常に良く似ていることに気がついた。

たとえば、スペイン征服前のメキシコ神話を集めたスペイン人記録者ファン・デ・トルケマダは「ケツァルコアトルは色白で赤味がかった顔をしており、長いあご髭をはやしていた」と述べている。別の記録者は「白人の大男で長いまつげを持ち、大きな目と長い髪、そしてふさふさとしたあご髭があった」[1]という。別のものは以下のように言う。

謎の人物で・・・白人で体格がよく、額が広く、大きな目を持ち、あご髭が波打っていた。服は長い白のローブで足まで達していた。果物と花以外の生贄を非難し、平和の神として知られていた・・・戦争の話になると、指で耳を塞いだと報告されている。[2]

とくに印象的な中米の伝承には以下のようなものもある。

この知恵のある指導者は海から来たが、その船は櫂《かい》を漕がなくても走った。指導者は、背が高く、あご髭のある白人で、人々に火を使って料理する方法を教えた。また家の建て方を人々に教え、一組の男女が夫と妻として一緒に生活することを教えた。当時の人々の間では喧嘩が絶えなかったが、平和に生きることを教えた。(3)

ビラコチャのメキシコの双子

ビラコチャがアンデスを旅したとき、多くの名前を使っていたことを、読者の方も覚えていられるだろう。ケツァルコアトルも同じことをしていた。中央アメリカの一部の地方、とくにキチェ・マヤ族の間ではグクマツと呼ばれている。他の場所、たとえばチチェンイッツアの村ではククルカンと呼ばれている。だがこれらの言葉を翻訳するとすべて「翼ある蛇」になる。ケツァルコアトルの意味もやはり「翼ある蛇」だ。(4)

中米には、とくにマヤには、ケツァルコアトルとよく似た神人がでてくる伝説が多く残されている。そこに登場する一人は名をボターンというが、偉大な文明をもたらした人物とされ、やはり白い皮膚を持ち、あご髭をたくわえ、長いローブを着ていた。学者たちはこの名前を翻訳できないが、この人物のシンボルはケツァルコアトルと同じで蛇だった。(5) もう一人の関係が深そうな人物はイッツアマナだ。マヤの癒しの神で、あご髭を持ち長いローブを着ているが、シンボルはガラガラ蛇だった。[6]

これらすべてからわかることは、多くの学者が認めたように、征服した後にスペイン人記録者が収集して伝えたメキシコの伝説は、恐ろしく古い時代からの口述の伝承であり、混乱し混じりあってしまっていることだ。だが、これらの話の背後にはしっかりとした歴史的事実があるようだ。マヤ研究の第一人者シルバナス・グリスウォルド・モーリーは、以下のように結論を下している。

偉大な神ククルカンあるいは「翼ある蛇」は、アステカの神ケツァルコアトルのマヤ版である。このメキシコ神は光と学習と文化の神だった。マヤの神は、偉大な組織者で、町を造り、法律を定め、暦について教えた。この神の行なったこと、および生涯はあまりにも人間的であり、この人物は歴史上で実在したと考えられる。優れた法律の制定者で、組織者であったこの人物の業績は、死んだあとまでも長く語り継がれ、最終的には神格化されたのであろう。[7]

これらの神々がはるか遠くから（「東の海」を越えて）やって来た、という点で、すべての伝説は一致している。また、人々が惜しむなか、来た方向に船で去っている。[8] 伝説によると、また必ず戻ってくると言ったという。[9] ビラコチャの話とそっくりであり、これを偶然のせいにするのは、間違いだろう。さらに、ビラコチャが太平洋の波を越えて去ったのは奇跡的な事件であったとアンデスでは伝承されている。一方、ケツァルコアトルがメキシコから去る様子にも、不思議な雰囲気がある。ケツァルコアトルは「蛇の筏」に乗って去ったとされているのだ。[10]

マヤとメキシコの神話に歴史的事実の裏付けがある、とするモーリーの考えは正しいと思う。これらの伝承が示しているのは、あご髭を持った色の白いケツァルコアトルとよばれる外国人（あるいはククルカンでもよい）は、一人ではなく、おそらく数名いたということだ。彼らは同じ場所からやってきて、インディオとは明らかに違う人種に属していたようだ（あご髭や白い肌などから見て）。これらの人々は家族関係にあるともされているし、[11]また少しずつ異なる神のシンボルがすべて蛇であったことからも、一人ではなかったことがうかがえる。ケツァルコアトル、ククルカン、イツァマナの場合は、多くのメキシコとマヤの伝承のなかで、弟子ないしは助手を伴っていたと描写されている。

古代マヤの宗教の本『チラム・バラム』に書かれている神話には、「ユカタンに最初に住み着いたのは蛇の人々である。彼らは東から船に乗り水を越えてきたが、指導者はイツァマナ「東の蛇」で、手を当てるだけで人々を癒し、死者を蘇らすこともできた」とある。[12]

別の伝承では、「ククルカンは一九人の仲間を連れていた。そのうち二人は魚の神で、二人は農業の神で、一人は雷の神だった・・・彼らはユカタンに十年間滞在した。ククルカンは画期的な法律を制定し、太陽の昇る方向に船で去って行った・・・」[13]

スペインの伝記記録者ラス・カサスは言う。「原住民によると太古にメキシコに来た人々は二〇名だったという。その首領はククルカンと呼ばれた・・・彼らは流れるローブをまとい、サンダルをはき、長いあご髭をもち、頭は坊主だった・・・ククルカンは人々に平和を説いた。また多くの重要な建物を建てた・・・」[14]

また、ファン・デ・トルケマダはケツァルコアトルとともにメキシコに入った外来者の伝承について、以下のように報告をしている。

その身のこなしは洗練されており、よい服を着ていた。黒い布の長いローブは前が開き、帽子はかぶらず、服の首のところは深くカットされていた。袖は短く肘まで達していなかった・・・ケツァルコアトルの弟子たちは偉大な知識を持ち、あらゆる仕事において優れた技術を持っていた。[15]

髭を生やした色白のアンデスの双子のビラコチャと同じように、ケツァルコアトルもまたメキシコに、文明を築くのに必要なあらゆる技術と文化を持ち込み、黄金時代をもたらした。[16] ケツァルコアトルは中央アメリカに文字をもたらし、カレンダーを発明した。また建設の大家でもあり、人々に石積みと建築の秘技を教えたと信じられている。また数学、冶金学、天文学の父であり、「地球を計測」したと言われている。さらに生産性の高い農業を広め、古代の土地にあっては生命の糧であったトウモロコシを発見し普及させたとも言われている。また偉大な医者であり、薬の大家で、治療家や占い師を保護し、「植物の特性の秘密について教えた」。また法律を制定した人として崇められる一方、工芸職人の保護者でもあり、すべての芸術を庇護したという。

このように洗練された文化を持つ人物の姿から予想できるように、ケツァルコアトルが支配していた時代には、メキシコでも身の毛もよだつ人間の生贄は禁止されていた。ケツァルコアトルが去った後に、血をまき散らす儀式はさらに荒々しく再び開始されたのだ。だが、中央アメリカの歴史のなかでも、最も熱烈に生贄を捧げたアステカ族でさえも「ケツァルコアトルの時代」には郷愁を感じていた。伝説によれば「ケツァルコアトルは教師であり、生きているものを傷つけてはならず、人を生贄にするのではなく、鳥か蝶にするよう教えた」という。[17]

闇の勢力との戦い

なぜケツァルコアトルは去ったのか？　何があったのか？

メキシコの伝説は、それらの問にも答えている。啓発的で情け深い「翼ある蛇」による支配は、夜と闇の神テスカティルポカが終わりをもたらした。「煙を吐く鏡」という名を持つこの神の一派は、人間の生贄を要求した。古代メキシコにおける光明と暗黒の両勢力の戦いは、結局、暗黒が勝利を収めたのだ・・・。

この戦いの舞台となったとされる場所は、現在、トゥーラとして知られているが、この場所は特別歴史が古いというわけではなく、せいぜい一〇〇〇年程度の歴史しかないと言う。だが、この伝説はもっと果てしなく古い時代とつながっているような感じがする。当時、その場所はトランとして知られていた。すべての伝承に共通するのは、夜と闇の神テスカティルポカがケツァルコアトルを打ち破った場所はトランであり、そのためケツァルコアトルはメキシコを去ったということだ。

火の蛇

ヒダルゴ州トゥーラ

想像力に乏しい名前のついたピラミッドBの平らな頂上に座っていた。夕方の太陽が透き通った青空から灼熱の光線を送ってくる。私は南向きに座り、あたりを見渡した。

ピラミッドの土台部分の北と東の壁には人間の心臓をむさぼっているジャガーと鷹が描かれている。後方には四本の柱が立ち、二・七メートルもある恐ろしい花崗岩の偶像が四つ立っている。前方の左側にはまだ発掘される途中の高さ十二メートルのピラミッドCがある。サボテンに覆われた小山となっているこのピラミッドの先には、まだ考古学者が触れていない丘がいくつかある。右側には長いI型の球技場がある。古代に恐ろしいゲームが行なわれたところだ。二チーム、あるいは二人が球技場に入り、ゴムのボールを奪い合う。敗者は首を切られた。

背後に立つ偶像は厳粛な面持ちで威嚇するような雰囲気がある。私は立ち上がり、もっとよく見るために近づいた。製作者は、これらの偶像に冷たく無慈悲な表情を与えており、鼻は曲がり、目は虚ろで、同情心や感情がないかのようだ。だが、像の残忍な外見よりももっと興味をひかれたのは、それらが手に握りしめている物体だった。考古学者たちは、物体が何であるかわからないと認めているが、仮定はしている。この仮定が定説となり、今では偶像が右手に持つのは槍を投げるアトル・アトルス[18]とよばれる道具だと信じられ、左手に持っているものは「槍と矢と香袋」とされている。実際のところ槍投げの道具にも、槍や矢や香袋にも見えないが、それはおかまいなしのよう

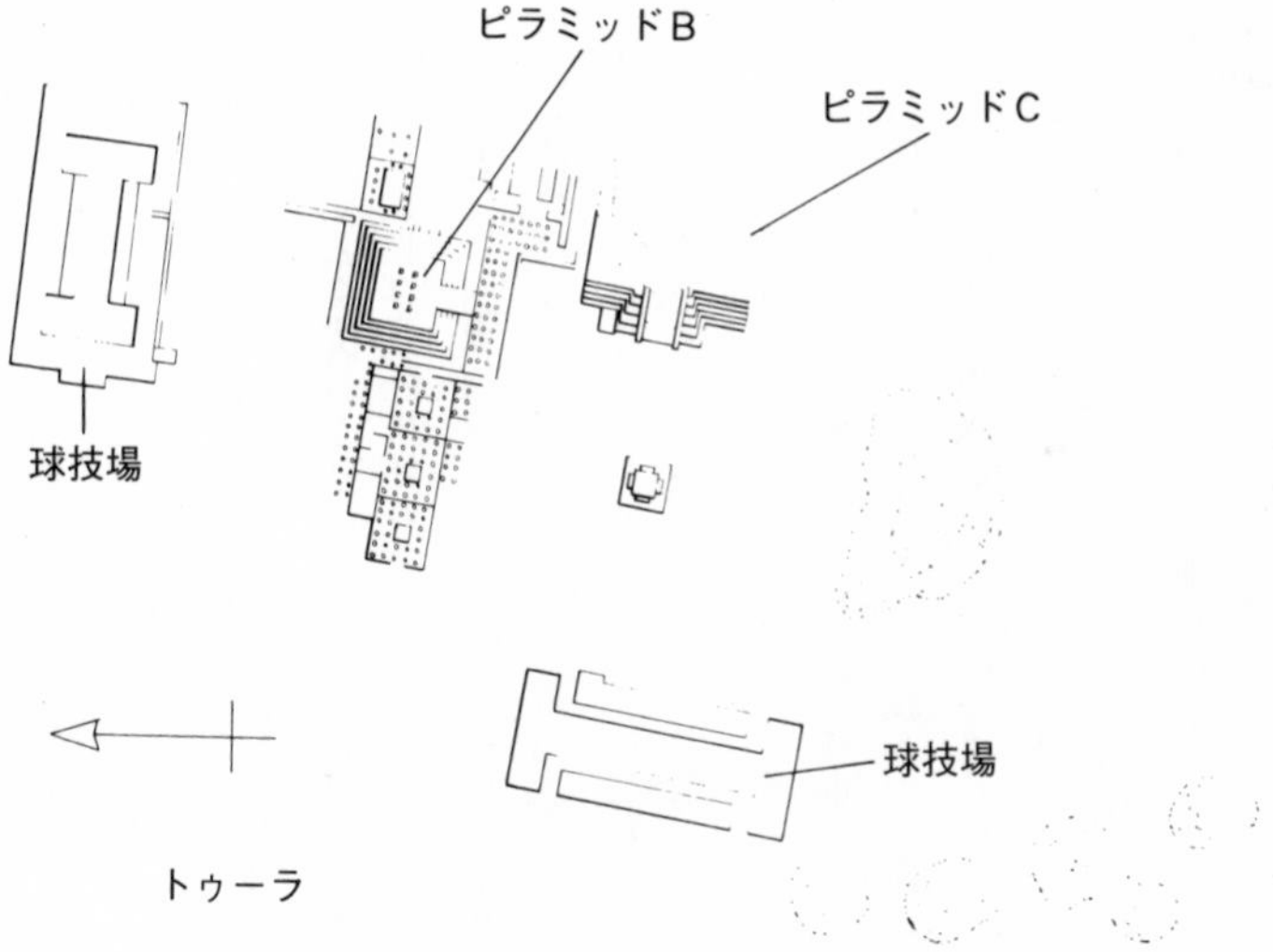

だ。

サンサ・ファイーアの撮った写真を見ていただければ、読者の方もこの奇妙な物体について自分なりの印象を持つことができると思う。この物体を注意深く観察してみたが、金属製の装置が描かれているのだと感じた。右手の装置は鞘状のケースかハンドガードから出ているようだが、菱形で下側が湾曲している。左手の装置は計器か武器のようなものに見える。

これを見ていて、古代メキシコの神が「シウコアトル（火の蛇）」と呼ばれる武器を装備していたといういくつかの伝説を思い出した。[19] その武器は炎のような光線を放ち、人間の身体を突き抜け、切断できるというのだ。[20] トゥーラの偶像が持っているのは「火の蛇」だろうか？　ところで「火の蛇」とは何なのだろうか？

それらが何であれ、両方とも高度な技術を駆使して作られた装置のように見える。またこれらの物体は、ティアワナコのカラササヤの偶像が持っていた謎の装置を思い起こさせる。

蛇の聖地

サンサと私がトゥーラに来たのは、ケツァルコアトルとその仇敵「煙を吐く鏡の神テスカティルポカ」に関係が深い土地だからだ。[21] 不老不死で、宇宙に遍在する全知全能の神テスカティルポカは、伝説では、夜、暗闇、神聖なジャガーと関連づけられている。[22] 彼は「見ることができず、執念深く、人間の前には飛ぶ影として、あるいは恐ろしい怪物の姿で現われた」[23]。しばしばギラギラ光る骸骨の姿で描かれるこの神は、自分の名前ともなっている不思議な物体「煙を吐く鏡」を所有していたという。この鏡を使用して人々や神々の活動を遠くから観察していたのだ。学者たちは、これを原始的な占いに使う黒曜石だと解釈をしている。「黒曜石はメキシコ人にとっては特別に神聖なものだった。神官が使用する生贄のためのナイフも黒曜石でできていた・・・」。ベルナール・ディアス（スペイン人の伝承記録者）によると、メキシコ人はこの石を「テスカト」と呼ぶ。この石からは鏡も作られ、その鏡は占いの道具として「魔術師たちも使ったという」[24]

暗黒と貪欲で邪悪な勢力を代表するテスカティルポカは、ケツァルコアトルとの闘争を非常に長い年月にわたって繰り広げた、と伝説は語る。[25] 時には一方が優勢となり、また別の時期にはもう一方の勢力が優勢となった。この大規模な戦いは、善が悪に滅ぼされ、ケツァルコアトルがトゥーラから追い出されて結末を迎える。[26] その後、テスカティルポカの悪夢のような信仰によって、中米全域で再び人間の生贄が捧げられるようになったのだ。

すでに述べたようにケツァルコアトルは海岸に逃れ、蛇の筏に乗って去ってしまう。ある伝説によれば、「銀と貝殻でできた家を焼き、宝物を埋め、輝く鳥に変えられた弟子たちの先導により東の海を航海した」という。[27]

この無情な旅立ちの舞台は「コアツェコアルコス」と呼ばれる場所だったが、この地名は「蛇の聖地」を意味する。[28] 別離の時、ケツァルコアトルは弟子たちに、また戻り、テスカティルポカの一派を転覆させ、神々が再び「人間の血を要求することをやめ、花の捧げ物を受け取る」時代の幕を開けると約束したという。[29]

第15章　メキシコのバベル

トゥーラから南西に車を走らせ、メキシコシティを迂回した。無秩序に走る高速ハイウェイに乗り、首都の端をかすめた。メキシコシティの悪名高い大気汚染は目から涙を出させ、肺を麻痺させる。そこから松の木に覆われた山々を越え、雪の積もるポポカテペトル山を通り過ぎ、やがて野原と牧場の中を通る並木道の道路を走っていた。

大きな広場をもつ人口一一万のどんよりした町チョルーラに到着したのは、午後遅くであった。東に針路をとり、細い道を走って線路を越え、「人間の作った山」トラチウアルテペトルの影で車をとめた。私たちはこの「山」を見るためにやってきたのだ。

一度は平和を愛するケツァルコアトルを崇拝する人々の聖地であったこの大建造物の上には、現在はごてごてと飾りたてられたカソリック教会が建てられている。この巨大な遺跡は、古代世界で最大かつ最も野心的な技術プロジェクトの産物なのだ。土台の大きさは四五ヘクタールもあり、高さは六四メートルある。エジプトの大ピラミッドの三倍の大きさだ。(1)時を経ているせいで輪郭はおぼろげになっており、斜面には雑草が茂っている。だがそれでも、昔は四ヵ所の急勾配の階段が天に向かって伸びる威圧的なジッグラト（古代の段階式ピラミッド神殿）であったことがしのばれる。土台の一辺は五〇〇メートルあり、威厳があり、その一部を汚されながらも今も美しさを残している。

過去というものは、とかく乾いてほこりにまみれたものだ。だが、無口なことは少なく、耳を傾ける者には、情熱を込めて語りかけてくる。この場所ではそういった情熱を感じた。スペインの征服者エルナン・コルテスが、あたかも通りすがりの人がひまわりの花を切り取るように、無造作にメキシコ文化が咲かせた花を切り落とした。その後、この建造物は物心両面で退廃を続けたメキシコ原住民の姿を目撃してきている。[2] 巡礼の中心地であるチョルーラが征服されたころ、この町の人口は一〇万人ほどだった。古代から続く伝統や生活様式を絶ち切るには、この「人間が造った山」の面目を失わせる何かを行なう必要があった。そのために選ばれたのがジッグラトの頂上にあった神殿を破壊し冒瀆《ぼうとく》し、そこに教会を建てることだった。

コルテスの一行は少人数で、チョルーラ人は多勢だった。だがスペイン勢が進軍して町に入っていくのに、都合のいい条件があった。あご髭をもち、白い肌で輝く鎧兜《よろいかぶと》を身にまとったスペイン人は、予言を成就する者のように見えた。ケツァルコアトル（翼ある蛇）は東の海から部下を連れて戻ってくると、言い伝えられていたからだ。[3]

ケツァルコアトルの再来を待ち望んでいた、無防備で信仰心の厚いチョルーラ人たちは、征服者たちをジッグラトの頂上にある神殿の中庭に案内した。そこでは華麗に着飾った陽気な娘の一座がダンスで歓迎し、楽器にあわせて歌い、給仕人がパンや豪華な料理が盛られた大きな皿を運んで、行ったり来たりした。

この行事に参加していたスペイン人の伝承記録者が、その後に起こったことを報告している。崇敬の念で心満たされていた町の有力者たちは「武器を持たず、熱心で幸せそうな顔をして、白人たちが何を言うのかと期待して集まっていた」。この素晴らしい歓待で、来訪の動機を悟られていないとわかったスペイン人たちは、中庭に通ずるドアを締め切り守衛を立て、鉄の刀を抜き放ち、ホストたちを殺しはじめた。[4] この虐殺で六〇〇〇人が殺されたが、[5] その凶暴性はアステカ人たちの、血にまみれた儀式に引けを取らない。「チョルーラ人たちは不意を突かれた。弓矢や盾は使われなかった。警告もなく殺された。裏切られ殺されたのだ」[6]

皮肉なことに思えた。ペルーとメキシコの征服者たちは、同じように色の白いあご髭の神が戻ってくるという土地の伝説に助けられた。その神は神格化された人間のように思えるが、そうだとしたら高度の文明を持ち、人々の見本ともなる人物のはずであった。二つの地域に現れたのは同じ背景を持つ異なった人物であったかもしれない。一人はメキシコに現れケツァルコアトルと呼ばれ、もう一人はペルーで活躍し、ビラコチャと呼ばれたのだ。スペイン人は表面的には昔の白い肌を持つ外国人と似ていたため、本来ならば閉められていたはずの多くのドアが開かれた。だが、賢明で慈愛に溢れた前任者と異なり、アンデスのピサロも中央アメリカのコルテスも餌をあさり歩く狼だった。彼らは獲得した土地、人々、文化を食いものにし、ほとんどすべてを破壊し尽くしたのだ…。

過去への涙

スペイン人たちの目は無知と偏狭と貪欲で曇っていたため、メキシコに着いたとき、人類の大切な遺産を消滅させてしまった。そのため中央アメリカで繁栄した素晴らしい文明の、詳細な知識を得ることができなくなってしまっている。

たとえばミステク族の首都アチオトランの聖地に安置されていた光輝く「偶像」の背後にある、真の歴史は何か？　この興味深い像については一六世紀にこの偶像を見たブルゴア神父の記述から知ることができる。

偶像を構成するその素材は素晴らしく価値があるものだった。それはエメラルドであり、大きさはぶ厚い唐辛子のさやほどあった。それには小さな鳥が見事な技巧で彫刻されていた。また同じ見事さで小さな蛇がとぐろを巻いており、いまにも鳥に跳び掛かりそうだった。

この宝石は透明度が高く、ろうそくの火で照らしても内側から強い光を放った。非常に古い宝石で、これを崇拝し信仰するようになった伝統を伝えるものはなにも現存しない。(7)

今日、この古い宝石を調べることができたら何を知ることができるだろうか？　実際に、どのくらい古いものなのだろうか？　それらを知ることはできない。なぜならアチオトランに赴任した最初の司祭、ベニト神父がインディオから石をとりあげてしまったからだ。「神父はそれをすりつぶした。あるスペイン人が三〇〇〇ダカット金貨を支払うと申し出たのだが・・・。すりつぶされた粉は水に溶かされ、地上にまかれ、神父はその土の上で足踏みをした」[8]

他に、メキシコの過去に保存されていた知識の宝庫を無駄にした典型的な例としては、アステカの王モンテスマからコルテスへの二つの贈り物がある。それらは円形の暦で、車輪ほどの大きさがあり、一つは純銀製で、もう一つは純金製だった。このカレンダーには美しい象形文字が丁寧に彫刻されており、重要な情報が収められていたかもしれない。だが、コルテスはその場で、贈り物を溶かして鋳塊にしてしまったのだ。[9]

中央アメリカのいたる所で、古代から蓄積されていた知識の宝庫は、狂信的な修道士によって組織的に徹底的に集められ、山積みされ、燃やされた。たとえば一五六二年七月、マニの町（現在のユカタン州メリダの少し南）の広場で神父ディエゴ・デ・ランダは、何千というマヤの写本や物語の絵や、象形文字が彫られた鹿の巻き皮を燃やした。同じように神父は数えきれないほどの偶像や祭壇を破壊した。神父は「これらのものは悪魔が作ったものだ。悪魔がインディオを誘惑し、キリスト教を受け入れないように図ったのだ・・・」[10]と述べた。神父はどこでもこの同じ論理を展開した。

インディオの文字で書かれている大量の本を発見した。だがそれらは悪魔の欺瞞《ぎまん》と迷信に溢れていたので、全部燃やした。原住民たちは嘆き悲しみ、深く傷ついている様子だった。[11]

だが痛みを感じたのは「原住民」だけではない。それ以後、誰でも過去の真実を探求するものは、同じ痛みを感じてきた。

多くの「神の使い」は、神父ディエゴ・デ・ランダよりももっと無慈悲に手際よく仕事を行なった。かれらはスペインの悪魔的な事業に参加し、中央アメリカの記憶の宝庫を消滅させたのだ。その中でも悪名高いのはメキシコの司教ファン・デ・スマラガであり、二万の偶像と五〇〇の神殿を破壊したと自ら誇っていた。一五三〇年一一月、司教ファン・デ・スマラガは、キリスト教に帰依した上流階級のアステカ人を、磔にして焼き殺している。理由は、「雨の神」の信仰に戻ったからだった。またテスココの町の広場では、征服者たちが一一年間かけてアステカ人たちから強制的に集めた、天文学の書類、絵画、写本、象形文字の文書を山積みし、巨大な火柱をつくった。[12] このため埋め合わせができない知識と歴史が煙となって消えてしまい、人類の記憶喪失の一部を取り戻すチャンスが、永遠に無くなってしまった。

中央アメリカの古代の人々が書いたものとしては何が残っているだろうか？　悲惨なことにスペイン人のおかげで、二〇の写本や巻物が残っているだけなのだ。[13]

伝聞によって、修道士たちが灰にした書類の中には「太古の記録」も含まれていたことがわかっている。[14]

失われた記録には何が書かれていたのだろう？　どんな秘密が隠されていたのだろうか？

奇妙な姿をした巨大な男たち

征服者たちが狂ったように本を焼いていたころ、何人かのスペイン人は「メキシコには真に偉大な文明がアステカの前に存在していた」ということを悟った。[15] 奇妙なことに、このことに最初に気がついた人物の一人が神父ディエゴ・デ・ランダだった。まるで「パウロがダマスカスへの道で経験した」ようなことが、マニの町での事件の後に、この神父の身に起こったようだ。彼はこれまで破壊してきた古代の知恵を保存する決心を固め、ユカタン先住民の伝統や語りによる歴史伝承を根気強く集めるようになったのだ。[16]

ベルナルディノ・デ・サアグンはフランシスコ会の修道士だったが、現代に最も恩恵をもたらした伝承記録者だった。優れた言語の才能を持つベルナルディノ・デ・サアグンは、「最も学識のある原住民——年寄りのことが多かったが——を探しだし、アステカの絵文字でアステカの歴史と宗教と伝説についてはっきりと覚えていることを書かせた」と報告している。[17] この方法でベルナルディノ・デ・サアグンは古代メキシコの考古学、神話学、社会歴史の詳細な情報を収集することができた。彼は後日、その情報を一二冊の本にして書き残している。だがこの本はスペイン当局の弾圧を受けた。幸いなことに一組だけ生き残ったが、一部が欠けている。

ディエゴ・デ・デュランもまたフランシスコ会の修道士であり、先住民の伝承の良心的な記録者だったが、同じように過去の失われた知識を回復しようと戦った。彼は一五八五年に、急速に変わっていくチョルーラを訪れている。そこで年令一〇〇歳以上といわれる、町で尊敬されていた年寄りに面接調査を行なっている。年寄りは偉大なジッグラトがいかに造られたか、その歴史を語った。

はじめ、まだ太陽の光が創造されていなかったころ、この土地チョルーラは朦朧《もうろう》としており暗黒に包まれていた。平らな土地で丘も山もなく、水に取り囲まれていた。木もなく、創られたものはなにもなかった。東の空に太陽が昇り光線がさし始めるやいなや、奇妙な姿をした巨大な男たちが現われこの土地を支配した。太陽と光の美しさに魅了された巨大な男たちは、高い塔を建てることにした。空にまで届くような非常に高い塔だ。塔を建てるための材料を集め終わると、非常に接着力の強い土と瀝青《れきせい》を使い、さっそく塔の建設に取り掛かった・・・できるかぎり高くしたので、塔は空に届いてしまい、天国の主は怒り、空の住人たちに語った。「地上の者どもが、太陽と光の美しさに魅せられ、空に向かって巨大な塔を造ったのを見たか？　行って彼らを混乱させよ。肉体を持つ地上の者どもが、われわれと混ざってはならないからだ」。すぐに空の住人たちは、電光のように出撃し、建造物を破壊し、建造者たちを分裂させ、地球の隅々に追いやった。[18]

この物語は、聖書のなかのバベルの塔の話（古いメソポタミアの伝承の書き直し）とよく似ている。それで私は、チョルーラを訪問することにしたのだ。

中央アメリカの話と中東の話の間には明らかに密接な関係があり、類似性は否定できない。だが、違いも大きく、これも無視できない。似ている原因としては、征服者が来訪する前の時代に、中央アメリカと中東の間に、何らかの文化的接触があったことも考えられる。しかし、類似性と違いの発生をもっと簡単に説明することもできる。たとえば、この二つの伝説は、離れたところで数千年にわたって発展してきたが、両方とも、元来は太古の同じ祖先から受け継いだ話だったことが考えられる。

面影

「創世記」には「天国に届く塔」のことが以下のように書かれている。

全地は同じ発音、同じ言葉であった。時に人々は東に移り、シナルの地に平野を得て、そこに住んだ。彼らは互いに言った、「さあ、れんがを造って、よく焼こう」。こうして彼らは石の代わりに、れんがを得、しっくいの代りに、アスファルトを得た。彼らはまた言った、「さあ、町と塔とを建てて、その頂を天に届かせよう。そしてわれわれは名を上げて、全地のおもてに散るのを免れよう」。時に主は下って、人の子たちの建てる町と塔とを見て、言われた、「民は一つで、みな同じ言葉である。彼らはすでにこの事をしはじめた。彼らがしようとする事は、もはや何事もとどめ得ないであろう。さあ、われわれは下って行って、そこで彼らの言葉を乱し、互いに言葉が通じないようにしよう」。こうして主が彼らをそこから全地のおもてに散らされたので、彼らは町を建てるのをやめた。これによってその町の名はバベルと呼ばれた。主がそこで全地の言葉を乱されたからである。主はそこから彼らを全地のおもてに散らされた。[19]

この話で一番興味を感じるのは、バベルの塔を建てた古代の人々は、たとえ言葉や文明が忘れられても、自分たちの名前が忘れられないようにと、永久に残る記念碑を建てたという点だ。チョルーラの建造物を造った人々も同じことを考えたのだろうか?

メキシコで二〇〇〇年以上前に造られたと考古学者がみなしている遺跡の数はわずかしかない。チョルーラも当然、その中の一つである。この建造物がいつごろ建てられ始めたのかを、確信を持って言える者は誰もいない。このあたりが発展したのは紀元前三〇〇年頃だが、その数千年前に他の古い建造物がこの場所に建てられており、その上に現在の偉大なケツァルコアトルのジッグラトが建てられたように思える。

そうしたことが十分にあり得ると思わせる事例があり、興味をかきたててくれる。つまり中央アメリカには太古の文明がまだ横たわっており、発見されるのを待っている可能性があるのだ。たとえばメキシコシティの大学キャンパスのすぐ南からクエルナバカに向かう道路のわき道に、回り階段を持つ非常に複雑なピラミッド遺跡がある(四つの回廊と中央階段がある)。この遺跡は溶岩に埋もれていたが、一九二〇年代にその一部が発掘された。地質学者が呼ばれ、溶岩の古さが調べられ、綿密な調査が行なわれた。その結果には誰もが驚いた。この遺跡の三分の二を完全に埋めていた溶岩(このあたり一帯九六キロ四方を覆っている)は、少なくとも七〇〇〇年以上前の火山爆発による溶岩だというのだ[20]。

この地質学上の証拠は歴史学者や考古学者に黙殺されている。彼らはそのような昔に、メキシコにピラミッドを建設できるような文明があったとは信じられないという。だが、この遺跡をナショナル・ジオグラフィック・ソサエティーに頼まれて発掘したアメリカの考古学者バイロン・カミングスは、ピラミッドの上下の地層を調べた結果(火山の爆発の前と後の地層を調査)、この遺跡が「アメリカ大陸で発掘された最古の神殿だ」と確信するに至った。考古学者カミングスは、地質学者よりもさらに古いと断定しており、この神殿が「遺跡となったのは八五〇〇年前だ」という。[21]

ピラミッドの上のピラミッド

チョルーラのピラミッドの内部に入ると、いかにも人の造った山に入った感じがする。トンネルは九・六キロメートルもの長さがあるが、古いものではない。これは考古学者のチームが残していったものだ。彼らはここで、一九三一年から資金が尽きた一九六六年まで、熱心に穴を掘ったのだ。太古の空気が、この巨大な建造物全体からこの狭く天井の低い通路に浸み出してきているかのように感じた。冷たく湿った通路は、別世界に誘うような秘密めいた暗闇で満たされていた。

トーチライトの灯に従ってピラミッドの奥深くまで進んだ。考古学的調査によって、このピラミッドは一つの王朝によって造られたものではないことが判明している(エジプトのギザのピラミッドも同様だと思われる)。非常に控えめに見ても二〇〇〇年以上も前から、何度も造り替えられてきたのだ。別の言葉で言うと、これは共同プロジェクトであり、多くの異なった文化の異なった年代の労働者が造ってきたのだ。メキシコの文明の夜明け以来、チョルーラの地を支配した文明はオルメク、ティオティワカン、トルテック、ザポテク、ミステク、チョルーラン、アステカと多数ある。[22]

最初の建設者が誰であったかは不明だが、最初の重要な建設物は円錐形のピラミッドで、バケツをひっくり返した形で、神殿が建てられた頂上は平らだったことがわかっている。そのピラミッドの上に、だいぶたってから似たような構造の二番目のピラミッドが加えられた。二番目のピラミッドはれんがと硬い石で造られ、神殿の高さは周りの平原よりも六〇メートルも高くなった。その後の一五〇〇年間に、四つから五つの文明が、この記念碑の最終的外観の形成に貢献したと見られている。この間に底辺は広げられたが、高さは維持された。このように、あたかもあらかじめ計画されていたかのように、チョルーラの人工の山は現在の四面階段式ジッグラトとなっていったのだ。現在、基礎の一辺の長さは五〇〇メートル近くあり、エジプトのギザにある大ピラミッドの二倍だ。体積は三〇〇万立方メートルと計算されている。[23] これはまさにある専門家が簡潔に述べているとおり「地球で建設された最大の建物」なのだ。[24]

なぜか？

なぜこんな大規模な仕事をしたのだろう？

中央アメリカの人々は、これでどんな名前を残したいと思ったのだろうか？

網目のように張りめぐらされた廊下や通路を歩き、ローム層の土の匂いがする冷たい空気を吸い込みながら、のしかかるピラミッドの重みをいやというほど感じた。この世界最大の建造物は、中央アメリカの神人に捧げるためにここに造られた。だがこの人物についてはほとんどなにも知られていない。

ケツァルコアトルとその弟子たちの真実の姿を探す道が深い闇で閉ざされてしまっているのは、征服者たちとカソリック教会の努力のおかげである。チョルーラの古代神殿を破壊し冒瀆し、偶像や祭壇やカレンダーを破壊し、写本や絵画や象形文字の巻物を燃やして、彼らは過去の声を完全に沈黙させることにほぼ成功した。だが伝説はある人々の鮮やかな姿と強烈なイメージを提供してくれている。ピラミッドの最初の建設者であったという「奇妙な姿をした巨大な男たち」の記憶だ。

第16章　蛇の聖地

チョルーラから東に向かい、豊かな町プエブラを通り過ぎ、オリサバ、コルドバを越え、メキシコ湾に面するベラクルスに向かった。その途中、霧に包まれた東のメキシコ山脈を越えたが、空気は薄く冷たかった。それから海岸に向かって降下し、熱帯の平原に入った。椰子やバナナの樹木が立ち並ぶ農園が目に入る。われわれはメキシコ最古の最も神秘的な文明であるオルメクの中心地に向かっている。オルメクの意味は「ゴムの人々」だ。

紀元前二〇〇〇年までさかのぼるオルメク文化は、アステカ帝国が興隆する一五〇〇年前にすでに存在していた。アステカ人はオルメクの文化を継承し保存した。それだけでなく、メキシコ湾岸のゴムの産地に住んでいたと思われる人々に、オルメクと命名したのもアステカ人だ。[1]この地域は、西は現在のベラクルスから、東はシウダーデルカルメンまでを含む。アステカ人はオルメク人が作った古代の儀式用具をたくさん発見し、理由はわからないが、それらを収集しアステカの神殿の重要な宝物としている。[2]

地図をみると、コアツェコアルコス川が青い線で描かれており、メキシコ湾に流れ込んでいる。この川は、伝説的なオルメクの祖国の中央を流れている。だが、現在ここでは石油産業が盛んで、ゴムの木が繁茂していた熱帯の楽園は、まるでダンテの地獄編を思わせる風景に変貌している。一九七三年の石油ブーム以降、それまで気楽でそれほど豊かではなかったコアツェコアルコスの町は、エアコン付きのホテルが建つ交通と石油精製の中心地として膨れ上がり、人口も五〇万人に増えている。町は工業で荒廃した不毛の地となっており、スペイン人の略奪を逃れた考古学上の貴重な遺跡なども、石油産業の貪欲な開発で破壊されている。したがって、この地で重要な出来事があったという興味深い伝説を知ることはできても、それをはっきりとした証拠で確認することは不可能になってしまった。

私はコアツェコアルコスの意味が「蛇の聖地」であることは覚えていた。大昔にケツァルコアトルとその仲間が初めてメキシコに上陸したのが、ここだと言われている。海を越えてきた船の、「脇には蛇の皮のような模様があった」という。(3) さらにケツァルコアトルが中央アメリカから蛇の筏に乗って去ったのも、ここだと言われている。だが蛇の聖地という名は、オルメクの祖国を表わすのにふさわしい感じがする。祖国の土地にはコアツェコアルコスだけでなく、開発によって破壊されていない、いくつかの別の場所が含まれる。

まずはコアツェコアルコスの西にあるトレスサポテスであり、サンロレンソ、ラベンタだ。ラベンタの南や東の地域からは特徴あるオルメクの彫刻が数多く出土している。彫刻はすべて玄武岩を切り取った一枚岩で、頑丈だ。あるものは巨大な頭で重さが三〇トンもある。またあるものは人々

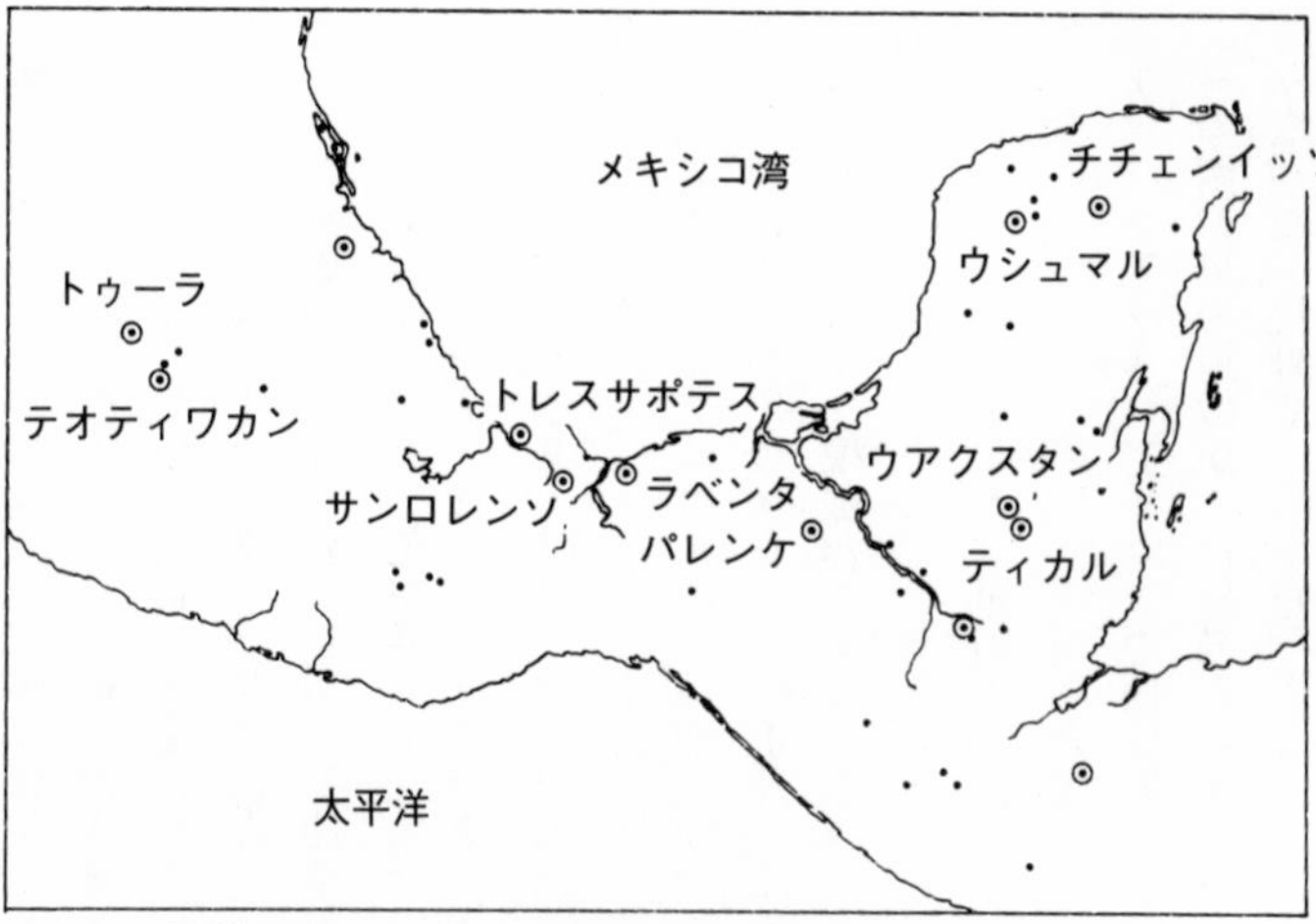

メキシコ湾岸のオルメク文化の遺跡トレスサポテス、サンロレンソ、ラベンタとその他の中央アメリカの遺跡

の出会いの場面が彫刻された大きな石板で、明らかにインディオとは異なる姿をした二つの種族が描かれている。

誰がこのような優れた芸術品を残したにしろ、洗練されよく組織され、豊かで技術的にも発展した文明社会の産物であることは確かだ。問題は芸術品以外には、なにも残されていないことだ。これだけでは文明の正確な起源を推察するのは難しい。はっきりしているのは、オルメク（考古学者たちはアステカ人の命名を喜んで受け入れた）は紀元前一五〇〇年頃に存在したが、そのころ、彼らの洗練された文化はすでに開花していたことだ。

サンティアゴ・トゥストラ

アルバラードの漁港で夜を過ごし、翌日再び東に向かった。豊かな丘や谷の間を曲がりくねりながら続く道を走り、メキシコ湾を時折眺めながら、やがて内陸に向かった。アオギリの木が並ぶ緑の牧草地を抜けると、草に覆われた盆地の上に小さな村が現われる。所々に個人所有の庭があり、豚がゆっくりと歩き、残飯をあさっている。丘の頂上に来ると視界が開ける。見渡すかぎりの野原と森で、遮るものは朝霧と、遠くにおぼろげに見える山脈だけだ。

数キロメートルほど盆地に下っていくと、その底にはコロニアル風の町サンティアゴ・トゥストラがある。この町には原色が溢れている。けばけばしく飾りつけられた店も、赤いタイルの屋根、黄色いわらの帽子、ココナツの木、バナナの木、そして子供たちまでカラフルな服装をしている。いくつかのカフェや店は店頭にスピーカーを置いて、音楽を流している。ソカロという中央広場の空気は湿気を帯びており、そこでは明るい色の目玉を持つ熱帯の鳥が羽ばたき、歌を唄っている。この広場の中央には木陰がある小さな公園がある。その公園の真ん中には、魔法の御守りのような、巨大な石がある。三メートルもあるこの石はヘルメットをかぶったアフリカ人の頭の彫刻なのだ。大きな唇とたくましい鼻を持ち、目は静かに閉じられており、顎は地面に接している。この頭像の表情からは陰欝さと忍耐強さと厳粛さが感じられる。

これがオルメクの最初の謎だ。二〇〇〇年以上前の古い記念碑的な彫刻だが、明らかにニグロイドの風貌を持っている。二〇〇〇年前の新大陸にはアフリカの黒人はいなかったはずだ。彼らが新大陸に来たのはスペイン人による征服のかなり後で、奴隷貿易が始まってからだ。だが、原始人類学では氷河期の最後に、多くの人々がアメリカ大陸にわたってきたが、その中にニグロイドの人々がいた確証があがっているとしている。この民族移動があったのは紀元前一万五〇〇〇年の頃だ。(4)

この頭像は「コバタ」と呼ばれているが、それは頭像が見つかった土地の持ち主の名前から来ている。これまでメキシコで発掘された一六個の頭像の彫刻のうち、ソカロにあるこの巨大な頭が最大だ。これはキリスト降誕の頃のものとされ、重さは三〇トン以上ある。

トレスサポテス

サンティアゴ・トゥストラから南西に、木々の生い茂る荒れ地を抜けて二五キロも車で走るとトレスサポテスに着く。ここは後期オルメク文明の中心地で、紀元前五〇〇年から一〇〇年頃まで栄えたと信じられている。現在はトウモロコシ畑に小さな丘が存在するだけの場所になっているが、一九三九年から一九四〇年に、アメリカの考古学者マシュー・スターリングが徹底的に発掘を行なっている。

私の記憶するところでは、当時の教条主義的歴史学者は、マヤ文明こそ中央アメリカ最古であると執拗に主張していた。その根拠としては、マヤの点と線で表わされたカレンダー・システムによって(最近解読された)、たくさんの儀式の碑文の年代が正確にわかる、ということを挙げた。マヤで発見された一番古い年代は、西暦に直すと二二八年である。[5] したがって、スターリングがトレスサポテスで発掘した石板にもっと古い年代が記されていたという事実は、学界に衝撃を与えた。マヤカレンダーに使われていたのと同じ点と線の記号があったのだが、それには西暦に直すと紀元前三二年九月三日と書かれてあったのだ。[6]

さらに衝撃的だったのはトレスサポテスはマヤの遺跡ではなかったことだ。まったく違ったのだ。

それは、疑問の余地がなく完全にオルメクのものだった。したがってカレンダーを発明したのはマヤではなく、オルメクであり、中央アメリカの「母なる文化」もマヤではなくオルメクだったのだ。頭に血がのぼったマヤの専門学者たちは徹底的に反対したが、スターリングがトレスサポテスの発掘を続けて真実がだんだんと明らかになってきた。オルメクはマヤよりももっと、はるかに古いのだ。当時のオルメクの人々は、賢く、文明化された、高い技術を持った人々で、彼らが点と線のカレンダーシステムを発明したようだ。このカレンダーは紀元前三一一四年八月一三日という謎めいた日付で始まり、世界の終わりを二〇一二年と予測している。

トレスサポテスでカレンダーの石板を発見したスターリングは、そのそばで巨大な頭の像も発掘している。紀元前一〇〇年頃に造られたとみなされている[7]この頭は、二メートルほどの高さで、周囲が六メートルあり、重さは一〇トンを超える。サンティアゴ・トゥストラにあった頭と同様に、これもまた間違いなくアフリカの黒人で、ヘルメットをぴったりとかぶり、長い紐が顎のところに降りている。耳たぶには穴があけられ耳飾りが塡《は》められている。はっきりとしたニグロイドの特徴は、鼻の両脇にある深い溝の線で作られている。また唇は厚く下向きに曲線を描き、顔全体は前方に飛び出している。目は開かれ注意深く、アーモンド型で冷たい。奇妙なヘルメットの下の太い眉をしかめており、怒っているかのようだ。

スターリングはこの発見に驚き、以下のような報告をしている。

その頭像には、本当に頭しかなかった。一つの巨大な玄武岩の彫刻で、細工のされていない石板の上にのせられていた・・・周りの土を取り除いてみたら、驚くべき姿が現われた。その巨大さにもかかわらず、細工は丁寧で細かく、均衡は完璧にとれている。土着のアメリカの彫刻としては珍しいタイプのもので、非常にリアルな感じを与える。顔つきはユニークであり、ニグロイドの特徴を多く備えている・・・。[8]

この後すぐにこのアメリカ人の考古学者は、トレスサポテスで二つめの衝撃的な発見をしている。それは子供のおもちゃで、小さな車輪がついた犬だ。[9] この可愛らしい工芸品は、それまでの考古学的見解を打ち破った。これまでは征服者が来訪するまで、中央アメリカの文明は車輪を知らないことになっていたのだ。「犬車」は少なくとも、車輪の原理を、中央アメリカ最初の文明であるオルメクが知っていたことを示す。またオルメクのような文明をもつ人々が車輪の原理を発見したら、子供のおもちゃだけに応用していたとは考えにくい。

第17章　オルメクの謎

トレスサポテスの次に訪れたのはサンロレンソだった。コアツェコアルコスの南西にあるサンロレンソはオルメクの土地であり、同時にケツァルコアトルの伝説の「蛇の聖地」でもある。考古学者が放射性炭素年代測定法を使ってオルメクの最古の遺跡（紀元前一五〇〇年頃）だと認めたのは、ここである。[1] だが、オルメク文化は、この年代には、すでに発展を遂げた後だったようだ。また、サンロレンソでオルメク文明が発展したという証拠はなにもない。[2]

ここに謎が潜んでいる。

オルメクは重要な文明を打ち建て、壮大な工事を行ない、巨大な岩を彫刻し運んだ（ひとつの岩で作られた頭は二〇トン以上の重さだが、トゥストラ山脈の石切り場から陸上を九六キロメートルも運んできている）。[3] もしも古代サンロレンソではないとすると、どこで技術が開発され、社会組織が生まれ、発展したのか？

奇妙なことに、考古学者が必死の努力を傾けても、オルメク文化の発展段階を示す遺品は、メキシコではなにも発見されていない(当然、新大陸のどこでも発見されていない)。巨大な特徴あるニグロイドの頭を彫刻した人々は、どこから来たのかまったくわからないのだ。[4]

サンロレンソ

サンロレンソに着いたのは午後遅くだった。中央アメリカの歴史の夜明けに、オルメク人は高さ三〇メートルにもなる人工の小山を造っているが、これは全長一二二〇メートル、幅六〇〇メートルの巨大な構造物の一部だ。一番高い小山に登ってみたが、今では育ち過ぎた熱帯植物がびっしりと覆っている。この頂上からは周辺が数キロメートルにわたって見渡せる。周りには小さい小山がたくさんあり、深い溝がいくつか見える。この溝は考古学者マイケル・コウが、一九六六年に発掘した時に残したものだ。

マイケル・コウのチームは数多くの発見をした。その一つは二〇以上の人工の水槽だった。これらは玄武岩でできた水路により、非常に見事に設計されたネットワークで結ばれていた。このネットワークの一部は高い位置に設置されており、この溝が見つかったときも、強い雨が降ると、三〇〇〇年前と同様に水が奔流となって流れた。この排水設備の主要ラインは東から西に走っていた。この本線には高度な技術で支線がつながれていた。[5] この遺跡を詳しく調べた考古学者たちは、この精巧に造られた水門と水路のシステムが、何を目的とするものかわからないと認めている。[6]

解明されなかった謎はこれだけではない。特殊な配置がされた、意図的に造られた墓が見つかったのだ。そこには、現在では「オルメク・ヘッド」と呼ばれている、ニグロイドの特徴を持つ五つの巨大な彫刻があった。この特異な、明らかに当時の儀礼に基づいて造られた墓からは、六〇以上の貴重な像や工芸品も見つかっている。その中にはヒスイで作られた楽器や、精妙に作られた小彫像があった。また小彫像のいくつかは、埋葬の前に同じように手足が切られていた。

サンロレンソの彫像が埋められていた状況も謎めいていて、像の古さを確定するのを困難にしている。これらの埋葬品と同じ地層で炭のかけらが発見されたが事情は変わらない。石と違って炭の年代は調べることができる。その結果、炭は紀元前一二〇〇年頃のものだということが判明した。(7)だが、これは彫像が紀元前一二〇〇年に作られたことを意味しない。もちろんその可能性も残る。だが彫像は数百年前、あるいはそれよりもさらに数千年も前に作られた可能性がある。この素晴らしい芸術品は、美を内在させており、名状しがたい神秘的な力を感じさせる。これらがサンロレンソに埋められる前に、多くの文化によって崇拝され保存されていた可能性もある。発見された炭は、彫像が少なくとも紀元前一二〇〇年には作られていたことを証明するに過ぎない。彫像の古さを限定しているわけではないのだ。

ラベンタ

サンロレンソを去ったのは太陽が沈むころだった。次の目的地はここから一五〇キロ以上も東のタバスコ州ビヤエルモサだ。そこに行くにはアカユカンからビヤエルモサまで通じる幹線道路を走らなければならない。この道路はコアツェコアルコス港のそばを通る。港の周辺には巨大な鉄塔が建ち、超近代的な吊橋がかかっている。気だるい田舎のサンロレンソからコアツェコアルコス周辺の穴だらけの工業地帯に来ると、あまりにもペースが異なり衝撃を受ける。考えてみると、サンロレンソにオルメクの古い遺跡が残っている理由は、石油がまだ発見されていないからに過ぎないのだ。

だがラベンタでは石油が発見された・・・そのため考古学は永遠の損失をこうむった・・・。

今、ラベンタを通り過ぎている。

ハイウェイから北に小道を入っていくと、ナトリウム灯に照らされた町がある。真っ暗な中で照り輝き、まるで核爆弾の落ちた現場のようだ。一九四〇年代から石油産業が盛んになり、大々的に「開発」されてきているのだ。その結果、珍しい貴重なピラミッドがあった場所は、滑走路で二つに分断され、オルメクの天文学者たちが星を観察したであろう空は、炎を吐く煙突のため暗く曇っている。悲しいことに、開発業者のブルドーザーは、きちんとした発掘が行なわれる前に、興味深いあらゆる物が残されていた地を平らにしてしまった。その結果、多くの古代の遺跡は調査されないままとなり[8]、遺跡を造った人々について、なにも知ることができなくなってしまったのだ。

トレスサポテスを発掘したマシュー・スターリングは、石油資本が開発をする前にラベンタでも発掘を行なっている。炭素年代測定によると、オルメク人は紀元前一五〇〇年から紀元前一一〇〇年頃にこの地域に住み始め(遺跡はトナラ川の東の沼地に横たわる島にある)、紀元前四〇〇年までここに居たようだ[9]。そのころ町の建設が突然中止され、建造物は損傷を受けたり破壊され、いくつかの大きな石の頭と小さな彫像がサンロレンソと同じように特異な墓に埋葬された。ラベンタの墓は細心の注意を払い、綿密に準備して造られている。何千という小さな青いタイルで線が引かれ、

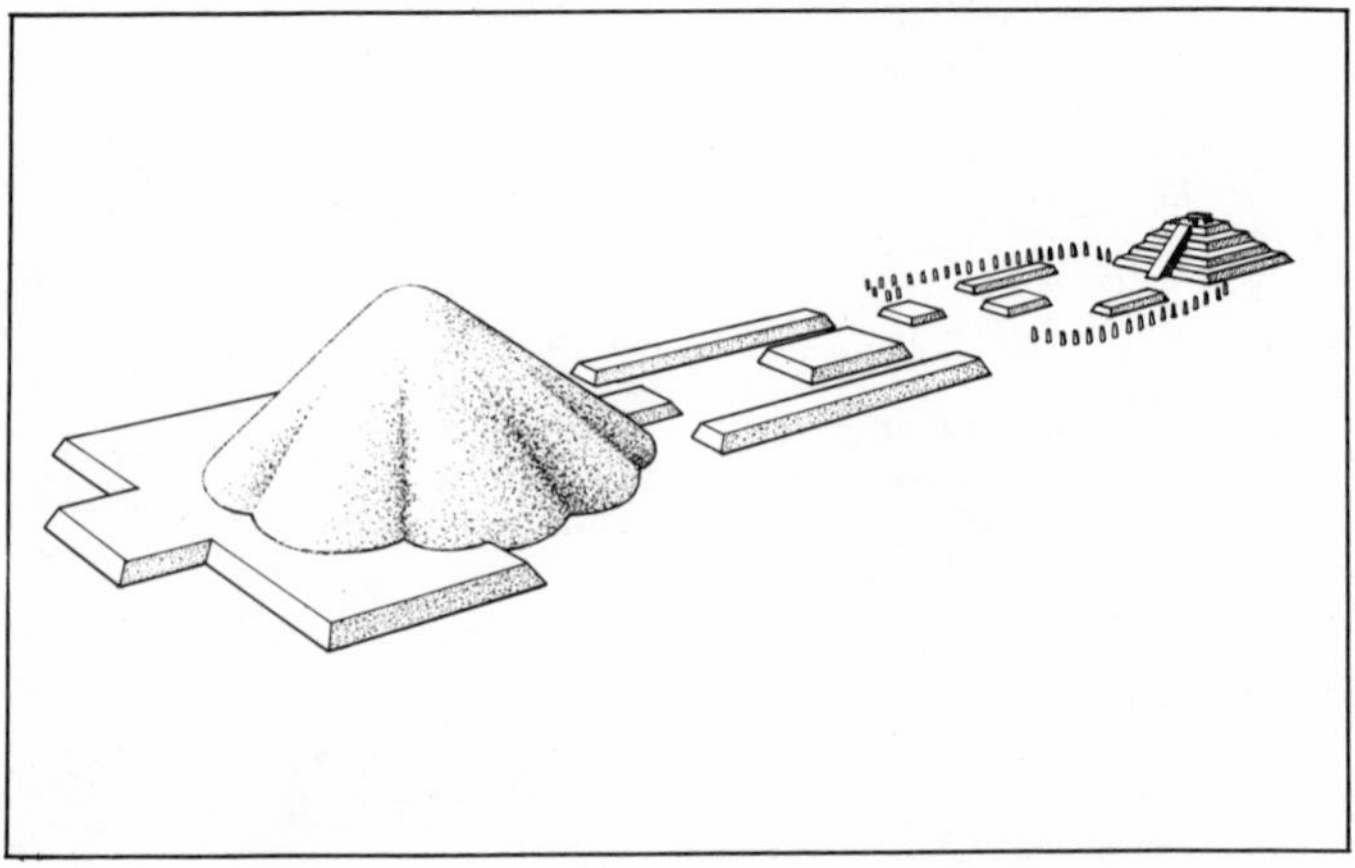

ラベンタの復元図　奇妙な円錐形のピラミッドが周囲を威圧している。

多彩な色の土の層で埋められている。[10]ある場所では、四〇〇立方メートルの土が掘り出されて穴が造られ、底には蛇紋石のブロックが敷かれ、再び土が戻されている。三つのモザイク模様の舗道も発見されているが、その上には土と日干し煉瓦の層が交互に重ねられている。[11]

ラベンタの重要なピラミッドは遺跡の南端にある。空から見るとほぼ円型だが、実際は縦に溝の入った円錐型であり、壁面には一〇のうねりがある。高さは三〇メートルで、直径が六〇メートルほど、体積はほぼ八一〇〇立方メートルという、あらゆる基準から見ても巨大な記念碑だ。残りの遺跡は五〇メートルほど続くが、正確に北から八度西の方向へ真直ぐ並んでいる。この軸を中心にして、すべての建造物は規則正しく並んでいるが、それらはいくつかの小型のピラミッド、広場、台地、小山であり、全体の広さは四・八平方キロメートルもある。

ラベンタには何か違和感を感じさせる奇妙さがあ

上左：エジプトのスフィンクスの頭の横顔。　**上右：**メキシコのラベンタのオルメク・ヘッドの横顔。　**下左：**スフィンクスの頭を前から見たところ。　**下右：**オルメク・ヘッドを前から見たところ。
次ページ上：メキシコのサンロレンソのスフィンクスを思わせる彫像。古代中央アメリカと古代エジプトの文化には類似点が多いが、2つの文明は、まだ確定できていない第三の文明から発生しており、太古にそれぞれの遠く離れた場所に影響を与えたのだろうか？

中央：メキシコ、ウシュマル
二重のピューマ像。　下：古
エジプトの二重のライオンの
ンボルで、昨日と今日のライ
ン神アケルを描いている（ア
ルの象形文字は　）。両
の地域の宗教は多くの共通す
イメージと思想を持っている
パチ P'ACHI という言葉は、
代中央アメリカでは「人間の
贄」を意味しており、直訳で
「口を開ける」という意味だ。
方、古代エジプトの奇妙な葬
の儀式も「口を開ける」と呼
れる。同じように両方の地
で、死んだ王の魂は星になっ
よみがえるとされている。

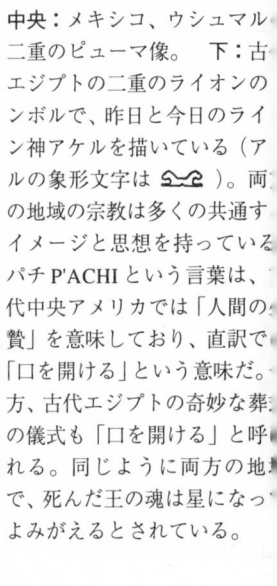

る。一つは、この遺跡がもともと何のために造られたのかが、はっきりしないのだ。考古学者は「儀式の中心」というが、たぶんそうなのだろう。だが、正直な人ならば、他のいくつかの役割も果たしていた可能性があることを認めるだろう。本当のところ、オルメクの社会組織も、儀式も信仰も、まったくわからないのだ。どのような言葉を使っていたのかもわからない。どのような伝統を子供に伝えたのかも不明だ。彼らがどんな人種に属するかもわかっていない。メキシコ湾岸は湿度が非常に高く、オルメク人の骨はひとかけらも残っていない。[12] われわれは彼らに名前を与え、いろいろな見解をひねり出してはいるが、現実にはオルメクのことはおぼろげにしかわかっていないのだ。

オルメク人が残したと考えられている謎の頭像のモデルは、彼ら自身かもしれないが、作者はオルメク人ではない可能性がある。もっと大昔の、すでに忘れ去られた人々の仕事かもしれないのだ。このオルメクのものだといわれる巨大な頭や見事な彫像は、先祖伝来の財宝として受け継がれたものではなく、たぶん何千年にもわたって伝承され、サンロレンソやラベンタにピラミッドや小山を建設した文化に受け継がれたものではないかという考えが、これが初めてではないが、浮かんでくるのだ。

もしそうなら、誰のことを「オルメク」と呼んでいるのか？　小山を造った人々か？　あるいは頭の彫像のモデルとなった、ニグロイドの特徴をもつ力強い印象的な人物だろうか？

幸運なことに、ラベンタの三つの巨大な頭を含む五〇のオルメクの記念碑的彫像が救済された。土地の詩人で歴史家のカルロス・ペリセル・カマラが、ペメックス社が石油採掘のため遺跡を破壊することを知り、強力に抵抗したのだ。タバスコ州（ラベンタがある州）の政治家に粘りづよく働きかけたカマラは、ラベンタの貴重な発掘物を州都ビヤエルモサの郊外の公園に移すことに成功した。

それら発掘物の中には、貴重なかけがえのない文化の記録が残されている。あるいは、消滅した文明が残した文化記録の宝庫といってもいい。だが、この記録に記された言語を読める人はまだいない。

デウスエクスマキナ（機械仕掛けの神）

タバスコ州ビヤエルモサ

私は精巧な浮き彫りを見ていた。考古学者たちがラベンタで見つけた「蛇の中の男」と呼ばれる浮き彫りだ。専門家の意見では「頭飾りをつけ香袋を手にして、羽毛を持つ蛇に取り囲まれているオルメクの姿だ」という[13]。

この浮き彫りは硬い花崗岩の板に彫られている。幅は一・二メートル、高さは一・五メートルほどで、男が足を前に伸ばして座っているが、まるで自転車のペダルでも踏もうとしているかのようだ。男は右手に小さなバケツ型の物品を持っている。左手はレバーのようなものを上げるか、下げるかしている。「頭飾り」の外観は奇妙で複雑だ。私には、儀式的というより機能的な装いに見える。だが、何をやっているのかはわからない。「頭飾り」の上にある操作盤のようなものには二つのX型の十字がある。

この浮き彫りのもう一方の主役を見てみた・・・「羽毛を持つ蛇」だ。確かにそれが描かれていた。

羽毛というか羽の生えた蛇だ。古くからあるケツァルコアトルの象徴だ。したがってオルメクも崇拝していたに違いない（少なくとも存在を知っていただろう）。学者もこの見解に反対していない。[14]一般的に、ケツァルコアトルに対する信仰は極めて古く、中央アメリカの歴史が始まる前に起源があり、歴史が始まってから各種の文化で崇拝されてきた、という見解が認められている。

だが、この浮き彫りの「羽毛を持つ蛇」は特に個性的な外観を持っており、他とは異なっている。たんなる宗教的なシンボルとは思えない。何か硬直しており構造的で、ほとんど機械の一部に見えるのだ。

太古の秘密のささやき

その日の午後遅く、オルメクの頭像が作る巨大な影の下で炎暑を避けた。ラベンタから運ばれたもので、カルロス・ペリセル・カマラが救出したものの一つだ。この頭像は年老いた人物がモデルで、広がった鼻と厚い唇を持っている。唇はわずかに開いており、四角くて頑丈そうな歯がのぞいている。表情には太古の辛抱強い知恵を漂わせており、目は怖れずに永遠を見つめていて、エジプトのギザにあるスフィンクスを思わせる。

彫刻師が、ある人種のすべての特徴を組み合わせて「創作」することは不可能に違いない。したがってある人種の特徴を正確に描いたこの彫刻は、実際の人物をモデルにした可能性が非常に強い。

この巨大な頭像の周りを何回か歩いてみた。周囲は六・七メートルあり、重さは一九・二トン、高さは二・四メートル近くある。一つの硬い玄武岩を削って作られており、明らかにある一つの人種の特徴が組み合わさっている。サンチャゴ・トゥストラやトレスサポテスで見た他の石頭像と同じように、間違いなく、議論の余地なく、ニグロイド系の人物を表しているのだ。

読者の方も、本書に収められた写真を検討して、ご自分で確認していただくことができる。私の見解は以下のごとくだ。まず、オルメクの頭像はニグロイド系の実在していた人物の人種的特徴を正確に描写している。カリスマ性の強いパワフルなアフリカ人で、三〇〇〇年前に中央アメリカにいたと思われるが、学者は説明ができないでいる。それどころかこの頭像が三〇〇〇年前に作られたものかどうかもはっきりしていない。同じ穴で発見された炭から推測した年代は、たんに炭の古さを示すに過ぎない。頭像の古さを判定する仕事はもっと大変な仕事だ。

このようなことを考えながら、ラベンタの不思議な素晴らしい記念碑を見ながらゆっくり歩いていた。それらは太古の秘密を我々にささやいている・・・機械に乗った男の秘密・・・ニグロ頭像の秘密・・・そして、伝説を生き返らせる秘密だ。それはあたかも神話のケツァルコアトルが肉体をもって甦ってくるかのような印象を与えた。私は、ラベンタの彫刻の中に、ニグロイドだけでなく、背の高い、痩せた、鼻の長い、どう見ても白人種と思われる男を見つけたのだ。その男はまっすぐな髪の毛で、あご髭をはやし、ゆったりとしたローブを身に付けている・・・。

第18章　人目をひくよそ者

アメリカの考古学者マシュー・スターリングは一九四〇年代にラベンタを発掘したが、驚くべき数多くの発見を行なった。その中でも最も驚くべきものは、あご髭のある男の石板だろう。

前にも述べたが、古代オルメクの遺跡は真北から八度西の方角へ伸びている。この直線の南端には、高さ三〇メートルの縦に溝の入った円錐型の大きなピラミッドが立っている。その隣には高さ三〇センチほどの縁石のようなものが、広い四角い敷地を囲んでいる。敷地の広さは普通の町のブロックの四分の一ほどだ。考古学者たちがこの縁石を発掘し始めたところ、驚いたことにそれらは柱の壁の上部を形成していたのだ。さらに発掘を続けたところ、地層は整然と堆積しており、柱の高さは三メートルあることが判明した。柱は六〇〇本もあったが、互いに密接して建てられており、堅固な防護柵を形成していた。硬い玄武岩を切り取って造られたこの柱はラベンタから九六キロメートルも離れたところで採石され運ばれている。柱の重さはそれぞれ二トンもある。

なぜこのような大変な作業をしたのか？　防護柵の中には何が造られることになっていたのか？

縁石で取り囲まれた敷地の中央には、発掘が始まる前から、巨大な岩の先端が地上に突き出ているのが見えた。その高さは縁石よりも一・二メートルも高く、急勾配で前に傾いていた。この石は彫刻で覆われていた。この石の見えない部分は、古代の防護柵を埋めてしまった二・七メートルほどの土の層の中にあった。

スターリングとそのチームは二日の作業で巨大な石を掘り出すことができた。明るみにでたこの岩は、堂々とした石碑で、高さ四・二メートル、幅二・一メートル、厚みが九一センチもあった。彫刻は二人の背の高い人物が対面している場面を描いており、二人とも洗練されたローブに身を包み、爪先が上に向いたきらびやかな靴をはいている。浸食されたためか、あるいは故意に削られたのか(オルメクの記念碑にはこのようなことがされているケースが多い)、この人物の顔は傷つけられ完全に見えなくなっている。だがもう一方の人物は無傷だ。描かれているのは明らかに白人の男で高い鼻を持ち、長い豊かな髭をはやしていた。これを見て困惑した考古学者たちは、すぐにこの人物を「アンクル・サム」と命名した。[1]

この二〇トンの石碑の周りをゆっくりと歩いてみた。歩きながらこの石碑が三〇〇〇年間地中に埋もれていたことを考えた。スターリングが掘り起こしてから、まだ五〇年ほどしか光線に当たっていない。この石碑の運命はどうなるのだろう? この場所にこれからまた三〇〇〇年間、畏敬の念を人々の心に引き起こしながら堂々たる石碑として立ち続け、未来の世代の人々が息をのんで見つめ、崇めるのだろうか? あるいは三〇〇〇年という長い年月の間には環境も変わり、再び地中に埋もれて隠匿されてしまうのだろうか?

たぶん、どちらも起こらないだろう。オルメク人が導入したとされる中央アメリカの太古のカレンダー・システムがあるが、このカレンダーに関してはオルメクの後継者マヤの方が有名だ。このカレンダー、そしてマヤの人々に言わせれば、人類に残されているのはこの最後の三〇〇〇年間だけだと言う。「第五の太陽」はすでに使い果たされ、大地震が起こり、二〇一二年のクリスマスの二日前に、人類は破滅するというのだ。

再び意識を石碑に戻した。二つのことが明らかなようだ。まず描かれている対面の光景は、オルメク人にとって、何かの理由で非常に重要だったことだ。それはこの石碑の立派さからも、この石碑を収めるために造られた防護柵の柱の巨大さからも想像がつく。またニグロイドの頭と同様、あご髭の白人の男の像も、実在していた人物をモデルにして彫刻されたことも明白だ。人種的な特徴があまりにも真に迫っており、とても芸術家が創作したものとは思えない。

同じことは、ラベンタの生き残った石碑のなかで見つけた二人の白人の人物にも当てはまる。その一人は九一センチの円形に近い石の板に薄く浮き彫りされていた。ぴったりとしたズボンを履いているように見えるこの人物は、アングロサクソンの顔をしている。あご髭はまっすぐ下に垂れ、頭には興味深い、だらんと垂れ下がった帽子をかぶっている。左手には旗か、あるいは武器のようなものを持っている。右手は胸のあたりにおかれているが、なにも手にしていないようだ。細い胴回りには、派手な布を巻いている。もう一人の白人は、狭い柱の壁に彫られていたが、やはりあご髭があり、似た服装をしている。

これらの人目をひくよそ者は誰なのか？　中央アメリカで何をしていたのか？　いつ来たのか？

この湿気の多いゴムのジャングルに住んでいた別のよそ者、巨大な頭の彫刻のモデルとなった人々とは、どんな関係があるのだろう？

何人かの過激な研究者は、一四九二年までは新大陸は孤立していたという定説を否定し、この問題に解答を与えている。あご髭の痩せた人々は、地中海から来たフェニキア人だというのだ。彼らはヘラクレスの柱（ジブラルタル海峡の東端に海峡をはさんでそびえる二つの岩山）を越え、大西洋を横切って、紀元前二〇〇〇年よりも前に新大陸まで航海したという。この仮説の提唱者たちは、ニグロイドの頭像のモデルとなった人々は、フェニキア人が大西洋に乗り出す前に西アフリカで捕まえた「奴隷」だったのではないか、とまで述べている。[2]

だが、ラベンタの彫刻の奇妙な人々について考えれば考えるほど、これらの説には納得ができなくなる。たぶん、フェニキア人たちやその他の旧世界の人々は、コロンブスよりもだいぶ前に大西洋を横切っていたことだろう。その証拠もたくさんあるが、それは本書で取り上げる範囲を越えた問題だ。[3]問題は、古代世界のいたる所に独特な工芸品という間違えようのない足跡を残しているフェニキア人が、[4]中央アメリカのオルメク遺跡には何も残していないことだ。ニグロの頭像にはもちろんのこと、あご髭の白人の浮き彫りにも、フェニキア人らしきスタイルや工芸品などフェニキア人の特徴を示すものがなにもない。[5]様式という点で言えば、この力強い芸術品はどこの文化や伝統や様式にも属していないようだ。それらは新世界にも旧世界にも属していないようなのだ。

ルーツがないように見える・・・が、それはあり得ないだろう。なぜならすべての芸術表現は、どこかにルーツを持っているからだ。

「第三者」の仮説

考えているうちに、納得できる説明は「『第三者』の仮説」の理論だと思えてきた。これは数多くの代表的なエジプト学者が、エジプト文明とその年代に関する多くの謎を説明するために採用している。

考古学的証拠が示すところによれば、普通、人類社会においてはなにごとも年月を経て進歩していくが、古代エジプト文明もオルメク文明もいきなりすべての形態を整えて出現している。原始から高度に発展した社会への移行の期間はあまりにも短く、歴史として見ることができないのだ。数百年、あるいは数千年かかるはずの技術的進化が、ほとんど一晩で起こってしまっており、先行するものが何も見つからない。

たとえば、紀元前三五〇〇年頃のエジプト第一王朝よりも前の時期の遺跡には、文字が刻まれた形跡がまったくない。ところがこの時代を過ぎるとすぐ、不可解なことに、突然、古代エジプトの数多くの遺跡から、おなじみの象形文字がすっかり完成された完璧な形で現われている。物や動きを示す絵文字ではなく、この言語は最初から複雑にしっかりと構成されており、音のみを伝える記号もあり、数学符号の複雑なシステムもそろっていた。もっとも初期の象形文字とみなされるものも、すでに形も書き方も完成されていた。また、筆記体も、第一王朝の始まる頃には一般的に使われていたことは明らかだ。[6]

驚異的なのは単純から洗練への進化の跡がまったく見られないことだ。同じことは数学、医学、天文学、建築、そしてエジプトの驚くほど豊かで複雑極まりない宗教と神話のシステムにもいえる（洗練された「死者の書」の中心となる内容も王朝時代の初めには存在していた）[7]。

大多数のエジプト学者は、エジプト文明が初期の頃から洗練されていたことの意味については追究していない。だが多くの大胆な思索家によると、こうした事例の背後には衝撃的な事実が隠されているというのだ。初期のエジプト王朝の研究を専門とするジョン・アンソニー・ウェストはつぎのように言う。

複雑な文明がいきなり成熟した姿で出現したのはなぜか？　一九〇五年に造られた自動車と現代の自動車を比べてみるといい。そこには明らかな「発展」の過程が見られる。だがエジプトではそうではなかった。最初からすべてが出来上がっていたのだ。

この謎に対する答えはもちろん明白だ。だが、一般に流布している考えに反するため、あまり考慮されてこなかった。エジプトの文明は「発展」したのではない。遺産を受け継いだのだ[8]。

ジョン・アンソニー・ウェストの存在は、長い間にわたってエジプト学界主流派にとっては、獅子身中の虫だった。だが、主流派の中にも、エジプト文明が突然現われたことは、理解に苦しむ、と告白する学者がいる。ウォルター・エメリーはロンドン大学エジプト学の教授だが、以下のように問題を要約している。

キリストが生まれる三四〇〇年ほど前にエジプトでは大変化が起こった。新石器時代の部族文化から、いきなり見事に組織化された王朝時代に入った・・・同時に文字が現われ、巨大な建築物が築かれ、芸術と工芸が信じられないレベルに達した。それらはすべて華麗な文明が生み出したものだ。これらが成就されたのは、比較的短期間のことであった。文字や建築技術の根本的変化の背後にはほとんど、あるいはまったくその発展の土台となるものが存在しないからだ。(9)

これを説明する一つの方法は、エジプト人が古代の別の文明から突然多くの知識を学んだと考えることだ。そうなるとメソポタミアのユーフラテスにあったシュメール文明が、候補者の筆頭となるだろう。この二つの文明には、基本的な違いがたくさんあるが、建築技術は似ており、建築様式も似ていて、何らかの関連があったようだ。(10) だがこれらの類似性は強いものではなく、一方の社会がもう一方の社会に直接影響を与えるような、密接な関係があったとはとても思えない。むしろ、エメリー教授は次のように考えている。

受ける印象は両者の間に間接的な関連があることだ。たぶん第三者がおり、その影響がユーフラテスとナイルの両方に与えられたようだ・・・現代の学者たちの多くは、両方の地域に、まだわかっていない地域や仮定された地域からの移住があった、という可能性を無視したがる。だが第三者がすでに発達させていた高度な文明が、それぞれ別個にエジプトと、メソポタミアに伝えられたとすると、二つの文明の間に共通することがある反面、根本的な違いがあることがうまく説明できる。[11]

この理論は多くの謎に光を当てるが、その一つはエジプト人とメソポタミアのシュメール人が、まったく同じものと思われる月の神を崇拝していたという謎だ。この神は両方の地域において、神々の中でも最も古い神でもある（エジプト人はトトと呼び、シュメール人はシンと呼んだ）[12]。著名なエジプト学者ウォーリス・バッジは「両方の神はあまりにも似ており、とても偶然の一致とは思えない・・・エジプト人がシュメール人から借りたというのも、シュメール人がエジプト人から借りたというのも間違いだ。たぶん両地域の知識階級が、この神学体系をはるか昔のあるひとつの源泉から借りてきたに違いない」という[13]。

そこで疑問が浮かぶ。エジプト学者バッジとエメリー教授が言及する「はるか昔のあるひとつの源泉」「まだわかっていない地域や仮定された地域」「第三者がすでに発達させていた高度な文明」とは何なのか？　また、この第三者がエジプトやメソポタミアに高度な文明の遺産を残したとすると、中央アメリカには遺産を残さなかったのだろうか？

メキシコの文明の「始まり」は、中東よりも後だったと言うだけでは議論としては不十分だ。両方の地域が最初の文明の衝撃を受けたのは同時期だった可能性がある。だが、その後の運命が、まったく異なってしまったのだ。

この筋書きによると、文明をもたらした人々は、エジプトとシュメールでは大成功を収め、長く続く偉大な文明を創造した。ところがメキシコでは(ペルーも同じだが)、深刻な後退を余儀なくされたことになる。たぶん、当初は順調で、巨大な頭像やあご髭の男の浮き彫りが作られたのだろう。だが、その後、急激に転落したようだ。だが、その後も文明の灯が消えることはなく、紀元前一五〇〇年頃の「オルメクの夜明け」を待っていたのだろう。そのころには過去の面影を残す偉大な彫刻は古くなり、文明の起源も忘れられ、巨人や、文明をもたらしたあご髭の人々として神話の中にのみ残ったことになる。

そうだとすれば、これまで見てきたニグロ頭像の大きな目や、角張った輪郭のはっきりした顔を持つ白人「アンクル・サム」の顔は、考えていたよりも遙かに遠い過去のものだということになる。これらの偉大な彫刻に残されているのが、太古に消え去った文明の異なった人種の人々だということも、十分に可能なのだ。

「『第三者』の仮説」理論を中央アメリカに適応すると、このようになる。古代メキシコの文明は、外部からの影響無しには生まれなかった。だがその影響は旧大陸のどこかから受けたものではない。むしろ旧大陸と新大陸のいくつかの文化は、双方とも、遙か古代の第三者の影響を受け、知識という遺産を受け継いだのだ。

ビヤエルモサからオアハカへ

ビヤエルモサを離れる前に、CICOM(オルメク・マヤ文化調査センター)を訪問した。そこの研究員に、このあたりに別のオルメクの重要な遺跡があるかどうかを尋ねたかったのだ。驚いたことに、彼らはそこから遠く離れた場所に行くべきだと助言した。オアハカ州のモンテ・アルバンは南西に何百キロも離れた所にあるが、考古学者たちが「オルメク的」工芸品や、オルメクの人々を描いたと思われる数多くの浮き彫りを発掘したという。

サンサと私はビヤエルモサから北東に横たわるユカタン半島に行く計画だった。モンテ・アルバンに行くとなると大変な遠回りになる。だが行くことにした。オルメクについてさらに何かがわかるかもしれないと思ったのだ。それだけでなく、途中の景観は素晴らしく、雄大な山脈を乗り越え、秘境のような渓谷に行くことが約束されていた。この渓谷の中にオアハカの町があるのだ。

ほとんど真西に車を走らせ、ラベンタの遺跡の脇を通り、コアツェコアルコスを再び通り抜け、サユラとロマ・ボニタを過ぎ、道路が交差する町トゥステペクに着いた。石油産業によって傷だらけにされ汚された郊外を去り、長い緩やかな丘に緑が茂る草原を越え、穀物が豊かに実る畑の間を走る旅だった。

トゥステペクから山脈が始まるが、ここで針路を南にとりハイウェイ一七五号線をオアハカに向かった。地図をみると、オアハカまでの道程《みちのり》は、ビヤエルモサからここまで走った距離の半分だ。だが道は複雑で、神経をすり減らし、筋肉を緊張させる、終わりのないヘアピンカーブのジグザグ道路だった。狭くて曲がりくねった険しい登り道は雲の中に隠れており、まるで天国に登る階段のようだった。走りながら、それぞれの高度に適応した高山植物を見ることになった。それぞれが、その狭い環境にあわせて育っている。だが、雲を越えたら、よく見かける植物が巨大な姿で繁茂していた。ジョン・ウィンダムが描く植物怪獣のようで、現実離れした異星の光景のようであった。ビヤエルモサからオアハカまでの七〇〇キロの道の運転に十二時間ほどかかった。旅が終わるころには、余りにも長いあいだ、多すぎるヘアピン・カーブで強くハンドルを握り締めていたので、手には水ぶくれができていた。目はかすみ、一七五号線沿いの植物怪獣の育っていた場所が繰り返し目前に浮かんできた。

オアハカの町は幻覚を起こす魔法のキノコとマリワナとD・H・ロレンスで有名だ。D・H・ロレンスはこの地で、一九二〇年代に小説「翼ある蛇」の一部を書いている。この場所にはいまでも自由奔放な気風が残っており、バーやカフェや狭い丸石で舗装された道、古いビル、そして広い広場を埋める人々の活気が、夜中遅くまで、さざなみのように伝わってくる。

われわれがチェックインしたホテルは、三つある広場の一つに面しているホテル・ラス・ゴロンドリナスだった。ベッドは心地よかった。夜空にはたくさんの星が見えた。だが疲れているのに、眠ることができなかった。

目が冴えてしまったのは、文明をもたらした人物・・・あご髭のある神とその仲間について考えていたからだった。メキシコでもペルーでも、彼らは試練に直面したようだ。それが伝説の示唆していることだ。だがそのことを示唆しているのは伝説だけではないことを、翌朝モンテ・アルバンに到着して発見することになった。

第19章　黄泉《よみ》の国への冒険、星への旅

「『第三者』の仮説」理論は、古代エジプトと古代メソポタミアが似ているにもかかわらず、根本的に違う理由を説明している。両方の文明が遥か太古の祖先から、共通する文明の遺産を引き継いだと仮定しているのだ。だが、その太古の文明がどこにあり、どんな特徴があり、いつごろ繁栄したかについては言及していない。宇宙のブラックホールのように、見ることができないわけだ。だがその存在は目で見ることのできるものからも推察できる・・・それがこの場合はシュメールとエジプトの文明なのだ。

この見ることのできない謎の祖先が、同じようにメキシコにも影響を与えた、ということがあり得るだろうか？　もしあり得るなら、メキシコの古代文明とシュメールやエジプトの古代文明の間には文化的に似ているところがあるはずだ。同じように、大きな違いもあるはずだ。有史以来、離れた地域で、長い時間をかけてそれぞれ異なった進化をしてきたからだ。だが、シュメールとエジプトの違いは少ないことが予想される。歴史が始まって以来、両者の間には継続的に交流があった

からだ。一方、中東の二つの文明と遠く離れた中央アメリカの文明の間の相違は、大きいことが予想される。コロンブスが「新世界」を一四九二年に「発見」するまで、中央アメリカとの接触は、あったとしても、ほんの時折、偶然にあったにすぎないと考えられるからだ。

死者を喰う者、地上の怪物、星の王、小人たち

まだなぜなのかはわからないが、興味深いことにエジプト人たちは、小人を特別に好み、崇敬した。[1] それは古代中央アメリカのオルメクの文明人たちも同じだった。[2] どちらでも、小人は神々に直接関係があるとされている。[3] またどちらの場合でも、小人は舞踊家であることが多く、芸術作品のなかでもそのように描かれている。[4]

四五〇〇年以上も前にエジプトの初期の王朝があったヘリオポリスでは、万能の九体の神々の一団がとくに神官によって崇拝された。[5] 同じように中央アメリカでも、アステカ人とマヤ人は全能の九体の神々を信じていた。[6]

メキシコとグアテマラに暮らしていた古代のキチェ・マヤ族の聖なる書「ポポル・ヴフ」には、「星に生まれ変わる」信仰の記述が、いくつかある。死者が星になって再生するというのだ。たとえば英雄の双子フナープとクスバランクが殺されたあと、「光に包まれ、一瞬のうちに空に運ばれた・・・それで天国も地上も明るくなった。彼らは天空に住むようになったのだ」[7]。同時に、同じように殺された双子の四〇〇人の仲間たちも「再びフナープとクスバランクの仲間になり、天空の星に変えられた」[8]

神人ケツァルコアトルの伝承のほとんども、すでに見たように、文明をもたらした教師としての偉業に焦点があわされている。だが、古代メキシコの崇拝者たちは、ケツァルコアトルの人間としての身体は死に、その後は星に生まれ変わったと信じている。[9]

したがって、少なくとも四〇〇〇年以上前のピラミッド時代のエジプトの宗教観でも、死んだ王が星に生まれ変わると信じられていたことは興味深い。[10] 儀式では祈りが捧げられたが、それは、死んだ王が早く天国で生まれ変わることを願うものだった。「王よ、偉大な星になり、オリオンの仲間として、オリオンとともに旅をするのだ・・・東の空から昇り、しかるべき季節に新生し、しかるべき時に若さを取り戻すのだ・・・」[11]。星座オリオンについては前にも遭遇した。ナスカ高原だ。だが遭遇はここだけでは終わらない・・・。

ところで、古代エジプトの『死者の書』について考えてみよう。その内容の一部は、エジプト文明と同じくらい古いものであり、霊魂のための旅行案内書の役割を果たしている。この本は、死者が危険な死後の世界にどう対処するかを教えている。神話上のいくつかの生き物の姿に生まれ変われるようにし、黄泉の世界の色々な段階に入るための合い言葉を教える。[12]

古代中央アメリカの人々も、死後訪れる災難に関して同じ見解を保持していたが、これは偶然だろうか？　中央アメリカでは黄泉の世界は九層になっていると信じられている。死者はこの九層を四年間旅し、困難や危険を乗り越える。[13] 各階層には内容がすぐにわかる名前がついている。たとえば「山々が衝突する場所」「矢が放たれる場所」「ナイフの山」などと続く。古代中央アメリカでも古代エジプトでも、死者は黄泉の世界を小さな船に乗って旅すると考えられた。船を漕ぐ神がおり、つぎの段階へと死者の魂を運んでくれる。[14] 八世紀のマヤの都市ティカルの支配者の墓「ダブル・コーム(二重の櫛《くし》)」では、この死者の旅の光景を描いているものが発見された。[15] 似たようなイメージは上エジプトの王家の谷にもたくさん見られる。たとえば十八代王朝のトトメス三世の墓だ。[16] 死んだファラオ(エジプトの王)が乗る小舟と、マヤの「ダブル・コーム」の王のカヌーの両方に、犬、または犬頭の神、鳥または鳥頭の神、猿あるいは猿頭の神が同乗しているのは偶然だろうか?[17]

古代メキシコの黄泉の国の第七層は、テオコヨルクアリョヤ「野獣が心臓を貪り喰う場所」とよばれていた。[18]

古代エジプトの黄泉の世界の段階の一つに「審判の広間」があり、ほとんど同じ象徴が使われているのは偶然だろうか? この重要な運命の分かれ道では、心臓が軽い羽根とともに天秤に載せられる。もしも心臓が罪で重いとバランスが崩れる。神トトは審判の内容をパレット上に書きこみ、心臓はただちに恐ろしい野獣によって貪り喰われる。野獣は鰐《わに》とカバとライオンの外見を併せ持っており「死者を喰うもの」と呼ばれている。[19]

最後にピラミッド時代のエジプトに再び目を向けてみよう。ファラオ(王)は黄泉の世界の審判を受けないですみ、星に生まれ変わることができる。儀式における祈りはその再生の過程の一つの段階だ。同じように重要なのは、謎の「口を開ける」儀式と呼ばれるものだ。この儀式はファラオが死ぬと必ず行なわれるもので、考古学者の信じるところでは、王朝が始まる前からあった儀式だという。[20] 位の高い神官と四人の補佐が参加して、儀式に使われる切断用の道具「ペシェンクヘフ」を使い、死んだ王すなわち神の死体に「口を開ける」のだ。この儀式は王が天国で復活するために必要だと思われていた。現存する浮き彫りや人物描写の絵などをみると、この儀式では上記の切断具を使い、ミイラ化した死体に強烈な物理的打撃を与えていたことは間違いない。[21] さらに最近見つけられた証拠から、ギザの大ピラミッドの中の一部屋が、この儀式に使われたことが推測されている。[22]

この儀式の双子の片割れが、奇妙に歪められた形でメキシコに存在していた。征服者が到着する前には人間の生贄《いけにえ》が流行していたことは見てきた。生贄の儀式が行なわれるのがピラミッドであり、儀式は神官と四人の補佐が行ない、切断具＝生贄用のナイフを使い犠牲者に物理的打撃を与えるのは、偶然だろうか？ さらに犠牲者の魂は、黄泉の世界に行かずに直接天国に行けると信じられていたのも偶然だろうか？[23]

このような「偶然」がどんどん増えてくると、どこかでつながりがあるのではないかと思うのは当然だ。古代中央アメリカで「生贄」を表す言葉は「パチ」[24]だが、その意味は「口を開ける」だ。これを知ると、つながりがあるという印象がさらに強くなる。

したがって、この地理的に遠く離れた二つの地域の異なった歴史時代に見られるものは、驚くべき一連の偶然ではなく、非常に遠い太古の共通する記憶が弱まり若干形を変えたものではないだろうか？ エジプトの「口を開ける」儀式が、メキシコの同じ名前の儀式に直接影響を与えたようではないし、逆も起こっていないようだ。二つの儀式には根本的な違いがあるので直接影響を受けた可能性はない。だが両者の類似性は、共通する祖先から遺産を受け継いだ名残りだという可能性がある。中央アメリカの人々は遺産を自分たちなりに取り扱い、エジプト人も自分たちなりに取り扱った。だが、いくつかの共通する象徴や名前だけが両者によって保持されたのではないだろうか。

ここではこれ以上、エジプトと中央アメリカの太古のおぼろげな関連について、深入りするのはやめよう。だが、先に進む前に似たような「関連」が、征服者が訪れる前のメキシコと、メソポタミアのシュメールの信仰体系の間にも見られることを指摘しておこう。この場合も、証拠は、両者が互いに直接影響を受けたというよりも、共通する祖先の文明を各自引き継いだということを示していると思われる。

たとえばオアンネスの例を見てみよう。

「オアンネス」はシュメールのウアンのギリシア名であり、第2部で述べた水陸両生の人物で、芸術や技術などをメソポタミアにもたらしたとされている。[25] 五〇〇〇年以上前の伝説によると、ウアンは海の底に住み、毎朝ペルシャ湾の水からでてきて、人類を教化し文明化した。[26] マヤに「ウアン」という言葉があり、「水の中に住みかを持つもの」を意味するのは偶然だろうか?[27]

シュメールの海の女神ティアマットを見てみよう。この女神は原始的混乱をもたらす力であり、常に荒れ狂う怪物として描かれている。メソポタミアの伝承によると、ティアマットは他の神々に反抗し、大破壊を行なったが、最後には天空の英雄マルドゥックによって滅ぼされる。

> 女神ティアマットは口を開け、マルドゥックを飲み込もうとした。
> マルドゥックは凶悪な風を起こしたので、女神は口を閉じることができなくなった。
> 強烈な風は女神の腹を一杯にし、心臓が押さえつけられた

女神は大きく口を開けていた
マルドゥックが矢を打ち込むと、女神の腹を貫いた
女神の体内を割り、心臓を裂いた
彼は女神を無力にし、生命を破壊した
彼は女神を打ち倒し、そのうえに乗った。[28]

このような行動の後は何をするだろう?

マルドゥックの場合はこうだ。敵の巨大な死骸を見て、熟慮した末にマルドゥックは「芸術的な仕事をすることにした」[29]。彼の心の中では世界創造の偉大な計画が形成された。まず最初にティアマットの頭蓋骨を引き離し、動脈を切った。次に身体を「乾燥した魚のように」二つに分割し、半分を天国の天井にし、残りを地上とした。女神の乳房は山にされ、唾は雲とされ、チグリスとユーフラテスの河は女神の目から流れ出るようにされた。[30]

これは奇妙な暴力的な伝説であり、極めて古いものだ。

だが中央アメリカの古代文明にも、この物語の改訂版がある。中央アメリカでは、創造の神として生まれ変わったケツァルコアトルがマルドゥックの役柄を演じている。また、女神ティアマットの役柄はシパクトリ「巨大な地上の怪物」が演じている。ケツァルコアトルは「原始の海を泳ぐシパクトリの手足をつかみ、身体を二つに割り、半分を空にし、半分を地上にした。頭髪と皮膚から草と花と牧草をつくり、目から井戸と泉をつくり、肩から山々をつくった」[31]。

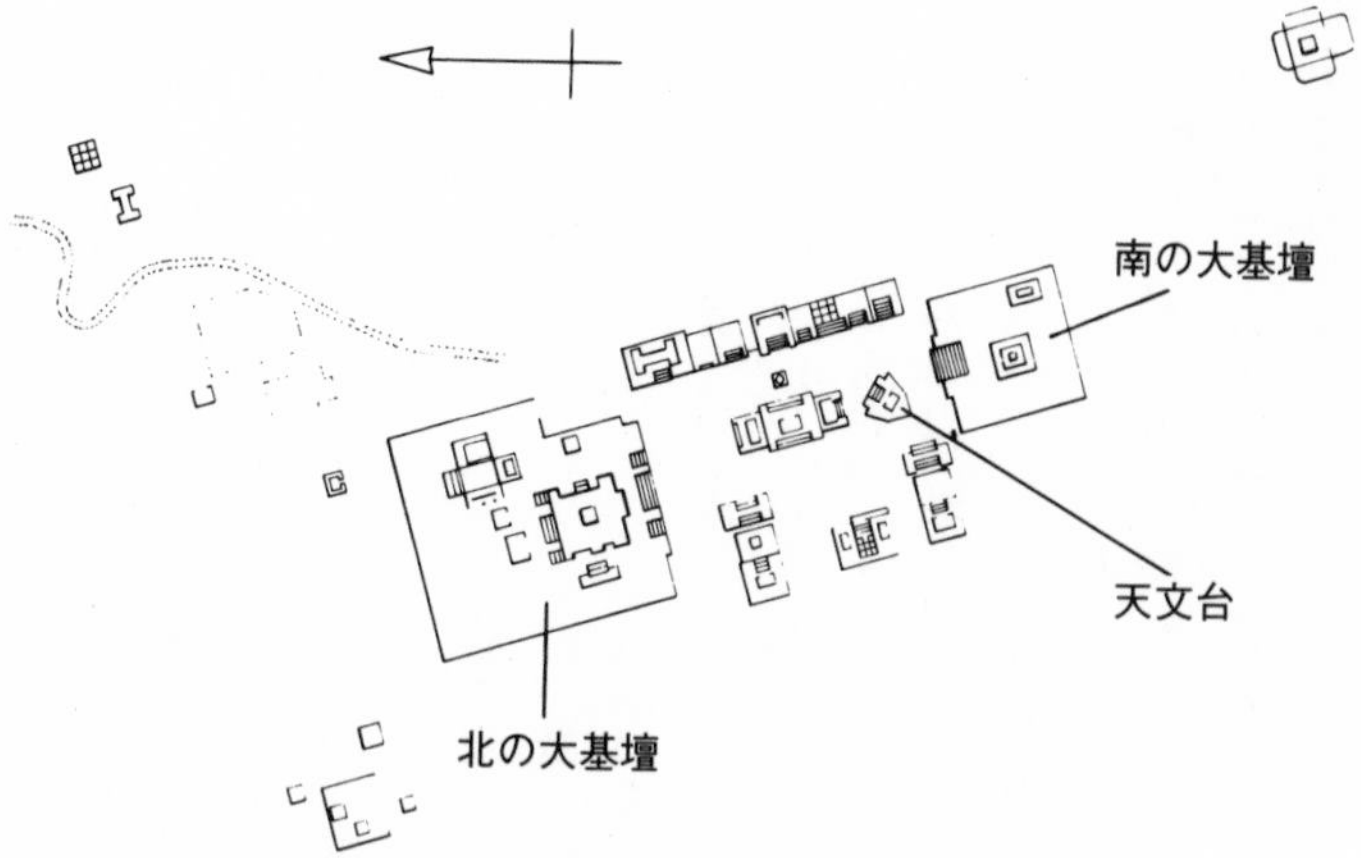

モンテ・アルバン

シュメールとメキシコの神話に奇妙な符合があることは、単なる偶然だろうか？　それとも失われた文明の指紋が残されているのだろうか？　もしそうなら、先祖の文明の英雄たちの顔が石に彫られ、遺産として何千年も引き継がれてきたのではないだろうか？　それらはすべてが地上に姿を現わしていた時代もあったが、埋没していた時もあり、現代の考古学者たちに発掘され、「オルメク・ヘッド」「アンクル・サム」などの名称を与えられたのではないだろうか？

モンテ・アルバンでもそれらの英雄たちの顔が見られる。だが、ここには悲しい物語が語られているようだ。

モンテ・アルバン——偉大な人々の没落

三〇〇〇年ほど昔のものだと言われているモンテ・アルバンの遺跡は巨大な丘を人工的に平らにした上に建設されており、オアハカを眼下に見下ろしている。[32] 巨大な長方形の「グランド・プラザ」は、いくつかのピラミッドとその他の建物で囲まれており、それぞれの建造物は幾何学的位置関係を保っている。この場所全体からは調和が感じられるが、それは均整の取れた秩序正しい外観からくるものだろう。ビヤエルモサを離れる前に会った、CICOM（オルメク・マヤ文化調査センター）の研究員の助言に従い、まずモンテ・アルバンの一番南西の端に行ってみた。そこにはわれわれがはるばるビヤエルモサから見に来た彫像たちが、低いピラミッドの脇に立てかけられ並べられていた。二〇〜三〇枚の彫刻された石碑だ。黒人と白人が描かれているが、ともに暮らし、ともに死んでいっている。

もしも偉大な文明が歴史から姿を消しており、これらの彫刻がその文明に関する何かを私たちに語りかけているとすれば、それは人種の平等というメッセージに違いない。ラベンタの誇りに満ちたカリスマ性を感じさせるニグロ頭像を見た人なら、とてもこの巨大な彫像のモデルとなった人物が奴隷であったとは思えない。同じように顔の細いあご髭を生やした人物も、膝を地につけて支配されていたようには見えない。彼らもまた誇り高い人々だったに違いないのだ。

だが、モンテ・アルバンの石碑に彫られた姿を見ると、これらの偉大な人々は没落したようだ。この石碑の作者も、ラベンタの彫刻師とは異なるようだ。彫刻の技術レベルがだいぶ低いからだ。その彫刻師が誰であれ、いかに技量が落ちるとしても、彼らが描こうとしたのが、ラベンタで見た黒人とあご髭の白人たちであることは間違いない。ラベンタの彫刻には、強靭なパワー、活力が現われていた。だが、モンテ・アルバンで見る偉大な人々は死んでしまったかのようだ。全員が裸にされ、多くが去勢され、あるものは胎児のような格好をして、まるで殴られそうになって身をすくめているかのようだ。また他の者は力なく手足を投げ出している。

考古学者はこの彫刻に描かれているのは「戦闘で捕虜になった囚人の死体だ」という[33]。何の囚人だ？　どこから来たのだ？

場所は中央アメリカであり、コロンブスが来る数千年も前の新大陸だ。したがって、これら戦争の犠牲者にインディオが一人もおらず、すべて旧大陸の人種だというのは、奇妙ではないだろうか？なぜか正統派の学者たちは、このことに疑問を感じないようだ。彼らもこれらの彫刻は古いものだと認めている（紀元前一〇〇〇年から紀元前六〇〇年のものだと推測している）[34]。他の遺跡と同様に、この石碑の古さは、そばにあった有機物から推定されており、彫刻そのものからではない。彫刻は花崗岩の板に彫刻されており、正確な年代を測定することが難しいのだ。

遺産

まだ判読されていない精巧な象形文字の文章がモンテ・アルバンで発見されている[35]。その多くは白人と黒人が粗雑に描かれている石碑に彫られている。専門家たちはこの象形文字がメキシコで一番古い書き物だと認めている[36]。またここに住んだ人々は優れた建築家であり、異様なまでに天文学に関心があったことも明らかだ。奇妙な矢の先のような形をした天文台があるが、全体の軸から四五度の角度で横たわっている（全体の軸は経線から数度ずれている）[37]。この天文台の中に這うようにして入っていったところ、入り組んだ小さな狭いトンネルと、急な階段があり、空の異なった方角に視線が送れるようになっていた[38]。

モンテ・アルバンの人々は、トレスサポテスの人々と同じように線と点で計算する数学の知識があった証拠を明瞭に残している。[39] またオルメクが導入し、その後マヤが引き継いだ驚くべきカレンダーも持っていた。[40, 41] このカレンダーが示す世界の終わりは二〇一二年十二月二三日だ。

もしもカレンダーや時間に対する関心が、太古の失われた文明の名残だとすると、マヤは、最も忠実な、深い関心を維持した遺産の相続人だったことになる。考古学者エリック・トンプソンが一九五〇年に述べたように「時間は、マヤの宗教における至高の謎だ。人類の歴史の中で他に例をみない程に、マヤの人々の間では『時間』に対する意識は高かった」のだ。[42]

中央アメリカの旅を続けるうちに、私はこの不思議で恐ろしい謎の迷宮にますます深く入り込んでいくのを感じた。

第20章　最初の人々の子供たち

チアパス州パレンケ

夕暮れが迫っていた。私は碑銘の神殿の北東側の下に座っており、北を向き、ジャングルが闇に飲まれていくのを凝視していた。ジャングルは途中で途切れており、その先には洪水時には水で覆われるウスマシンタ平原が低く見える。

この神殿は三つの部屋でできており、高さ二〇メートルの九段階のピラミッドの上に立っている。この建造物の明瞭で調和の取れた線は上品だが、弱々しさは感じさせない。地面にしっかりと建てられている、頑丈な、純粋な幾何学と想像力の産物だ。

右の方を見ると宮殿が見える。広大な長方形のピラミッド形式の土台があり、四階建ての塔が立っており目立つが、これはマヤの神官により天体観測所として使われていたと考えられている。

周りを見渡すと、明るい色をした羽を持つオウムとコンゴウインコが木々の上を飛び交い、たくさんの見事な建造物が森林に半分覆われて立っている。それらは葉の十字架の神殿、太陽の神殿、数の神殿、ライオンの神殿などと呼ばれているが、いずれも考古学者の命名だ。マヤの人々が信じていたこと、大切にしていたこと、太古から記憶していたことなどの多くはすでに失われており取り返しがつかない。マヤの日付の記録の解説にはかなり前に成功しているが、複雑な象形文字については、ようやく判読が始まったばかりだ。

私は立ち上がり、階段を数段登り、神殿の中央の部屋に入った。部屋の後ろ側の壁には二つの大きな灰色の石板があり、それには区分けされた六二〇のマヤ絵文字がチェス盤上の連隊の列のように彫られている。それらは怪物や人間の顔であり、身をくねらせる神話上の動物の姿だ。

この絵文字は何を語っているのだろう？　まだ誰もはっきりとは知らない。なぜなら碑銘は絵文字と音声を表わすシンボルの混合でできているが、まだ完全に解読されていないからだ。しかし、この中の多くの絵文字が、有史以前の太古の人々や神について語っているのは間違いないようだ。(1)

パカルの墓

象形文字の板の左側の床から、大きな石板が外されており、そこから急勾配の内部階段が下に向かっている。この階段はピラミッドの奥深くに隠された部屋につながっており、そこにはパカル王の墓が横たわっている。階段は磨かれた石灰岩のブロックでできており、狭く、やたらと滑りやすく、湿っぽい。蟹のように横歩きの格好で、トーチにスイッチを入れ、暗闇のなか、身体を南側の壁に押しつけて安定を保ちながら慎重に階段を降りた。

この湿った階段は、六八三年に入口が塞がれ、一九五二年六月にメキシコの考古学者アルベルト・

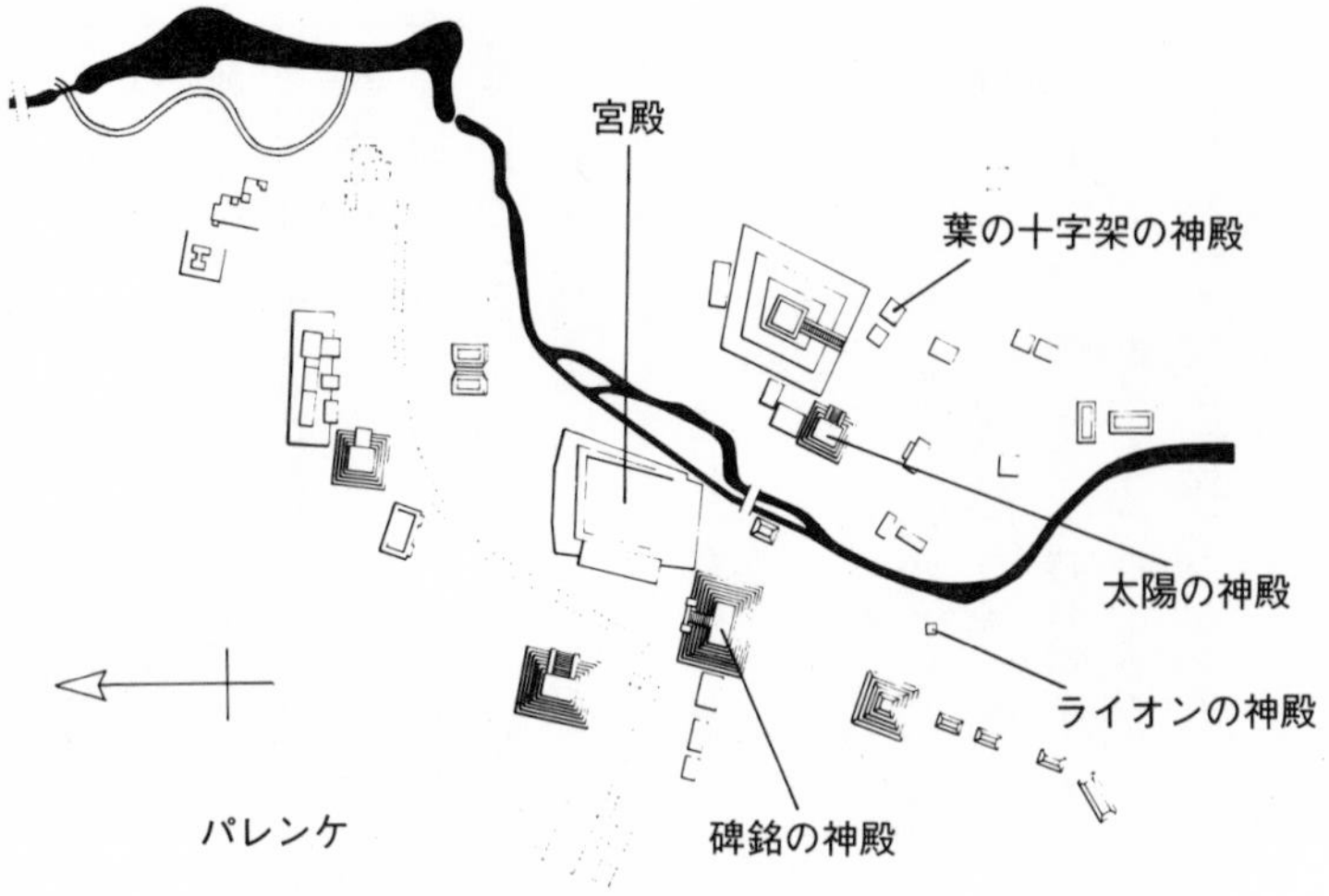

パレンケ

ルスが神殿の床を持ち上げるまで、秘密の場所だった。同じような墓は一九九四年にパレンケで発見されているが(2)、新大陸のピラミッドにこのような仕掛けがあったことを最初に発見したのは、アルベルト・ルスだ。階段には建設者によって故意に粗石が埋められており、考古学者が粗石を完全に取り除き、階段の下に到達するのに四年間もかかっている。

階段の下に到達したところ、そこには梁で支えられた丸天井の狭い部屋があった。中にはいるとその床には五体ないしは六体の生贄《いけにえ》となった若い人たちのかびだらけの骸骨があった。この部屋の奥には巨大な三角形の石の板があるのが見える。この石を取り除いたアルベルト・ルスはその奥に見事な墓を発見した。ルスはその光景を、「広大な部屋で氷で作られているかのようだった。美しく飾った岩屋のようで、壁と天井の表面は鏡のように滑らかに加工されていた。あるいは見捨てられた礼拝堂のようでもあり、丸天井からは鍾乳石がカーテンのように垂れ下がり、床には溶けたろうそくの雫が垂れてできたような突起ができていた」[3]と描写している。

丸天井を持つこの部屋は長さが九メートル、高さが七メートルもある。壁にはしっくいの浮き彫りで、黄泉の世界の支配者たちの姿が描かれていた。九体の、暗闇を支配する神々だ。中央には、九体の神々に見守られた、巨大な石棺があり、五トンの重さのある豊かに彫刻された石板で蓋がされていた。石棺の中にはヒスイの装飾品を身につけた背の高い人物の骸骨が横たわっており、二〇〇個のヒスイで作られた仮面が頭蓋骨の前面に取付けられていた。これは七世紀にパレンケを支配したパカル王の遺骸だとされている。碑銘には、この王が死んだのは八〇歳の時だったと書かれているが、考古学者が石棺で発見したヒスイに覆われた遺体の持ち主は、その半分ぐらいの年令の人物だと推定された。[4]

階段を下まで降りたが、ここは神殿の床から二六メートルも下になる。生贄の犠牲者が横たわる部屋を通り抜け、まっすぐにパカルの墓を凝視した。空気は湿っぽく、白かびが漂い、驚くほど冷たい。墓の床に設置された石棺は、変わった形をしている。足の方が極端に広がっており、エジプトのミイラを入れる棺のようだ。ミイラの棺は木でできており、足のところには広い土台がつけられていたが、それは垂直に立てて置かれることが多かったからだ。だが、パカルの棺は硬い石でできており水平に寝かせておく他になかっただろうと思われる。それではなぜ、マヤの工芸人は、何の役にも立たないのに土台を広げたのだろうか？　彼らは太古のデザインを盲目的に真似したのではないだろうか？　なぜそのようなデザインになっていたのかは、すでに忘れ去られていたのではないだろうか？[5]　死後の試練に対する信仰と同じように、パカルの石棺は、古代エジプトと中央アメリカの古代文化を結び付ける、共通の遺産の存在を暗示しているのではないだろうか？

長方形をした石棺の重たい石の蓋は、厚さ二五センチ、幅九一センチ、長さが三・八メートルある。これもまた古代エジプト人が同じ目的に使った、素晴らしい彫刻の施されたブロックと良く似ており、やはり太古に源流があるのではないかと思われる。これをエジプトの王家の谷に持っていっても違和感はないだろう。だが、そこには一つの根本的な違いがある。石棺の蓋に彫刻された光景は、これまでエジプトで発掘されたものにはまったく見あたらないものなのだ。トーチの光を当てると、そこに浮かび出るのは、髭がきれいに剃られた男で、ぴったりとしたボディースーツのようなものを着ており、袖口とズボンの裾の部分には丁寧に仕上げられたカフスがつけられている。男は背中と腿を支える座席に楽な姿勢で座り、首の後部は気持ちよさそうに頭置きに預け、集中して前方を見つめている。両手は動作中のようで、あたかもレバーかコントロール盤を操作しているかのようであり、裸の脚を折り曲げて軽く引き寄せている。

これがマヤの王様パカルなのだろうか？

もしそうならば、なぜ機械のようなものを操作しているのだろうか？　マヤには機械は存在しなかったことになっている。車輪さえも発見されなかったことになっている。ある専門家は「男の魂が死の領域に移行するところだ」[6]と言っており、別の専門家は「地上の怪物の肉のない口の中に背中から倒れ込むところだ」[7]と言っている。しかし、座席の横の壁にはリベットやチューブその他の装置の部品のようなものがあり、パカルが楽に乗っているのは機械のように見える。

第17章でオルメクの浮き彫りの「蛇の中の男」について説明した。この浮き彫りも何かの技術製品を素朴なタッチで描いたもののように思えた。さらに「蛇の中の男」はラベンタにあり、そこでは明らかに白人と思われる人物の像が発見された。パカルの墓は、ラベンタで発見されたどの宝物よりも少なくとも一〇〇〇年は新しいはずだ。それにもかかわらず、小さなヒスイの彫像が、石棺の中から発見された。遺骨のそばにあったこの彫像は遺骨よりも遥かに古いもののようだ。その彫像は年寄りの白人の像で、長いローブをまとい、あご髭を生やしているのだ。[8]

魔術師のピラミッド

ユカタン州ウシュマル

嵐の気配を感じさせる午後、私はパレンケの北七〇〇キロにある、ピラミッドの階段を登りはじめた。傾斜の厳しい建物で、土台は四角と言うよりは楕円形に近い形で長さが七三メートル、幅が三六・五メートルある。だがそれよりもピラミッドの高さに驚かされる。三六・五メートルの高さで平原の中にそびえ立っているのだ。

妖術師の城のように見えるこの建造物は、昔から「魔術師のピラミッド」あるいは「小人たちの家」と呼ばれている。これらの名前はマヤの伝説から来ており、超自然的な力を持つ小人が、建物全体を一晩で建造したと言われている。[9]

登るにつれ、階段はどんどん幅が狭くなる。本能的に前かがみになる。ピラミッドに身体を寄せたほうが身のためだと感じた。だが、つい黒い雲が渦巻く空を見上げてしまった。鳥が飛び回り、

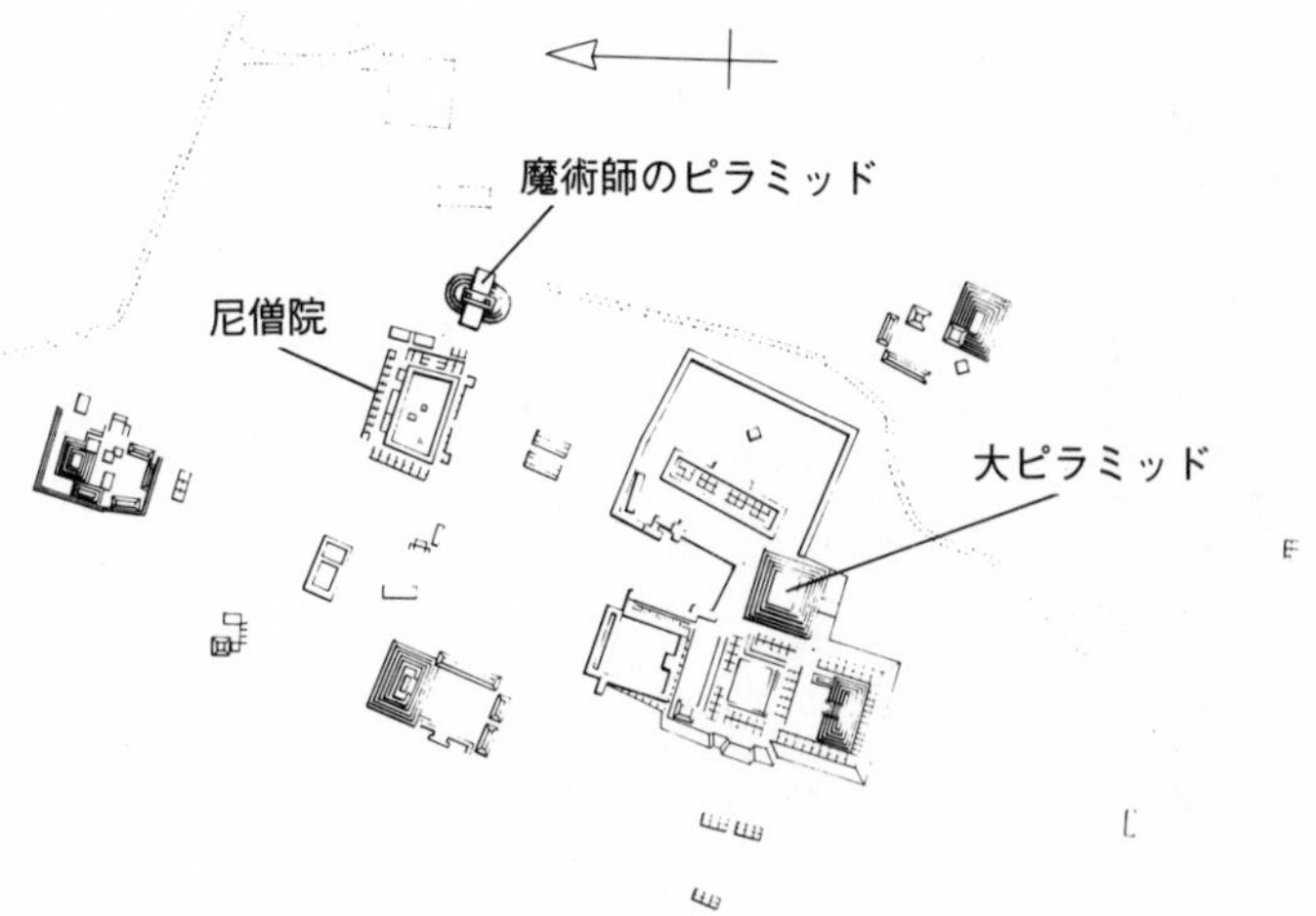

ウシュマル

キーキーと鋭い鳴き声を発しており、まるで差し迫る災害から逃れようとしているかのようだ。厚い雲が低く垂れこめ、数時間まえに太陽を覆い隠した雲は、強風にあおられて今にも爆発しそうだ。

「魔術師のピラミッド」の建築と石切りの高い技術は中央アメリカでも有数であり、小人の超自然的パワーと結び付けられているが、これは珍しいことではない。マヤの伝説によれば「建設は簡単だった」という。「笛を鳴らせば、大きな石は動いた」[10]

読者の方も覚えているだろうが、よく似た伝承がアンデスの謎の町ティアワナコにもあった……巨大な石が「トランペットの音とともに空を運ばれた」[11]

したがって中央アメリカと、遠く離れたアンデスの両方で、巨大な石が奇跡的に空中に浮揚する時に、奇妙な音が聞こえたことになる。

これは何を意味するのか？ まったく偶然に、

同じような幻想が、地理的に遠く離れた場所でそれぞれ独自に生まれたのだろうか？　あまりありそうなことではない。別の可能性もある。「奇跡的」な力で巨大な石を楽に持ち上げる太古の建設技術の記憶が、このような物語の形で保存されている可能性もある。実はエジプトにもほぼ同じような伝説が残っているが、関係があるだろうか？　エジプトの伝承では、魔術師が「長さ二〇〇キュービット（一キュービットはひじから中指の先端までの長さ。四六～五六センチ）、幅五〇キュービット」の巨大な石ブロックを空中に持ち上げたという。[12]

登っている階段の脇には豊かな装飾が見られるが、これは一九世紀の探検家ジョン・ロイド・スティーブンスが「彫刻されたモザイクの一種」と呼んでいる。[13] 奇妙なことに、「魔術師のピラミッド」が建てられたのは、スペイン征服者がやってくる何百年も前のことなのに、モザイクの摸様の中で一番多いのがキリスト教のものによく似た十字架模様なのだ。はっきりとキリスト教の十字架と言えるものも二種類あった。一つは一二世紀から一三世紀のテンプル騎士団や他の十字軍戦士が好んだ先端が広がった十字架だ。もう一つはX型の聖アンデレ十字だ。

さらに階段を登ると「魔術師のピラミッド」の頂上にある神殿に到着した。神殿を構成しているのは丸天井の小部屋だけで、天井にはたくさんのコウモリが逆さになってぶら下がっている。鳥や雲と同じように、巨大な嵐が来ることを感じ取り、コウモリたちは苛立っていた。毛むくじゃらの群れは逆さまになって身体を揺らし、小さな皮の羽を開いたり閉じたりしている。

私は小部屋の土台となっている石段の上に座り休憩を取った。ここから下を見ると、さらにたくさんの十字架模様を見ることができた。この古代の奇怪な建築物のいたる所に、この模様はある。

これを見ていてアンデスの町ティアワナコのプーマ・プンクとよばれる場所のあちこちにあった巨大な石ブロックに刻まれていた十字の印を思い出した。[14] ラベンタのオルメクの彫刻「蛇の中の男」にも二つの聖アンデレ十字が彫られていた。もちろんキリスト降誕よりもずっと前に彫られたものだ。そして、ウシュマルにあるマヤの遺跡「魔術師のピラミッド」でもまた、十字架に巡り合ったのだ。

あご髭のある男・・・

蛇・・・

十字架・・・

この三つのようにはっきりと目立つシンボルが、大きく異なる文化、遠く隔たった歴史の中に偶然に再び現われる確率はどのくらいあるのだろうか？ なぜこれらのシンボルが洗練された芸術品や建築物に取り込まれているのだろうか？

予言の科学

私が見ているこれらの記号や肖像は、長い暗黒の時代に、中央アメリカに（そしておそらくは別の地域にも）文明の灯を燃やし続けようと考えた、ある宗派や秘密結社が残したものではないだろうか？ こうした考えが浮かんだのは初めてではない。とくに注目すべきは、あご髭の男や、翼ある蛇や、十字架は、いつでも、どこでも、高い技術を持った未知の文明が未開の文明に接した場面に現われていることだ。またこの事件は、あまりにも古く、ほとんど忘れ去られているようだ。

再び、オルメクが突然登場したのは、歴史が始まる前の霧に包まれた紀元前二〇〇〇年頃であったことを考えた。考古学的証拠から見ると、オルメクは最初から巨大な人頭像とあご髭の男が彫られた碑板を崇拝していたようだ。それらの巨大な彫刻は、失われた文明の大遺産の一部ではないかという考えがますます強まっていった。遺産が中央アメリカの人々に引き継がれたのは紀元前二〇〇〇年よりもさらに数千年古く、安全のため、大遺産は知恵ある秘密宗派、たとえばケツァルコアトルの宗派に託されたのではないだろうか?

多くの遺産は失われてしまった。だが、パレンケやウシュマルの遺跡を残したマヤ族が、謎の石像よりもさらに不思議な素晴らしい遺産を受け継いでいる。この遺産の方が、それが太古の高い文明からの遺産であることを強くうかがわせる。次の章では、古代に星を眺めた人々の謎の科学について述べる。この科学は時間と計測と予測の科学であり、予言の科学とも言える。この科学をマヤはほぼ完全な形で過去から保存してきていた。その遺産の中には、世界を滅ぼした恐ろしい洪水の記憶が残されている。それは、特別な、経験に基づいた高度な知識であり、マヤの人々が持っているのが不思議であり、現代人ですらつい最近学んだことなのだ。

第21章　世界の終わりを計算するコンピュータ

マヤの人々は自分たちが所有していた高度な知識がどこから来たかを知っていた。ケツァルコアトルが創った「最初の人間」から譲り受けたというのだ。彼らの名は、バラム・キツェー（かわいく笑うジャガー）、バラム・アカブ（夜のジャガー）、マクフタフ（高貴な名前）、イキ・バラム（月のジャガー）といった。(1)『ポポル・ヴフ』（マヤの伝承の本）によると、それらの先祖たちは・・・

才能に恵まれ、見渡せば、瞬時に遥か彼方まで見ることができ、なんでも見ることができ、世界のすべてを知り尽くしてしまった。遠くに隠されていることも、その場から動くことなく見ることができた・・・素晴らしいのは彼らの知恵だった。視野は森林を越え、岩を越え、湖や海や山脈を越え、谷を越えた。真実、彼らは尊敬に値する人々だった・・・彼らはすべてを知っており、あらゆる場所を調べ、空の天井の四隅も調べ、地球の丸い表面も調べた。(2)

この種族は、その成し遂げた仕事のために、他の力ある神々の嫉妬を買った。「我々の創造物がすべてを知るのは良くない」と神々は思った。「ことによると我々と同じ力を持つようになるかもしれない・・・彼らの創造主である我々のように遠くが見え、何でも知っており、何でも見えたら・・・？彼らも神になってしまうのだろうか？」[3]

明らかにこのような状態が続くことは許されなかった。少し考えた後、命令が下され、行動が起こされた。

彼らの目を近くしか見えないようにしてしまおう。地球上の一部しか見えないようにしよう・・・そうして天国の主は彼らの目に霞を吹きかけて、鏡に息を吹きかけるように目を曇らせた。彼らの目は覆われ、近くしか見えなくなった。はっきりしたものしか見えなくなった・・・このようにして「最初の人間」のすべての知恵と知識は奪われた。[4]

旧約聖書に親しんでいる人なら覚えているだろうが、アダムとイヴがエデンの園から追放されたのも、神が似たような不安を感じたからだった。最初の人間が善悪を知る木の実を食べた後・・・

主なる神は言われた、「見よ、人はわれわれのひとりのようになり、善悪を知るものとなった。彼は手を伸べ、命の木からも取って食べ、永久に生きるかもしれない」。そこで神は彼をエデンの園から追い出し・・・[5]

『ポポル・ヴフ』は征服者が到来する前の伝承を、純粋に保っていると、学者たちは認めている。[6]したがってこの伝承が、旧約聖書の創世記の話と似ているのは不思議である。これまで新世界（新大陸）と旧世界には、多くの類似点があることを指摘してきたが、今回も二つの地域が互いに直接影響を受けたとは思えない。そうではなくむしろ同じ出来事を別々に解釈したように思える。たとえば・・・

●聖書のエデンの園は至福の状態の比喩のようだ。そこには、『ポポル・ヴフ』の「最初の人間」が持っていたような「神のような」知識がある。

●この知識の本質は「すべてを見る」「すべてを知る」能力だ。これはアダムとイヴが「善悪を知る木」の枝に実っていた禁断の果実を食べて得た能力そのものではないか？

●最後に、アダムとイヴがエデンの園を追い出されたように、『ポポル・ヴフ』の四人の「最初の人間」の「遠くを見る力」が奪われ、その後は「彼らの目は覆われ、近くしか見えなくなった」

『ポポル・ヴフ』も創世記も、人類が神の恩恵を失う話だ。二つの話は、知識と深く結びついている。この知識とは素晴らしい知識で、これを持つ者は神のような力を得る。

聖書ではこの知識は単に「善悪の知識」と呼ばれており、それ以上言及していない。だが『ポポル・ヴフ』にはもっと豊富な情報がある。これによると最初の男たちの知識とは「遠くに隠されたものを知る」能力であり、彼らは天文学者で「あらゆる場所を調べ、空の天井の四隅も調べた」。また彼らは地理学者であり、「地球の丸い表面も調べた」という。(7)

地理と言えば地図だ。第1部で未知の文明の地図製作者が、太古の昔に正確に世界地図を作成したと思われる証拠があると述べた。『ポポル・ヴフ』にある最初の人間が奇跡的とも思われた地理の知識を持っていたという郷愁を感じさせる話は、あるいは未知の文明の記憶が混同されて伝わったものなのだろうか？

地理は地図に関する学問であり、天文学と言えば星に関する学問だ。この二つの学問は関係が深い。なぜなら海を渡る長い航海の案内役として、星の存在は欠かせないからだ（海をわたる長い航海は、正確な地図を作成するのにも欠かせない）。

『ポポル・ヴフ』の最初の人々が「地球の丸い表面も調べた」だけでなく、「空の天井」についても調べたのは偶然だろうか？(8) さらに、マヤ社会の偉大な業績は高度な数学計算を使った天体観測だった。これは緻密で創意に富み、洗練された、非常に正確なカレンダーに基づくものだが、これも偶然だろうか？

場所にそぐわない知識

一九五四年に、中央アメリカに関する考古学の権威J・エリック・トンプソンが、マヤ文明の業績の深層に見られる多くの不可解な点に関して告白している。古代のマヤの人々の他の分野の知識は月並みなものなのに、天文とカレンダーの知識だけが非常に発達しており、あまりにも不釣り合いなのだ。「これは気まぐれか？　マヤの知識人は天体図を作成できたにもかかわらず、なぜ車輪の原理を発見できなかったのだ？　永遠の歳月を目に見える形で表わすという、十分に文明化されてない人々にはできない業績を残しながら、どうして持送り積みで造られた天井に甘んじ、一歩前進したアーチ型天井を造らなかったのか？　百万の単位まで計算したのに、なぜ一袋のトウモロコシを計量する方法を知らなかったのか？」[9]

これらの疑問にたいする解答はトンプソンが考えていたより単純なようだ。たぶん、天文学、時間に関する深い理解、長い期間にわたる計算は気まぐれで生まれたのではなかった。おそらく、これらはマヤがより高度な文明から受け継いだ、独自の学問体系の遺産の一部なのだ。このような遺産相続があったとすれば、トンプソンが矛盾と感じたことはすべて説明ができ、議論の余地はなくなる。マヤがオルメクからカレンダーを遺産として受け継いだことはすでに述べたとおりだ（一〇〇〇年ほど前に、オルメクもまったく同じシステムを使用していた）。そこで問題になるのは、オルメクがどこから遺産を受け継いだかだ。このような高度なカレンダーを作ることができる文明というのは、どの程度の技術水準、あるいは科学的発展段階にあると考えられるだろうか？

太陽暦の一年を例に取ってみよう。現代の社会では一五八二年にヨーロッパに導入されたグレゴリオ暦を今でも使っている。これは当時の科学知識を総動員して作ったものだ。その前に使われていたユリウス暦では地球が太陽を一周する日数を三六五・二五日としていた。法皇グレゴリウス一三世による改正によって、日数はより正確となり三六五・二四二五日と計算された。だが一五八二年以後の科学の発達で、太陽暦の一年は正確に三六五・二四二二日であることがわかっている。したがってグレゴリオ暦は〇・〇〇〇三日分だけ余分な時間を計算に加えていた。これは一六世紀としては、かなりの精度だと言えるだろう。

だが、面白いことに、一六世紀よりも遥かに昔に作られ、いつごろ作られたのかも太古の霧に包まれているマヤのカレンダーは、グレゴリオ暦よりもさらに精確なのだ。マヤ暦によれば一年間は三六五・二四二〇であり、一日あたり〇・〇〇〇二のマイナス誤差しかない[10]。

同じように、マヤは月が地球の周りを回る時間も正確に知っていた。彼らの計算では二九・五二八三九五日となる。現代の最新科学の計算では二九・五三〇五八八日であり、非常に近い数字だ[11]。マヤの神官は月食と日食を予想する非常に正確な表も持っていた。また、それらが起こるのは月の軌道と太陽の軌道が交差する交点の前後一八日間以内であることも知っていた[12]。マヤ人は優れた数学者であった。かれらは計量的計算をする進歩した技術を所有していた。それを行うにはチェス盤のような装置を使用するが、これは現代では一九世紀に発見（再発見？）された方法だ[13]。また抽象的なゼロの概念を完璧に理解し、使用しており[14]、桁《けた》を使った数の表し方も知っていた。

これらはいわば奥義の領域にあるものなのだ。トンプソンが言うように・・・

ゼロの概念と桁の概念は、われわれの文化に深く根付いており、大変に便利だ。したがって、このような概念の発見が遅れたのは理解に苦しむ。古代のギリシアやローマの偉大な数学者たちは、ゼロや桁の概念に感づいた様子もない。一八四八年と書くのに、ローマの数字ではMDCCCXLVIIIと一一文字も使わなければならないのだ。だが、太古のマヤの人々は桁の価値をわれわれと同じように知っており、ローマ人がややこしい方法を使っている時代に、すでに数字の位《くらい》に意味を持たせる表記を行なっていたのだ。[15]

他の面では平凡な発明しかしていないこの中央アメリカの部族が、科学史の学者オットー・ノイゲバウアーが「最も創造力に富む人類の発明の一つ」と絶賛する仕事を成し遂げているのは非常に奇妙ではないだろうか。[16]

他者の科学?

次に金星の問題に目を向けよう。金星はケツァルコアトル（あるいはマヤの方言で『翼ある蛇』を表すなら、グクマツやククルカン）と同一視されており、古代中央アメリカの人々にとって、限りなく重要な星だった。[17]

古代ギリシア人とは異なり、古代エジプト人と同じように、マヤ人は金星が「明けの明星」であり「宵の明星」であることを知っており、[18]他にも金星についていろいろ知っていた。「合周期」とは地球から見て惑星が太陽の周りを回って、同じ場所に戻ってくるのにかかる期間のことだ。金星の場合は太陽を一周するのに二二四・七日かかり、地球はそれよりもわずかに外側を回転して後を追っている。両者が動いているため、地球から見て金星が同じ場所に戻ってくるのはだいたい五八四日目である。

マヤが受け継いだ精巧なカレンダー・システムを誰が発明したにしろ、マヤの天文学者はこれらのことを知っており、別の連結するサイクルと統合する独創的な方法を開発している。さらにそれらのサイクルを計算に入れ、五八四日というのは概算であり、金星の動きというのは不安定であると知っていたことも明らかだ。そこで彼らは長期間の観測を通して、今日の科学で言う金星の平均合周期を割り出している。[19]その結果算出された数字は五八三・九二日であり、マヤのカレンダーには色々と入り組んだ形で、この数字が反映されている。[20]たとえば、マヤの宗教年（ツオルキンと呼ばれる。一年は二六〇日で、一三か月に分けられ、一か月は二〇日だった）と調和させるために、カレンダーは金星における一年の六一年目ごとに四日の修正を行なうようになっていた。さらに、この五周期目の時は、五七年目に八日の修正を行なった。このような処置が取られると、ツオルキンと金星の「合周期」は密接にかみ合い、誤差は驚異的に小さくなる・・・六〇〇〇年に一日だ。[21]もっと驚異的なのは、このカレンダーを使ってさらに精密に計算された調整を行なうと、金星のサイクルとツオルキンが調和するだけでなく、太陽暦との関係も正確になることだ。こうしたことから、カレンダーは長期にわたりほとんど誤差なしで使用できるのだ。[22]

半分しか文明化されていないマヤが、なぜこのような高精度の暦を必要としたのだろうか？　それともやはりこれは、もっと太古の高度な文明が必要としたカレンダーシステムを、そのまま使える状態で相続したのだろうか？

マヤの暦の王様ともいうべき存在は、「ロング・カウント（長期計算法）」と呼ばれるシステムだ。このシステムによる日数計算は、マヤの人々の「過去」に対する捉え方を反映したものになっている。つまり、大きな周期で世界は破滅と再創造を繰り返してきたことが広く信じられていたが、それが暦に表現されているのだ。マヤによると現在の大周期は西暦紀元前三一一四年八月一三日の暗闇に始まったとされている。[23] この大周期は前にも述べたが、二〇一二年十二月二三日に終わるとされている。ロング・カウントの機能は現在の周期が開始されてからの時の経過を記録することだ。現在の大周期には五一二五年の期間が与えられており、そこから毎年、一を引いていく。[24]

ロング・カウントは天国の加算機だと思うとわかりやすいかもしれない。増えていく宇宙への負債を定期的に計算していき、その数字が五一二五に到達すると負債のすべてを支払うことになる。

少なくともマヤの人々はそう考えていた。

ロング・カウントの計算は、もちろんわれわれの数字を使っては行なわれていない。マヤには独自の表記法があった。それはオルメクから引き継いだものであり、オルメクが誰から引き継いだのかは、誰も知らない。この表記法は点（一ないしは二〇の倍数を示す）と線（五ないしは二〇×五の倍数を示す）と、ゼロを示す貝の象形文字を使う。時間の長さは、一日（キン）で数えられ、二〇日の期間（ウイナル）、計算年の三六〇日（トゥン）、二〇トゥンの期間（カトゥン）、二〇カトゥンの期間（バクトゥン）で示された。さらに八〇〇〇トゥンの期間（ピクトゥン）、一六〇〇〇〇トゥンの期間（カラブトゥン）もあり、さらに巨大な数の計算ができた。[25]

このことからも明らかなように、マヤの人々は大きな周期の中で生きており、非業の最期を迎えることを信じていたが、同時に時間は永遠で人々の生命や文明に関係なく、謎に満ちた周期のもと未来永劫に続くことを知っていた。トンプソンはこの問題に関して偉大な業績を残している。

マヤの体系における時間という道路は、過去のあまりにも遠くにまでひかれており、人間の感覚では遠すぎて理解が難しい。だがマヤ人たちは、怖れもなく始まりの時まで逆戻りしている。過去に戻るとそれぞれの段階で新しい見方が生まれてくる。数百年が一〇〇〇年となり、何十万年となり、絶え間ない追究は永遠の過去に深く深く入っていく。グアテマラのキーリグアの石碑には九〇〇〇万年前の日付が計算されていた。別の石碑には三億年前の日付が記されている。それらは実際に計算したもので、月日が正確に述べられている。これはちょうどわれわれがカレンダーで計算して、過去のイースターが何月何日だったかを算出するのと同じである（訳注・イースターの日付は毎年変わる）。彼らの頭脳はこのような天文学的数字まで引き出していたのだ・・・[26]

こうした天文学の知識のレベルは、多くの面で平凡だった文明としては、あまりにも突出していないだろうか？　マヤの建築技術もある程度は優れている。だがそれ以外に、このジャングルに住んでいたインディオたちが残したもので、非常に長い年月を認識できる能力を示すもの（あるいはそうした能力を開発しなければならない必要性）は、なにも見当たらない。

欧米のほとんどの知識人がアッシャー大司教の、世界は紀元前四〇〇四年に創造されたとする見解を破棄し、もっと長い歴史があるとしたのは、二〇〇年近く前のことになる。[27] 要約すれば、古代マヤは、莫大な地質年代を理解しており、地球のとんでもない古さも正確に理解していたが、欧米では、英国もヨーロッパも北米も、ダーウィンが進化論を発表するまで誰もそのことを理解していなかったのだ。

なぜマヤが何百万年などという数字を軽々と扱っていたのか？　文化発展における気まぐれなのか？　あるいはカレンダーと数字という道具を相続したので、洗練された知識を発展させるようになったのか？　もしも相続があったなら、マヤのカレンダーを発明した人々は、このコンピュータ回路のようなカレンダーを使って何をしようとしていたのか、という疑問が起きるのは当然だ。何のために設計したのか？　ある専門家が述べるように、単に「知的な挑戦、偉大な謎を解くこと」のためにこの複雑なものを考え出したのか？(28)　あるいはもっと実用的で重要な目的を持っていたのか？

これまで見てきたように、マヤ社会だけでなく中央アメリカのすべての古代文化は、世界の終わりの計算に明け暮れており、できたら終末を延期したいと願っていた。これが謎のカレンダーが果たすべき役割であり、作られた目的だったのではないだろうか？　そして、恐ろしく大規模な、突然の地殻大変動を予測する仕掛になっていたのではないだろうか？

第22章　神々の都市

中央アメリカの伝説の多くは、世界の第四時代の悲惨な最期を伝えている。大洪水が起こり、空から太陽が消え、大気は不吉な暗闇で満たされたという。そしてこれが長く続いた後・・・

神々はテオティワカン（神々の集まる場所の意味）に集まり、誰を次の太陽にするかで頭を悩ませた。暗闇の中で見えるのは、大混乱の衝撃を受けて揺らめく聖なる炎（世界の始まりのために命を捧げた神、ウエウエテオトルの化身）だけだ。「誰かが自ら犠牲となり炎の中に身を投じなければならない」と神々は叫んだ。「そうして初めて太陽は生まれる」[1]

その後、二人の神（ナナワツィンとテクスィステカトル）が犠牲となり、身を捧げることになった。一人は聖なる炎の中央ですぐに焼かれ、もう一人は炎の端の残り火でゆっくりと焼かれた。「神々は長いこと待った。やがて空が夜明けのように赤くなり始めた。東には生命の源、燃え上がる太陽

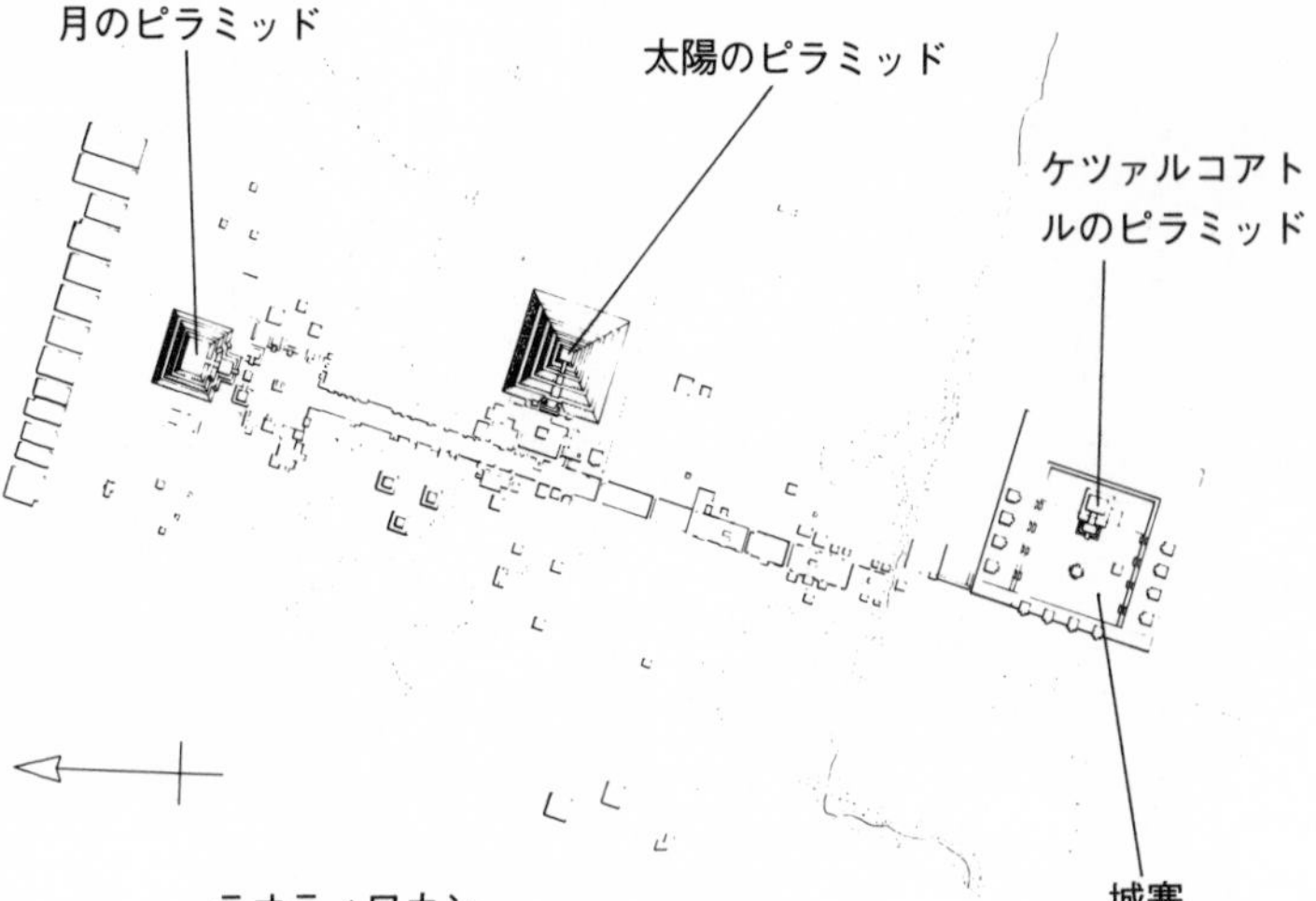

テオティワカン

の大きな球体が見えた・・・」[2]

この劇的な再生の瞬間にケツァルコアトルもまた生まれている。彼の使命は第五時代の人類社会に貢献することだった。したがって人間の姿をしていた。あご髭のある白人で、ビラコチャにそっくりだった。

アンデスにおけるビラコチャの都はティアワナコだった。中央アメリカではケツァルコアトルの都は、第五の「太陽」が生まれたという神々の都、テオティワカンであった。[3]

城塞、神殿そして天空の地図

メキシコシティ北東五〇キロ、テオティワカン風通しのよい城塞の内側に立って北を見た。朝もやに包まれた太陽のピラミッドと月のピラミッドが見える。山々に囲まれた、灰色がかった緑の低木地帯の只中で、二つの巨大な記念碑は遺跡のシンフォニーの一部として「死者の道」と呼ばれる道に沿って並んでいる。城塞は、四キロ以上にわたる完璧な直線の「死者の道」のちょうど中間のあたりに位置している。月のピラミッドはこの道の北の端にあり、太陽のピラミッドは少しそこから外れた東側にある。

このように幾何学的な遺跡ならば、当然、東西南北を軸に建てられていると思うだろう。したがってこのテオティワカン遺跡の建築家が、意識的に「死者の道」を一五度三〇分ほど真北から東側に傾けて設計したのは驚きだ。なぜこのような風変わりな方位が選ばれたかについてはいくつかの説があるが、どれもあまり説得力がない。だが、多くの学者がこの方位には天文学的意味があるのではないかと、考え始めている。たとえばある専門家は死者の道が「建設したときにはプレアデス星団の方向に向けられていたのではないか」と考えた。(4) ジェラルド・ホーキンズ教授は「シリウス・プレアデス軸」にも何か役割があったのではないかと述べている。(5) また、スタンズベリー・ハガー（ブルックリン芸術科学研究所文化人類学部長）は、「死者の道は天の川を意味しているのでは」と、述べている。(6)

実のところハガー部長は、多くのピラミッドにそれぞれ特別な惑星や星が描かれているのを見て、また小山や色々な建造物が衛星のように死者の道の周りに散在しているのを見て、さらに多くのことを推測している。ハガー部長の全体的論旨によると、テオティワカンは一種の「天空の地図」なのだという。「神々や死者の魂が住むという、天空の世界地図を地上に再現したものだ」(7)

ハガー部長の洞察をもとに、一九六〇年代から一九七〇年代にかけて、メキシコに住んでいたアメリカ人の技術者ヒュー・ハーレストン・ジュニアは野外調査を行なった。彼はテオティワカンにおいて広範囲にわたる数学的調査をした。ハーレストンは一九七四年一〇月に発見した事実を国際アメリカ研究者会議で報告した[8]。彼の論文は大胆で革新的だが、とくに興味深いのは、この大きな遺跡の東端に位置する城塞とケツァルコアトルの神殿に関する情報だ。

学者たちも認めているところだが、この神殿は、中央アメリカで最も保存状態の良い考古学的記念碑だ[9]。なぜなら、太古の神殿は新しい西側の小山の中に一部が埋もれていたからだ。この小山を掘り起こしてみたら、華麗な六段で構成されたピラミッドが出現した。今、目の前にしているその神殿は高さが二二メートルで、土台は七四〇〇平方メートルある。

太古の時代、最初に神殿が建てられたときにつけられたカラフルな塗料の跡が未だに残るこの神殿は、美しくも奇妙なたたずまいを見せている。最も目立つ彫刻の主題は巨大な蛇の頭であり、平面ブロックや壮大な中央階段の脇から立体的に飛び出している。蛇の引き伸ばされた顎は妙に人間的だ。大きな牙を持ち、上顎には一種の天神髭がある。蛇の分厚い首は精巧に作られた羽毛の輪で囲まれている。これは紛れもなくケツァルコアトルのシンボルだ[10]。

ハーレストンの調査でわかったことは、死者の道（そしてその延長線上）の周りに立つ主要建造物同士の間には、複雑な数学的な関連があることだ。この関連は意外なことを表現している。テオティワカンの遺跡は太陽系を正確に縮小したものらしいのだ。ケツァルコアトルの神殿の中心を太陽だとすると、死者の道に沿って立つ建造物は正確に惑星や小惑星の軌道の位置を反映しているという。木星、土星（太陽のピラミッドに当たる）、天王星（月のピラミッド）、海王星、冥王星（まだ発掘されていないが、数キロほど北側にあると思われる）などの位置だ[11]。

この相関関係が偶然でないとしたら、少なくともテオティワカンには高度に発達した天文観測学が存在したことになる。同じレベルに現代の天文学が達したのは比較的最近だ。天王星の存在は一七八七年まで知られていなかったし、海王星は一八四六年、冥王星は一九三〇年まで発見されていない。テオティワカンの主要建築物（城塞、死者の道、太陽と月のピラミッドを含む）が建設されたのは、最も保守的な学者でも少なくともキリストの生きた時代よりも前だという。[12] 旧世界であろうと新世界であろうと、現在知られている当時の文明は、惑星に関する知識をまったく持っていなかった。したがって惑星の軌道や、太陽や他の惑星との距離などの正確な情報など、誰も持っているはずがないのだ。

エジプトとメキシコ――さらなる「偶然」

テオティワカンのピラミッドと死者の道の研究を終えた後、スタンズベリー・ハガー部長はある結論に達した。「テオティワカンを主要センターの一つとした、天体に強い関心を持つ天文学的宗派が、いかに重要なのか、いかに洗練されているか、古代アメリカにどの程度の貢献をしたのかを、われわれはまだ知らない」[13]

だが、これは単なる天文学の「宗派」だろうか？　それよりも「科学」と呼ばれるものにより近いのではないだろうか？　宗派であろうと科学であろうと、この学問が普及したのはアメリカ大陸だけだと考えるのは現実的だろうか？　なぜならこの科学が、他の古代世界にも伝わっていたという多くの証拠があるからだ。

たとえば、考古天文学者たちが最新のコンピュータ天体地図作成プログラムを駆使して調べたところ、世界的に有名なエジプトのギザの三つのピラミッドは、オリオン座の三つ星と、地上において対応する場所に配置されていた[14]。古代エジプトの神官たちがナイル河西岸の砂の上に描いた天空の図はこれだけではない。彼らの構想の全体像については第6部と第7部で詳しく述べるが、天然の河川であるナイル河も天の川として設計の中に組み込まれている[15]。

「天体図」がエジプトやメキシコの重要な遺跡に採用されているからといって、そうした建造物に宗教的機能がなかったと言っているわけではない。それどころか、何のために造られたかは別としても、テオティワカンの建造物やギザ高原の建造物は、それぞれの社会において重要な宗教的役割を果たしていたことは間違いない。

一六世紀にベルナルディノ・デ・サアグン神父が中央アメリカで収集した伝承は、太古の時代に、テオティワカンが果たした宗教上の役割の一つを、雄弁に物語っている。それらの伝説によると、ここが神々の町と呼ばれたのは「王がここに葬られると消え去ることなく、神になれる・・・」[16]からだという。別の言葉で言うと、ここは「人々が神になる場所」だったのだ[17]。さらにこの場所は「神々への道を得た者の場所」[18]とか「神が創られる場所」として知られていた[19]。

ギザの三つのピラミッドの宗教的役割もまったく同じだが、これは偶然だろうか？　ピラミッド・テキストの古代象形文字は世界最古の文書だが、これによると、巨大な建造物の中で行なわれた儀式の最終目的は、死んだファラオを転生させることであったことに間違いない。「天空の扉を開け、道を造り」、ファラオが「神々の仲間入り」できるようにするのだ[20]。

ピラミッドを通して「人々を神にする」という考え方は（たぶん抽象的な意味だったのだろうが）、あまりにも特異で独特で、古代のエジプトとメキシコでそれぞれ独立して発展したとは、とても思えない。また、聖なる場所を天空の配置に対応させる考え方にも同じことが言える。

さらに、考察に値する奇妙な類似点が他にもある。

ギザと同じように、テオティワカンにも三つの主要ピラミッドが建てられている。ケツァルコアトルの神殿ピラミッド、太陽のピラミッド、そして月のピラミッドだ。やはりここでも各ピラミッドの配置は道を軸にして左右対称になっているわけではなく、ギザ同様、二つの建造物が並列に並び、三つめが意識的にずらされている。そして最後に、ギザの大ピラミッドはカフラー王（ケフレン）の第二ピラミッドよりも高い建造物だが、頂上の高さは同じになっている。テオティワカンの場合も太陽と月のピラミッドの頂上の高さは一緒だが、太陽のピラミッドの方が建造物としては高い。同じ高さになっている理由は、共通している。大ピラミッドはカフラー王のピラミッドよりも低い土地に建てられており、太陽のピラミッドも、月のピラミッドよりも低いところに建てられているからだ[21]。

これらはすべて偶然だろうか？ 太古のメキシコとエジプトとの間には何らかの関係があったと見るほうが、論理的ではないだろうか？

第18章と第19章で述べた理由により、知られている歴史の範囲では、両者の文明の間に直接的で日常的な接触があったとは思えない。だが、マヤの暦法や古代南極大陸の地図と同じように、これらが失われた文明からの遺産である可能性に、心を開いておく必要があると思う。エジプトのピラミッドもテオティワカンの遺跡も、忘れ去られた文明の技術力、地理的知識、天体観測学（それにたぶん宗教観）を反映したものかもしれないのだ。マヤの古典『ポポル・ヴフ』にあるように、彼らは「あらゆる場所を調べ、空の天井の四隅も調べ、地球の丸い表面も調べた」かもしれないのだ。

ギザのピラミッドが建てられたのは約四五〇〇年前だということで、学者の意見は一致している。[22]だが、テオティワカンに関しては、そのような意見の一致は見られない。死者の道も、ケツァルコアトルの神殿も、太陽と月のピラミッドも、造られた年代は不明だ。[23]だが、大多数の学者は紀元前一〇〇年から後六〇〇年頃にテオティワカンの都市は繁栄したと見ている。だが、別の学者は紀元前一五〇〇年から前一〇〇〇年に最盛期を迎えたと強く主張している。さらに別の学者は地質から見て紀元前四〇〇〇年頃、近くの火山ヒトリが噴火する前に建てられたという。[24]

このようにテオティワカンの年代についても諸説が入り乱れている有様なので、スペイン征服者が到来する前に建てられたアメリカ大陸最大の都市を何者が築いたかについて、誰一人として皆目見当がつかないとしても、驚くにはあたらない。[25]確かなことは、アステカ人たちが帝国建設にのりだした一二世紀頃、この謎の都市を偶然発見したということだけだ。当時、この巨大な建造物の古さは想像を超えており、人間が造ったものというよりは自然の一部のように見えた。[26]だがこの土地に関しては、世代から世代へと伝えられた伝承が残っており、この建造物は巨人によって建てられ、人々を神にするのが目的だったという。[27]

忘れ去られた知恵の手掛かり

ケツァルコアトルの神殿を後にして城塞を西の方向に横切った。

この巨大な空間が城塞であったという考古学的証拠はなにもない。それどころかこの場所には軍事的な機能も防衛的な機能も備わっていない。テオティワカンのすべての建造物同様に、綿密に設計され、大変な労力を注いで造られているが、その目的は現代の学者たちにも不明である。[28] ピラミッドに太陽と月の名を付けたアステカ人たちも（もともとの建設者がなんと呼んでいたかはまったく不明）、この場所には名前をつけられなかった。そこでスペイン人は城塞と呼んだのだ。三六エーカーの広場は、高さ七メートル以上、一辺の長さ四五七メートルの巨大な厚い壁で囲われており、それも当然の発想だといえるだろう。[29]

歩いているうちに「城塞」の広場の西のはずれに着いた。急な階段を登ると厚壁の上にでる。そこから死者の道に出て、北に向かった。この雄大で見事な大通りは死者の道という名前で呼ばれているが、テオティワカンの人々（どのような人々であったかは不明だが）が使っていた名前ではない。スペイン語で「死者の道」という名が付けられているが、これはアステカの人々のつけた名前に由来している。大通りの両側にある多くの小山が墓だと推測して命名したに違いない（だが、それは間違いだった）。[30]

死者の道が、天空の天の川を表わしているという可能性についてはすでに述べた。この点で興味深いのはアメリカ人アルフレッド・E・シュレンマーの研究だ。[31] シュレンマーはヒュー・ハーレストン・ジュニアと同じく技術者だが、専門は地震の予測だった。シュレンマーは一九七一年一〇月にメキシコシティで開催された第一一回化学技術者会議で、論文を発表している。

シュレンマーの意見では、死者の道は道路ではないという。道路ではなく水が一杯溜められた、光を反射するプールが並んでいたというのだ。水は北の端の月のピラミッドから流れ出て、いくつかの水門を通って、城塞まで流れていたという。

遙か遠くに月のピラミッドがある北の方向に歩きながら、この理論には説得力があることを実感した。まず「道」は、ある一定の間隔で高い壁によりさえぎられており、その壁の下の方には立派な水門がはっきりと見られる。さらに月のピラミッドがある場所は城塞の前の所よりも三〇メートルも高いので、北から南に水が流れる。高い壁の仕切りのあるところでは、簡単に水を溜められただろう。光を放つ池として使われた可能性がある。そうなると、タジ・マハールや伝説のシャリマール庭園よりも壮大な光景が出現する。また、テオティワカン地図作成プロジェクト（ワシントンのアメリカ科学財団の援助でロチェスター大学のルネ・ミロン教授が指揮した）の調査の結果、この古代都市には水路システムがあったことがわかった。「ここには多くの注意深く配置された運河や支流に流れる水路システムがあった。テオティワカンには水路のネットワークがあり、人工のまっすぐに造られた河川で、現在では一六キロメートルも離れているが古代においてはもっと近かったテスココ湖まで結ばれていた」[32]

この水力学を利用したシステムが何に使われていたかについては、様々な説がある。アルフレッド・E・シュレンマーの主張によると、彼が確認した水路には、実用的な目的があったという。「長期にわたって使用される地震観測の計器で、今となっては理解不能な古代の科学の装置」だというのだ[33]。彼の指摘では遠くで起こった地震は「地球上のあらゆる液体の水面に波を立てる」。そして、注意深く配置された死者の道の反射プールは、「テオティワカン人が、世界中で起こった地震の強さと場所を読み取り、次にどこで起こるかを予測できるよう設計されている」という[34]。

もちろんシュレンマーの理論が正しいと証明するものはなにもない。だが、メキシコの神話には地震や洪水の話が多く、マヤのカレンダーでわかるように、太古の人々が未来の出来事を予測することに熱中する傾向があったことを考えると、アメリカ人技術者の強引な結論を無視する気にはなれなかった。もしもシュレンマーが正しく古代のテオティワカンの人々が振動の反響に関する知識を持ち、地震の予測をしていたとしたら、彼らは優れた科学を持っていたことになる。それだけでなく、たとえばハガーやハーレストンの見方が正しく、テオティワカンの幾何学的な配置には、太陽系の構図が反映されていたとすると、この都市は、まだ見つかっていない進んだ科学の知識を持つ文明によって建設されたことになる。

死者の道に沿って北に向けて歩いていたが、今度は東に向きを変え太陽のピラミッドに向かった。だがこの巨大な遺跡に行く前に、ある中庭の遺跡を見てみることにした。これは古代の神殿の跡だが、その石床の下には、不可解な謎が隠されていたのだ。

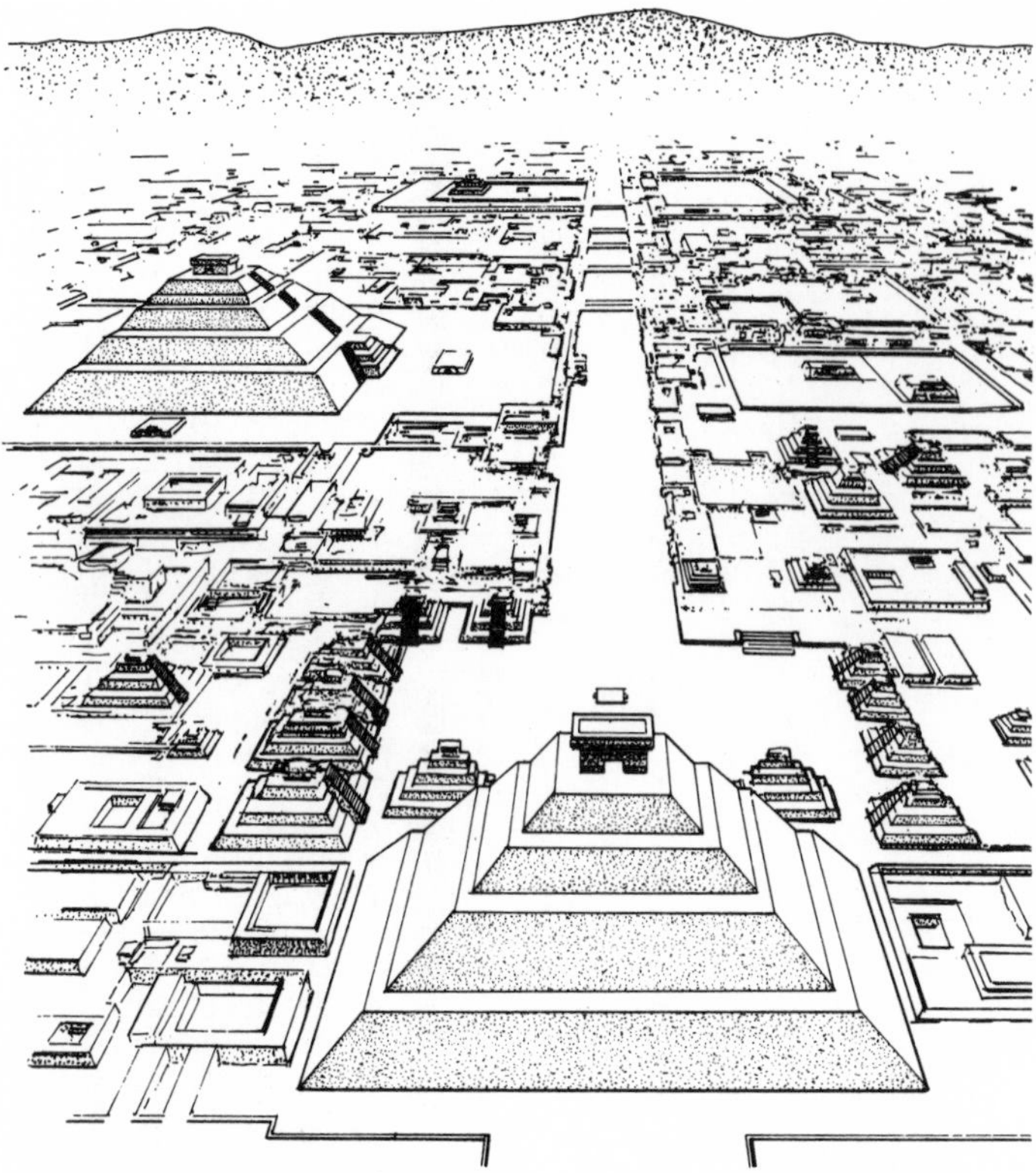

テオティワカンの復元図　月のピラミッドの後ろから死者の道を見下ろしている。死者の道の左に見えるのが太陽のピラミッド。さらに遠くに見えるのがケツァルコアトルの神殿で広い城塞に囲まれている。

第23章　太陽と月と死者の道

ある種の考古学的発見は反響を呼び、またある種の発見は色々な理由で反響を呼ばない。この反響を呼ばなかった部類に入るのが、テオティワカンで発見された雲母だろう。一九〇六年に太陽のピラミッドの調査が行なわれたときに、ピラミッド上部から大量の雲母のシートでできた厚い層が発見された。この発見は評価されなかったし、その後の研究も行なわれていない。雲母は市場価値があり、発掘されるや否や売却されてしまったからだ。この犯罪行為を行なったのはメキシコ政府から磨耗したピラミッドの修復を依頼されたレオポルド・バートレスだった。[1]

テオティワカンではつい最近、別の場所（マイカの神殿）でも雲母が発見されているが、これもまったく話題にならなかった。今回は略奪もされておらず雲母がそのまま残っているので、なおさら不思議である。[2]

マイカの神殿は、太陽のピラミッドの西面から三〇〇メートルほど南に行ったところの建造物グループの中庭にある。ここでバイキング財団の援助を受けた考古学者たちが、重たい岩床の下にある二枚の厚い雲母シートを発見した。この雲母はその扱い方を知っている太古の人々が、何かの目的をもって注意深く切り、敷きつめたものだ。シートは一辺が二七メートルある正方形で二層に重ねられていた[3]。

雲母には色々な種類があり、それぞれに含まれる金属の成分が異なっている。雲母が発見される岩の組成物によって変わってくるのだ。典型的な雲母にはカリウムとアルミニウムが含まれ、さらに分量はそれぞれ異なるが、第一鉄、第二鉄、マグネシウム、リチウム、マンガン、チタニウムなどが含まれる。テオティワカンのマイカ神殿で発見された雲母は、三二〇〇キロメートル離れたブラジルでしか産出されない種類のものだった[4]。地元で産出する雲母を使えば安くて手間もかからないのに、遠くまで出向いて入手したということは、神殿の建設者が特別にこの組成の雲母を必要としたということだろう。

雲母は通常、床材としては使用されない。床下に雲母を敷いて隠してしまうというのは奇怪だ。アメリカ大陸の遺跡だろうと世界のどこの古代建造物であろうと、このような仕組みを採用しているものは発見されていない[5]。

バートレスが一九〇六年に太陽のピラミッドから発掘し持ち出した雲母の大きなシートが、何のために使われていたのかはもちろん、ピラミッドのどこにあったのかすらはっきりしないのは非常に残念だ。マイカの神殿の二層の雲母は装飾ではなく、何らかの役割を持っていたように見える。雲母はいろいろな科学技術に応用できる特性をもっていることに触れておこう。近代産業ではコンデンサーに使用され、電気の絶縁体や耐火物としても価値が高い。また高速中性子にたいして不伝導性があり、核反応させるときの減速材として使われている。

消された過去からのメッセージ

テオティワカン、太陽のピラミッド

六〇メートル以上も石造りの階段を上がって頂上に到着し、空を見上げた。五月一九日の真昼だった。太陽は真上にあるが、同じことは七月二五日にも起こる。この二日とも、ピラミッドの西面の向きは太陽の沈む方向と正確に一致するが、これは偶然ではない[6]。

もっと興味深く、同じように意識されてつくられた現象が、昼夜が同じ長さになる三月二〇日と九月二二日に起こる。このとき、太陽光線は南から北に射すが真昼になると、完璧なまっすぐな影が西面の下の段にでき、だんだんと消えていく。完全な影がつくられてから、影が完全に消え明るくなるまで、正確に六六・六秒かかる。これは毎年正確に起こるし、ピラミッドが造られて以来、毎年起こっており、巨大な建造物が崩れてしまうまで続くことだろう[7]。

これが何を意味するかというと、少なくともピラミッドは「永遠の時計」の機能を果たしているということだ。春分や秋分を正確に伝え、マヤのように失われていく時間の計測に没頭した人々が、カレンダーを修正するのにも使えたわけだ。もう一つわかることは、テオティワカンを建築した巨匠が、かなりの天文学と測地学の知識を持っていたことだ。その知識を元にして太陽のピラミッドを精密に設計し、昼夜の長さが同じになる日に、計算された効果が出るようにしたのだ。

この計画や建築の技術は高度なものだ。数千年の年月に耐え、二〇世紀初頭に自称修復技術者レオポルド・バートレスによって、ピラミッドの外壁のかなりの部分が無神経に変えられたときにも、設計者の意図した効果は無傷だった。腐敗した独裁者ポルフィリオ・ディアスの嫌悪すべき追従者だったバートレスは、この巨大な建造物がなぜ建てられたのかを探る手掛かりを盗んだだけでなく、このピラミッドの南面、北面、東面にあった外壁やモルタルや壁土を深さ六メートル以上も取り除いてしまった。これは悲惨な結果をもたらした。外壁の下にあったアドービ粘土が強い雨で流され奔流となり、建造物全体が崩壊し始めたのだ。あわてて応急処置が取られ、崩壊は阻止することができたが、太陽のピラミッドの建設当時の外壁が略奪されたことは動かすことのできない事実だ。

現代の考古学の見地から言うと、もちろんこれは許すことのできない犯罪だ。同時に、多くの彫刻や碑文や浮き彫りが六メートル分の外壁とともに持ち去られてしまったことは、まず間違いない。もう、これらのものがどれだけの価値を持っていたかを知ることもできない。バートレスのグロテスクな破壊行為による被害はこれだけではない。この巨大な建造物を造った建築者たちは、太陽のピラミッドの壊された壁にも、意識的に多くの科学的なデータを残していたと思われる驚くべき証拠があるのだ。ピラミッドの西面からは、多くの情報が得られ研究されている（ここでは今でも例の春分・秋分の現象が観察できる）。だがバートレスが勝手に外壁の形を変えてしまったおかげで、他の三面からはもうこの類の情報を得ることはできない。ピラミッドのオリジナルの形や寸法を大きく歪めてしまったことで、メキシコの「修復者」は、テオティワカンが後世に伝えることができた最も貴重な財産を破壊してしまったようだ。

終わりのない数字

パイ＝ π で知られる円周率は高度な数学には欠かせない。三・一四をわずかに超えるこの数字は、円の直径と円周との比率である。別の言葉で言うと直径が三〇センチの円の円周の長さは、三〇センチ×三・一四＝九四・二センチになる。また円の直径は、半径の二倍だから、半径がわかれば円周もわかる。この場合は、半径に二 π を掛けることになる。もう一度直径が三〇センチの円を考えてみよう。半径は一五センチになり、円周の長さは一五センチ×二×三・一四＝九四・二センチになる。同じように半径が二五センチの円の円周は一五七センチ（二五センチ×二×三・一四）になる。また半径一七センチの円の円周は一〇六センチ（一七センチ×二×三・一四）になる。

この π を使う公式はいかに大きな円でも、いかに小さな円でも、球体でも半球体でも変わらない。これはすでに知っていると簡単に見えるが、 π の発見は数学の世界に大革命をもたらしており、人類の歴史が始まってから π の発見までにはかなりの時間がかかっている。定説によれば、紀元前三世紀にアルキメデスが人類で初めて π を三・一四と正しく算出したことになっている。[8]学者たちは、ヨーロッパ人が到着した一六世紀よりも前に、新大陸の数学者たちが π に近い数字を得ているはずはないという。ところが、ギザの大ピラミッド（アルキメデスが生まれる二〇〇〇年以上前に建てられた）もテオティワカンの太陽のピラミッド（スペイン人到来の時期よりも途方もなく古い）も、 π の数値を使用して設計された事実が発見されて混乱を起こしている。この両方の建造物は、似たようなやり方で π を使用しており、大西洋を隔てて存在した太古の建設者たちは、いずれもこの卓越した数字 π に詳しかったようだ。

ピラミッドの幾何学的な主要要素は、いずれの場合も（一）地上から頂上までの高さ、と（二）地上における建造物周辺の長さだ。大ピラミッドの場合、オリジナルの高さ（一四六・七メートル）[9]と周辺の長さ（九二一・四四メートル）[10]の比率は、円の半径と円周の比率と同じになる。つまり二πなのだ。[11]したがって、ピラミッドの高さに二πを掛けると（半径から円周を割り出すように）、ピラミッドの周辺の長さになる（一四六・七メートル×二×三・一四＝九二一・四四メートル）。逆に地上の周辺の長さから計算しても正確に高さがでる（九二一・四四メートル÷二÷三・一四＝一四六・七メートル）。

このような数学的に精密な相互関係が偶然生まれるとはとても思えない。したがって大ピラミッドの建設者たちはπについて大変詳しく、意識的にこの数値を建造物の寸法に使用したに違いない。

次にテオティワカンの太陽のピラミッドを見てみよう。傾斜面の角度は四三・五度だ[12]（大ピラミッドは五二度）。[13]メキシコの遺跡は緩やかな傾斜になっているが、それは土台の周辺の長さは八九三・九一メートルで、[14]エジプトの大ピラミッドとそれほど変わらないが、頂上の高さがだいぶ低いからだ（バートレスによって「修復」される前は約七一・一七メートル）。[15]

この数字を見ると大ピラミッドの二πの公式は使用できない。だが四πの公式が使用できる。したがって太陽のピラミッドの高さ（七一・一七メートル）に四πを掛けると、正確に周辺の長さとなる。七一・一七メートル×四×三・一四＝八九三・八九メートル（八九三・九一メートルとの誤差は二センチ程度）。

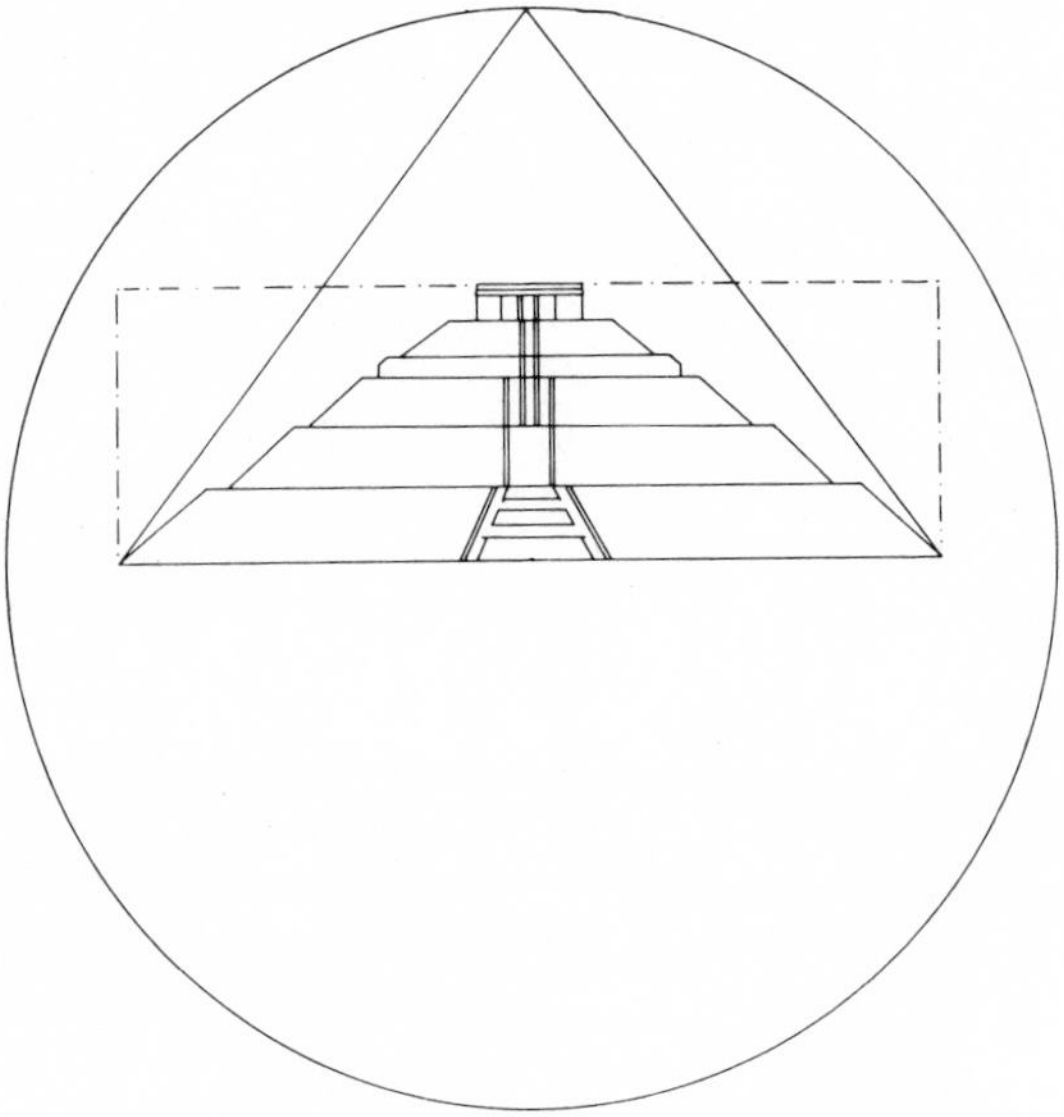

太陽のピラミッドの高さ×4π＝土台の周辺の長さ
ギザの大ピラミッドの高さ×2π＝土台の周辺の長さ

ここでのπ公式の使用も、エジプトの遺跡と同様にとても偶然とは思えない。さらに二つの建造物が（大西洋の両側で、πの公式を使用していることは他のピラミッドにはこの公式は使われていない）、古代に高度の数学的知識があったことだけでなく、両方のピラミッドで共通する目的があったことを示唆している。

大ピラミッドの高さと周辺の比率二πを実現するためには、斜面の傾斜を五二度という面倒で難しい角度にしなければならない。また、太陽のピラミッドの高さと周辺の比率を四πにするには、斜面傾斜を四三・五度という変わった角度にしなければならない。そこには特別な理由があるはずだ。隠された意味がないならば、四五度の角度にすれば古代のエジプト人にしてもメキシコ人にしても、建設がやさしかったはずだ（直角を半分にして角度が求められる）。

大西洋の両側で、π の公式を利用して二つの偉大なピラミッドを建設した人々の、共通する目的とは何だろうか？　これらのピラミッドが建設された頃、メキシコ文明とエジプト文明には直接的接触はなかったようだ。したがって両者とも、さらに古い時代に共通する源から同じ概念の遺産を受け継いだと考えるのが論理的ではないだろうか？

大ピラミッドと太陽のピラミッドに共通する概念というのは球体ではないだろうか？　ピラミッドは三次元の立体だからだ（一方、円は二次元だ）。球体を三次元の平面を持つ立体で表現しようとしたのなら、なぜ苦労して π の公式を正確に採用したのかも理解できる。二つの記念碑の建設者の意図は、どうやら球体ならなんでも良かったのではなく、特別な球体に焦点をあわせていたようだ。それは、地球である。

正統派の考古学者が、太古の世界のある人々が地球のサイズや形を正確に知っていたと認めるまでには、まだまだ時間がかかりそうだ。だが、アメリカの科学史の教授で古代の計測技術の権威であるリビオ・カトゥロ・ステッチニ教授の計算によると、この驚くべき知識が古代に存在したことは、疑う余地がないという。[16]　ステッチニ教授の結論は、主としてエジプトの遺跡から導かれているが、数学と天文学の数字という一般的に異論のない資料から導かれているため、特別に印象的だ。[17]　ステッチニ教授の結論およびその基礎となったデータについては第7部で取り上げている。ここではステッチニ教授の短い言葉を引用しておこう。この言葉が、現在我々が直面している謎に光を与えるかもしれないからだ。

大ピラミッドの基本的考えは地球の北半球を表そうというものだ。半球は地図で示されるように平らな面で示されている・・・大ピラミッドは四つの三角面でできている。頂点は北極を示し、土台の周辺は赤道を意味する。だから周辺が、高さの二πなのだ。大ピラミッドは北半球の四万三二〇〇分の一の縮図となっている。[18]

第7部では、なぜこの縮尺が選ばれたかを検証する。

数学的な都市

死者の道の北端に月のピラミッドがそびえている。このピラミッドは幸運にも「修復者」に破壊されることなく、オリジナルの四段式ピラミッドの形を保っている。太陽のピラミッドも四段式ピラミッドだったのだが、バートレスの気まぐれで三段目と四段目の間に五番目の段が作られている。だが太陽のピラミッドには、バートレスが略奪できなかったオリジナルの仕組みが残されていた。それは地下の通路で、西面の下の天然の洞窟からつながっていた。この通路は一九七一年に偶然に発見され、その後、徹底的に調査されている。高さが二・一メートルあるこの通路は、東に向かって九〇メートルほどの長さがあり、ほぼピラミッドまで続いている。[19] そこは第二の広い洞窟となっている。洞窟は意識的に広くされ四葉のクローバーのような形になっている。「葉」は部屋のようになっており、それぞれ周辺が一八メートルはある。そこには美しく彫刻された石板や、よく磨かれた鏡などの様々な工芸品があった。さらに複雑な排水システムがあり、岩でパイプを作り、それを組み合わせて造られていた。[20]

排水システムにはとくに謎が多い。なぜならピラミッドの中には水が入るとは考えられないからだ。[21]だが、放水路があるということは、古代には水が、それもたぶん、相当な量の水が存在したに違いない。このことは死者の道に水を溜めた高い壁や水門が城塞の北側にあったこと、またシェレンマーの光を反射するプールと地震予測の理論を思い起こさせる。

考えれば考えるほど、テオティワカンで重要な存在は水であったのではないかと思えてくる。だが、その朝、ケツァルコアトルの神殿にいた時には、この神殿には蛇の彫刻だけでなく、明らかに水と関係がある波を思わせる模様や貝殻の模様があることに気づかなかった。これらのイメージを心に浮かべながら、月のピラミッドの土台となっている広大な広場まで来た。この広場が水で満たされたところを想像してみた。深さは三メートルになるだろう。それは壮大で荘厳で力強く、雄大な景色に見えた。

遙か彼方、アンデスのティアワナコにあったアカパナ・ピラミッドは、やはり水に囲まれていた。そこでは水が中心的存在だった・・・テオティワカンも同じであることが今わかった。

月のピラミッドに登ってみた。太陽のピラミッドよりもだいぶ小さい。実際のところ半分以下の大きさだ。使われている石や土は一〇〇万トンであり、太陽のピラミッドの場合は二五〇万トンである。この二つの遺跡を合計すると三五〇万トンもあるわけだ。これだけ大量の材料を扱うには少なくとも一万五〇〇〇人ぐらいの労働力が必要だろうと言われている。この人数でこの大工事をしても、少なくとも三〇年はかかると計算されている。[22]

この付近で、これだけの人数を集めることは可能だった。「テオティワカン地図化プロジェクト」の調査結果によれば、最盛期のテオティワカンの人口は二〇万人くらいであったという。シーザー時代の帝国ローマよりも大きな都市だということになる。またこのプロジェクトは、現在見られる主要遺跡は古代テオティワカン全体のほんの一部であったことを発見した。最盛期には、この都市は三一平方キロメートルの面積があり、五万人が二〇〇〇のアパート群に住み、六〇〇の補助的ピラミッドや神殿が存在し、五〇〇の「工場」があり、陶器や小立像や宝石細工、貝細工、石板、玄武岩細工、石細工などを専門に生産していたという。[23]

月のピラミッドの頂上近くで立ち止まり、ゆっくりと振り返ってみた。なだらかに南に下る平原の中、テオティワカン全体の姿が目の前に広がった。幾何学的な都市・・・歴史が始まる前に見知らぬ建築家によって設計され建設された都市。東には矢のようにまっすぐな死者の道の脇に、太陽のピラミッドが見える。太古の時代にプログラミングされた数学のメッセージを「プリントアウト」し、永遠に大地に刻んだかのように見える。そのメッセージは、地球の形状に目を向けさせているようだ。テオティワカンを建設した文明は、意識的に複雑な情報を符合化して、耐久性のある遺跡に数学言語で残したような感じがする。

数学言語とは何か?

人類の文明にどのような極端な変化や変貌が訪れても、円の半径に二 π をかければ、かならず正しい円周が得られる。別の言葉で言うと数学言語は実用的な理由で使われているのかもしれない。話される言葉と異なり、このような符号はいつでも解読できる。数千年後の未来の無関係な文化の人々でも解読できるだろう。

これが初めてではないが、目眩を覚えるような重大な事実に直面している可能性を感じた。人類の物語の大事な一コマが、完全に忘れられているのではないだろうか？　月のピラミッドの頂上から数学的な都市を眺めていると、人類はひどい健忘症にかかってしまったのではないか、という気にさせられる。暗黒の時代を「有史以前」として気楽に忘れ去っているが、この「有史以前」にこそ人類の驚くべき真実が隠されているのではないだろうか。

それでは有史以前とは何か？　忘れられた時代、記録が残っていない時代のことなのではないだろうか？　有史以前とは我々の先祖が生きてきた時代ではあるが、すでに我々の記憶からは消えた霧に包まれた時代に違いない。この輪郭のぼやけた時代に数学的に符合化された、天文学や測地学の謎がテオティワカンの遺跡とともに残されたのか？　同じ時代に巨大なオルメクの彫像が残され、マヤが先祖から引き継いだ不可解なほど正確なカレンダーが生まれたのか？　ナスカの地上絵もその頃のものか？　アンデスの都市ティアワナコもか？　その他の由来がわからない多くの不思議もそうだろうか？

まるで悪夢の続く長い眠りから、突然歴史の陽の光に照らされて目覚めながらも、いまだにおぼろげな夢の余韻に浸っているかのようだった。

第4部　神話の謎1　記憶を喪失した人類

第24章　夢のこだま

太古の時代から受け継がれてきたいくつかの偉大な神話を見ると、人類は恐ろしい地球規模の大変動を、ありありと記憶しているようだ。

これらの神話はどこからきたのか？

なぜ、関係のない文化に生まれた物語の筋が、非常に似ているのか？　なぜ、共通するシンボルに溢れているのか？　なぜ、登場人物が似ており構想が同じなのか？　もしもこれが「記憶」なら、神話が示唆する地球規模の災害の歴史的記録はどこにあるのだ？

あるいは神話自体が歴史的記録なのか？　名もない天才によって巧妙にまとめ上げられた不滅の神話は、情報を記録する媒体で、歴史が始まる前から伝承されてきたのだろうか？

箱舟は水面に浮かんだ

古代シュメールに永遠の命を求めた王がいた。名をギルガメシュという。ギルガメシュの業績が現在知られているのは、メソポタミアの神話や伝承が、陶器の銘板に楔形文字で書かれて残っているからだ。何千という銘板が現代のイラクの砂漠から出土しているが、そのいくつかは紀元前三〇〇〇年頃に書かれている。これらは消えた文明のユニークな姿を今日に伝えているが、それと同時に、その時代よりはるか太古に起こったことの記憶もとどめている。それは巨大で恐ろしい大洪水が何度も起こったために、記憶が薄れてしまっている時代の記憶だ。

ギルガメシュの業績を世界に伝えたいと思う。この人物は何でも知っていた。世界の国々を知っていた王だった。賢く、謎を知り、秘密を知っており、洪水の前の日々について語った。彼は長い旅に出て、働き疲れ、疲労困憊し、帰るなり休暇を取り、石にすべての物語を彫った。(1)

ギルガメシュが持ち帰ったのは、ウトナピシュティムという王によって語られたという話だった。ウトナピシュティムは数千年も前の王で、大洪水を生き抜いたという。ウトナピシュティムは不死身の身体を与えられたが、それは人類を存続させ、生きるものすべての種を保存した報酬だという。それは大昔のことで、当時は神々も地上に住んでいたとウトナピシュティムはいう。神々とは空の神アーヌー、聖なる裁断を実行するエンリル、戦いと性愛の女神イシュタル、人類の友であり保護者である水の神エアなどだ。

当時、人々の数は増え、世界中にあふれかえっていた。世界は野生の雄牛のようにうなり声を上げ、偉大な神々は喧騒に目を覚まされた。エンリルは喧騒を聞き、神々の評議会で述べた。「人間たちの大騒ぎには我慢できない。騒音で眠ることもできない」。そこで神々は人類を滅ぼすことにした(2)。

だが、水の神エアはウトナピシュティムを哀れに思った。そこで、ウトナピシュティム王の家のアシ壁ごしにすぐにも大災害が来ることを知らせ、本人と家族が生き残るために船を造るよう指示した。

家を壊して船を造りなさい。所有物はどうでもいいから生き残ることを考えなさい。世俗的なものは捨て、魂を救いなさい・・・家を壊しなさい、正しい形の船を造りなさい・・・幅と長さが調和している船です。生きるものすべての種を、船に運び込みなさい(3)。

きわどいところだったが、ウトナピシュティムは言われたとおりに船を造り終え、「持っているもののすべてを積み込み、生物の種をすべて持ち込んだ」。

友人や親戚を船に乗せ、家畜を乗せ、郊外の野生の動物も乗せた。あらゆる職人も乗せた・・・やがて時が来た。夜明けの明かりとともに空の端から黒い雲が出てきた。嵐の神アダドが乗っているところでは雷鳴がとどろいた・・・嵐の神が昼間に暗闇をもたらし、皿を割るように土地を叩き壊したとき、絶望による茫然自失の呻きが天まで届いた・・・

最初の日は暴風雨が吹き荒れ、洪水がおきた・・・人は仲間を見つけることができなかった。人と空とを区別することもできなかった。神ですら洪水を怖れた。神々は撤退し、空の神アーヌーの天国の端にうずくまった。神々は臆病者のようにうずくまっていたが、エンリルはあたりに向かって叫んだ「人々を誕生させたというのに、それはただ、魚のように海に沈めるためだったのか？」(4)。

だが、とウトナピシュティムは言う。

昼夜六日間、風が吹き、土砂降りと大荒れが続き、洪水が世界を覆った。洪水と暴風雨はともに荒れ狂い、戦闘を繰り広げる軍勢のようだった。七日目の朝になると南から嵐はおさまり、海は穏やかになり洪水も止まった。世界を見渡したが沈黙が支配していた。海の表面は屋根のようにどこまでも平らだった。人類はすべて土に帰ったのだ・・・天井の扉をあけると光線が顔に当たった。私は腰をかがめ座り込み泣いた。涙が頬を流れ落ちた。四方どこも水、また水だったからだ・・・八〇キロほど先に山が見えた。そこに船をつけた。船はニシル山に着け動かさなかった・・・七日目の夜明けにハトを放した。ハトは飛び去ったが、留まるところがなく戻ってきた。次につばめを放したが、留まるところがなく戻ってきた。

カラスを放してみた。カラスは水が引いたのを見てとり、餌を食べ、周りを飛んでいたが、鳴きながら飛び去り、戻ってこなかった。(5)

ウトナピシュティムは上陸しても安全なことを悟った。

山の頂きにぶどう酒をそそいだ・・・木と籐《とう》、杉と月桂樹を積み上げた・・・神々は甘い香りをかぐと、供えものの上に蝿のように集まってきた・・・(6)

これらの記述は、古代のシュメールから伝わる唯一のものではない。五〇〇〇年以上前の銘板にも、三〇〇〇年に達しない古さの銘板にも、ノアによく似たウトナピシュティムが登場するが、その名前はジウスドラ、ジストロス、アトラーハシスなど、様々である。だが、これらの人物は、すぐにウトナピシュティムと同一人物だとわかる。なぜなら同じ慈悲深い神に事前に警告を受け、世界的な洪水を同じように嵐にもてあそばれながら箱舟で乗り切り、子孫が同じように世界中に広がったからだ。

メソポタミアの洪水神話と有名な聖書のノアの洪水の話の間には、明らかに多くの類似点がある(7)(注参照)。学者たちは類似性の問題について際限ない論争を続けている。だが肝心なのは、それぞれの影響力の範囲内において、重々しい同じ伝承を保存し、子孫に伝えていることだ。その伝承は世界に起こった大災害と、人類の壊滅を絵文字で描いている。

中央アメリカ

まったく同じメッセージは、ニシル山やアララト山（ノアの箱舟の上陸地）から遠く離れたメキシコにも保存されている。スペインの征服者が訪れる前は、文化的にも地理的にもユダヤ教やキリスト教の影響力が及ぶ場所ではなかったのに、大洪水の話が伝わっている。第3部を覚えておられると思うが、この大洪水は第四の時代の栄光の終わりに地上全体を覆っている。「破壊は豪雨と洪水によるものだった。山脈は水没し、人々は魚に変えられた・・・」[8]

アステカ族の神話によると生き残ったのは二人だけだという。コスコストリという男と、その妻のソチケツァルだが、二人は神から事前に大災害が起こることを警告されていた。彼らは神の指示に従い巨大な船を造って災難を逃れ、高い山の頂上に着いた。そこで地上に降り、多くの子供を作ったが、ハトが木の上にとまり言葉をプレゼントするまで、言葉がしゃべれなかった。言葉はそれぞれ異なっており子供たちはお互いを理解することができなかった。[9]

中央アメリカのメチョアカネセクス族の伝承は、創世紀やメソポタミアの話にさらに驚くほど似ている。この伝承では神テスカティルポカは人類を洪水で破滅させる決心をした。だがテスピとその妻と子供たちだけを大きな船に乗せ、助けることにした。この船には人間が生き残っていくのに必要な、動物たち、鳥、穀物や種などが積まれた。船は水面に露出した山の頂上に着いた。神テスカティルポカが洪水の水を引かせるようにしたからだ。上陸しても大丈夫かを調べるために、テスピはコンドルを放った。地球上に散乱していた死骸を食べるコンドルは、戻ってこなかった。つぎに他の鳥を放ったが、ハチドリだけが口ばしに枝をくわえて戻ってきた。これをきっかけとして土地は姿を現し、テスピとその家族は船から降り、人口を増やし地上を満たした。[10]

神々が人間を気に入らず大洪水を起こしたという人類の記憶は『ポポル・ヴフ』にもでてくる。この古い時代から生き残っている文献によると、偉大な神はこの世のはじめに人類を創る決心をした。それは実験であり、「木から創った人間で、人間のような姿を持ち、話もできた」。だがこの創造物は好まれなかった。なぜなら「創造主のことを覚えていなかった」からだ。

そこで天空の中心から洪水がもたらされた。大洪水が起こり木の人間たちの上に落ちた・・・重たい水が空から落ちた・・・地上は暗くなり、黒い雨が昼夜降り続いた・・・木の人間たちは全滅し、破壊され、砕かれ、殺された。[11]

だが全員が死滅したわけではない。アステカ族とメチョアカネセクス族の伝承と同じように、ユタカン半島やグアテマラのマヤ族の伝承にもノアのような人物とその妻がでてくる。「偉大な父と、偉大な母」とよばれた夫婦が大洪水を生き残り、人口を増やし人類の祖先となったという。[12]

南アメリカ

南アメリカを見てみると、コロンビア中部のチブチャ族の伝承がある。彼らの神話によると、昔は法律も農業も宗教もなく、人々は野蛮人として生活していたという。そこへあるとき別の人種の年取った人物が現われた。濃いあご髭を生やし、名前はボチカといった。ボチカはチブチャ族に小屋の建て方を教え、人々が一緒に住む社会をつくることを教えた。

後から現われたボチカの妻は大変に美しく、名前をチアといった。だがチアはよこしまな女で、ボチカが人々のために働くのを妨げた。直接的にはボチカの力には勝てないチアは、魔術を使って洪水を起こし、大半の人々を殺してしまった。ボチカは大変に怒り、チアを地上から天空に追放した。チアは天空で月となり、夜を明るくする役目をになった。ボチカは洪水を引かせ、山に逃げて生き延びた人々を助けた。その後、ボチカは人々に法律を教え、農耕を教え、季節ごとに太陽を崇拝する祭りを行ない、犠牲を捧げ、巡礼をすることを教えた。それから二人の酋長に支配権を譲り、余生は静かに黙想にふけり、行者として過ごした。天国に昇った時、ボチカは神となった。(13)

さらに南に行くと、エクアドルのインディオの部族カナリアも、古代の洪水の物語を伝承している。この話では兄弟二人が高い山の頂上に登り大洪水を乗り切っている。水が増えるにつれ、山も高くなり、二人は難を逃れた。(14)

ブラジルのトゥピナンバ族は、発見されたときに、文明をもたらした人、あるいは創造の英雄を、数名ほど崇拝していた。その最初の英雄の一人はモナン(「古代」の意味)で、人類の始祖だと言われているが、洪水と火で世界を滅ぼした・・・。(15)

第2部ですでに見たように、ペルーには洪水の伝説がたくさんある。代表的な物語は、あるインディオがラマに洪水が来ると教えられて、ラマと一緒にビルカコトと呼ばれる高い山に逃れるというものだ。

男とラマが山の頂上にたどり着くと、すでにあらゆる種類の鳥や動物がそこへ避難していた。海が盛り上がってきて平原を包み込み、ビルカコト山の頂上だけが残された。だが、この頂上にすらも波が押し寄せ、動物たちは狭いところに押しやられた・・・五日たったら水が引き始め、海はもとの場所に戻った。だが人類は一人を除いて溺れ死んだ。この男こそ地上のあらゆる国の人々の先祖なのだ。(16)

征服者たちが来る前のチリにおけるアラウカン族の伝承によれば、大洪水がありごくわずかな数のインディオだけが助かったという。生き残った者たちはテグテグ山(「雷鳴」「光輝く」などの意味)に避難したのだが、この山にある三つの峰だけが、かろうじて水の上にでていたという。(17)

大陸のさらに南のティエラデルフエゴ州、ヤマナ族の伝説によれば、「月の女が洪水を起こした。激変の時だった・・・月は人間を憎んだ・・・ほとんどの人間が死んだが、水に覆われなかった五つの山の頂上に逃げたものだけが生き残った」(18)。

ティエラデルフエゴ州のペウエンチェ族の話では、大洪水とともに長い暗い日々が続いたという。「太陽と月は空から落ち、長い間世界は光を失なっていた。やがて二羽の巨大なコンドルが太陽と月を空に運んだ」(19)

北アメリカ

アメリカ大陸のはるか北方、アラスカのエスキモーたちも恐ろしい洪水と地震の伝承を伝えている。洪水は地上を覆い、カヌーで逃げることができた人は少なく、高い山の頂上に逃げた人も恐怖におののいたという。[20]

カリフォルニア南部のルイセーニョ族にも似た伝説が伝わっている。やはり、洪水が山脈を覆い、ほとんどの人が死んだという。生き残ったのは一握りの人々で、彼らは高い山の峰に逃げたが、他の世界はすべて海中に没したという。生き残った者たちは、洪水が去るまで峰に残っていた。[21] その北側のヒューロン族の間にも似たような洪水神話が残っている。[22] アルゴンキン族の一族であるモンタニェ族の伝説にも、いかにミチャボ、あるいは偉大なハレが大洪水の後に、カラスやカワウソやネズミの助けを借りて世界を再建したかがでてくる。[23]

リンドによる『ダコタ族の歴史』は一九世紀の信頼性の高い本だが、著者はそのままでは失われてしまったであろう先住民の伝承を記録している。その中でイロクォイ族の神話について報告している。「海と水が一瞬にして土地を襲った。すべての人は生命を失った」。チカソー族は世界は水で滅ぼされたという。「だが、一家族だけが生き残り、あらゆる種類の動物も二匹ずつ生き残った」。スー族も、乾いた土地がなくなり、生きている人々がすべて消え去ったという話を伝えている。[24]

どこを見ても、水また水

大洪水の神話の記憶は、どの程度人類の間に広まっているのだろうか？

それは実に広大な範囲に広がっている。世界中で五〇〇以上の洪水伝説が伝わっており、そのうちの八六の伝説（アジア二〇、ヨーロッパ三、アフリカ七、アメリカ四六、オーストラリアと太平洋一〇）を調査したリチャード・アンドレー博士によると、その中の六二の伝説は、メソポタミアやユダヤの伝説とは直接関係がなかったという。[25]

たとえば、ヨーロッパ人として初めて中国を訪れた人々の一人、初期のイエズス会に同行したある学者は、王朝の図書館に入ることが許された。そこには古代から伝わる「すべての知識を網羅する」といわれる四三二〇巻の書物があった。この書物の中には多くの伝承が記録されているが、それらの伝えるところによれば、「人類が神々に反抗したため、宇宙の体系が混乱した」という。「惑星は軌道を変えた。空は北に向かって低くなった。太陽と月と星は動きを変えた。地上は裂かれ粉々になり、荒れ狂う海の水は溢れ陸地を襲った」[26]

マレーシアの熱帯雨林に住むチューウォン族の人々は、世界を第七の地と呼んでいるが、それは時々ひっくり返り、洪水ですべてが破壊されると信じているからだ。だが創造神トハンの力で、平らだった第七の地の裏側には山や谷や野原が創られるという。それから新しい木が植えられ、新しい人類も生まれる。[27]

ラオスとタイ北方の洪水神話によると、その昔、ゼン王が天界の王国に住み、下界には三人の偉大な人々、プ・レン・スンとクン・カンとクン・ケットがいたという。ある日、ゼン王は敬意を示すために人々に食事をする前にその一部を自分に捧げろと命じた。人々が拒絶したので、怒ったゼン王は洪水を起こし地上を壊滅させた。そのとき、三人の偉大な人々は筏を組み立て、そのうえに小さな家を建て、たくさんの女性と子供を乗せて船出した。このようにして彼らとその子孫は洪水を逃れた。[28]

同じようにビルマのカレン族も世界を覆う大洪水の伝承を伝えているが、このときは二人の兄弟が筏に乗って助かっている。[29] このような大洪水はベトナム神話にも見られる。ここでは兄弟姉妹が巨大な木の箱の中に隠れて助かったが、この箱にはあらゆる動物が二匹ずつ入れられていたという。[30]

オーストラリアの先住民、とくに北の熱帯の沿岸に住む人々は、自分たちの起源を、景色と社会を変えてしまった大洪水に求めている。また、他の多くの部族は洪水を引き起こしたのは巨大な蛇ヤーランガー（虹と関連のある存在）であるとしている。[31]

日本の伝承では太平洋のオセアニア諸島は、大洪水の水が引いた後に生まれたとしている。[32] オセアニアにも神話があり、ハワイの住民たちはいかに世界が大洪水で滅ぼされ、タンガロアという神によって再建されたかを語り伝えている。サモア人は世界が水で溢れ人類がほとんど滅亡したが、二人の人間だけが舟で海に出て助かり、最終的にサモア群島に漂着したという。[33]

ギリシア、インドとエジプト

地球の裏側のギリシアの神話にも大洪水の記憶が色濃く残されている。だが、中央アメリカと同様に、大洪水は独立して記録されているのではなく、世界の破壊と再生の一連の物語の一部となっている。アステカとマヤの伝承はいくつかの「太陽」の時代があったことを述べている（現在は最後の第五の太陽の時代にあたる）。同じような古代ギリシアの伝承が、紀元前八世紀にヘーシオドスによって収集され、書き残されている。それによると今の時代の前に、地上には別の人種によって築かれた四つの時代があったという。前に存在した時代は、それぞれ後に来る時代よりも優れていた。またそれぞれの時代はある時期が来ると、自然の大災害に「飲み込まれた」という。

最初の時代に創造されたのは「黄金の人種」で、「神のごとく生き、心配がなく、問題も苦悩もなかった・・・不老の肉体をもち、宴会をしては飲み騒いだ・・・死んだのは眠り過ぎのためだった」。時が過ぎると、ゼウスの命令で黄金の種族は「地球の底に沈められた」。次に「銀の種族」がでてきたが、やがて「銅の種族」にとって変わられた。それから「英雄の種族」が創造されるが、その次に「鉄の種族」がでてくる。これが第五番目の種族で、現在の人類である。[34]

とくに興味深いのは「銅の種族」の運命だ。神話によれば「巨人の強さをもち、強力な肢体には力強い手があった」[35]と述べられているが、反抗的なタイタン族の巨人プロメテウスがこれらの侮りがたい人々に火を与えるという悪事を働いたため、彼らは神々の王ゼウスによって死滅させられた。[36]復讐心に燃えた神が地上を一掃するのに用いたのは、破壊的な洪水だった。

プロメテウスが人間の女性に身ごもらせ、その女性が息子デウカリオーンを産み、デウカリオーンはテッサリア地方（ギリシア中東部）のサイア国を支配し、ピュラーを妻としたという話はよく知られている。「赤味がかった金髪」という名をもつピュラーは、エピメテウスとパンドラの間に生まれた娘だった。ゼウスは「銅の種族」を滅亡させるという重大な決定をしたとき、デウカリオーンはプロメテウスから事前に忠告をされ、木の箱を造り、「必要なものすべて」を中に収め、ピュラーとともにその中に入った。神々の王ゼウスは天から大雨を降らせ、陸地のほとんどを水没させた。

この大洪水で高い山の頂に逃れた少数の人々を除いて、人類はすべて死滅した。「このときにテッサリア地方の山々がばらばらに崩され、国全体がスエズ地峡からペロポンネソス半島まで、一面の水面となった」

デウカリオーンとピュラーは箱の中で、この海面を九日間の昼夜にわたって漂流し、最後にギリシア中部の山パルナッソスに漂着した。雨がおさまったあと、二人は上陸し、神に生贄を捧げた。ゼウスは、その生贄に応えて使者ヘルメスをデウカリオーンに送り、望みはないかと訊いた。デウカリオーンは人類を求めた。ゼウスは二人に肩越しに石を投げるように命じた。デウカリオーンが投げた石は男となり、ピュラーが投げた石は女になった(37)。

ユダヤ人がノアを先祖と考えているように、古代ギリシア人はデウカリオーンを祖先とみなし、多くの町や神殿を造った存在だとみなしている(38)。

デウカリオーンと似たような人物が、三〇〇〇年以上前からインドのベーダ族によって崇拝されている。ある日のこと、と話は始まる・・・

あるマヌと呼ばれる賢い男が沐浴をしていたところ、手の中に小さな魚が入って「命を助けてください」と懇願した。男は哀れに思って容器に魚を入れておいた。だが翌朝になると魚は驚くほど大きく成長しており、男は湖に連れていかなければならなかった。すぐに湖も魚にとっては小さくなってしまった。「海に放してくれ。そうすればもうすこし楽になれる」と魚はいう(実は神ヴィシヌの化身だった)。それからマヌに大洪水がやってくると警告した。

神ヴィシヌはマヌに大きな船を贈り、生きるものすべてを二匹ずつ積み込み、すべての植物の種を積み込んで、船に乗りこむように命じた。(39)

マヌが命令されたことを実行すると同時に太洋が盛り上がりすべてを水没させ、魚の形をした神ヴィシヌ以外には、なにも見えなくなった。魚は巨大な一本の角を持っており、ウロコは黄金だった。マヌは箱舟を角にしっかりと留めた。ヴィシヌは箱舟を引っ張って溢れる水の面《おもて》をわたり、やがて「北の山」の頂上に船を着けた。(40)

魚は言った。「おまえを救った。船を木に留めろ。山にいるあいだ水に流されないですむ。だが水が引くのに合わせて船も下げろ」。マヌは水とともに山を下った。大洪水はすべての生き物を流し去り、残ったのはマヌだけだった。(41)

マヌは洪水から逃れた動物や植物とともに新しい世界を創り始めた。一年後に水の中から「マヌの娘」と名乗る女性が現われた。二人は結婚し子供を作り、現在の人類の祖先となった。(42)最後に古代エジプトの伝承を見てみよう。ここでも大洪水が起こっている。たとえばファラオ・セティ一世の墓で発見された葬儀に関する文書には、罪深い人類が洪水で滅ぼされたことが書いてある。(43)この大災害の原因は「死者の書」のCLXXV章において、月の神トトの言葉で以下のように述べられている。

彼らは争い、戦い、不和を続け、悪行を重ね、敵対心を作りだし、殺人を行ない、問題を起こし、弾圧を行なった・・・そこで私の創造物を全滅させることにした。地上は荒れ狂う洪水で水地獄となり、原始の時代に戻るのだ。[44]

謎の軌跡

トトの言葉まで見てきて、地球を一周し、シュメールと聖書の洪水の物語に戻ってきた。聖書の創世記には「暴虐が地に満ちた」とある。

神が地を見られると、それは乱れていた。すべての人が地の上でその道を乱したからである。そこで神はノアに言われた。「わたしは、すべての人を絶やそうと決心した。彼らは地を暴虐で満たしたから、わたしは彼らを地とともに滅ぼそう」[45]

デウカリオーンの洪水、マヌの洪水、そしてアステカの「第四の太陽」を滅ぼした洪水と同じように、聖書の中の大洪水も世界の一つの時代の終わりを告げるものだった。新しい時代が後を継いで、ノアの子孫が繁栄した。だが、最初からこの新しい時代にも大災害によってもたらされる終末が来ることになっている。古い歌にある通りだ。「神はノアに虹の前兆を与えた。もう水はこない、次は火だ」

この世界が崩壊する予言は聖書のペテロ書にある。

まず次のことを知るべきである。終りの時にあざける者たちが、あざけりながら出てきて、自分の欲情のままに生活し、「主の来臨の約束はどうなったのか。先祖たちが眠りについてから、すべてのものは天地創造の初めからそのままであって、変ってはいない」と言うであろう。すなわち、彼らはこのことを認めようとはしない。古い昔に天が存在し、地は神の言によって、水がもとになり、また、水によって成ったのであるが、その時の世界は、御言により水でおおわれて滅んでしまった。しかし、今の天と地とは、同じ御言によって保存され、不信仰な人々がさばかれ、滅ぼされるべき日に火で焼かれる時まで、そのまま保たれているのである。・・・しかし、主の日は盗人のように襲って来る。その日には、天は大音響をたてて消え去り、天体は焼けてくずれ、地とその上に造り出されたものも、みな焼きつくされるであろう。(46)

したがって聖書はこの世には二つの世界が存在したとしている。現在の世界は二番目であり、最後の世界だという。いろいろな地域の他の文化にも、異なった回数の崩壊と創造の記録が残されている。たとえば中国では、失われた世界の年代は「紀」とよばれ、孔子の時代まで一〇回あったといわれている。それぞれの「紀」が終わるときには、「自然が激動し、海は盛り上がり、山々が地面から飛び出て、川は方向を変え、人間とその他すべてが滅ぼされ、古代の痕跡は消されてしまった・・・」[47]

仏教の経典によると、「七つの太陽」があり、それぞれ、水や火や風によって滅ぼされている。[48] 現在の「第七の太陽」の終わりには「地上は炎に包まれる」という。[49] オーストラリア先住民の伝承「サワラクとサバ」によれば、空が「低くなり、第六の太陽が死滅し・・・現在は第七の太陽によって照らされている」[50]という。同じようにシビュレーの本（イタリア南西部クーマイの巫女の記したという予言集）では、「九の太陽は九の時代を意味し、これからまだ八と九の二つの時代がやってくる」と予言している。[51]

大西洋の反対側では、アリゾナのインディアンのホピ族（アステカ族の遠い親戚）[52]が、過去にあった三つの「太陽」を記録しているが、それぞれ全滅しては、再び人類が復興している。アステカの宇宙学では、もちろん現在の「太陽」の前に四回の「太陽」があったことになっている。神話の中で何回、崩壊が起こり創造があったかという回数は異なっているが、それでも古代からの伝承が非常に似ていることは明らかだ。世界中の伝承は何回も続いた大災害の記録のようだ。多くの場合、詩のような言葉や比喩やシンボルのため、連続して起こった地殻の大変動がどのようなものであったかが、あいまいになっている。多いのは少なくとも二つの災害が同時に起こったという報告だ（多くの場合は大洪水と地震だが、時には火と暗闇だ）。

これらは混乱した印象を与える原因となっている。だが、ホピ族の神話はきわめてすっきりしていて単純だ。かれらの物語は次のようなものだ。

最初の世界は人類の過ちのため、天と地下からの火ですべてが燃やされ破壊された。第二の世界の場合は、地球の軸がひっくり返り、すべてが氷で覆われた。第三の世界は世界的な洪水で終わった。現在は第四番目の世界だ。この時代の運命は、人々が創造主の計画に沿う行動をとるかどうかで決まる[53]。

われわれは謎の追跡をしている。創造主の計画を知ることはできないかもしれないが、世界が崩壊するということで一致する神話の謎に関しては、判断ができるかもしれない。

これらの神話を通して、古代人は直接的に現代人に語りかけてきている。彼らは何を言いたいのだろうか？

第25章　終末論のさまざまな仮面

北アメリカのホピ・インディアンと同じように、イスラム教に帰依する前のイランのアヴェスター系アーリア人も、現代の前に三つの時代があったと信じていた。最初の時代の人々は純粋で罪がなく、背が高く長寿であった。だがその時代が終わるころ、悪魔王が聖なる神アフラマズダに戦いを挑み、荒々しい大災害が起こった。第二の時代、悪魔王は成功しなかった。第三時代は善と悪が完全に均衡した。第四時代（現代の世界）は悪が勝利して始まり、その後も変わらず世界に君臨している[1]。

第四の時代の終わりはもうすぐ来ると予測されている。だがここで興味がわくのは第一時代の終わりの大災害だ。災害は洪水ではない。だが、世界中の洪水の伝承とよく似ており、なんらかの関係があることを感じさせる。

アヴェスター経典（ゾロアスター教の経典）は地上に楽園があった遠い昔に我々を連れていってくれる。それはイラン人の遠い祖先が伝説のエアヤナ・バエジョに住んでいたころだ。エアヤナ・

バエジョは聖なる神アフラマズダが最初に創った国で、第一時代の世界に繁栄した。ここはアーリア人の故郷であり神話の生まれた場所だ。

その時代のエアヤナ・バエジョは温暖で豊かな土地で、夏が七か月あり冬は五か月だった。野生の生物や穀物が豊かで、牧草地には小川が流れていた。ところがこの豊かな庭園のような土地が人も住めないほど荒廃してしまった。悪魔王アングラマイニュが暴れたために、冬は十か月になり夏は二か月しかなくなったのだ。

わたし、アフラマズダが最初に創った優れた国はエアヤナ・バエジョだった・・・だが悪の権化アングラマイニュが強大な蛇と雪を創った。冬は一〇か月になり、夏は二か月になったが、水も土も木も冷たくなった。すべてが雪に深く覆われた。それが最悪の災いだった・・・(2)

エアヤナ・バエジョに急激で過激な気候の変化が起こったことについては、読者の方も同意されると思う。アヴェスター経典はこの点に関して疑問の余地を残していない。この記述の前にアヴェスター経典には天界の神々が会議するところが描かれている。アフラマズダが主催したこの会議には、神のよき羊飼いとして高名なエアヤナ・バエジョの「公正なイマ」が、他のよき人々とともに参加している。

聖書の洪水の伝承と不思議な符合を見せ始めるのは、このあたりからだ。神アフラマズダは「公正なイマ」に会ったときに、悪魔王が引き起こそうとしている災いに関する警告を与える。

アフラマズダはイマに言った。「公正なイマよ・・・世界にはもうすぐ致命的な冬がやってくる。猛烈で破壊的な氷結に襲われるのだ。悪魔の冬が来ると雪は大量に降り積もる・・・三種類の獣たちは死滅する。未開の地に住む獣、山頂近くにすむ獣、そしてまた深い谷に隠れて住む獣だ。

バル（地下室または地下の格納所）を造れ。馬場の四隅に届く長さに。そこにあらゆる種類の獣たちを入れよ。大きな獣も小さな獣も、家畜も、駱駝《らくだ》なども、また人間や犬や鳥とともに燃える炎も携えよ。(3)

そこでは水が流れるようにせよ。森には鳥を住まわせ、流れの岸には枯れることのない緑の草を生やせ。そこにはあらゆる植物を植え、芳しい香りの、果汁が豊かな果物の木を植えよ。それらの獣や植物などはバルにいる間は死滅することがない。だが、奇形の生物、無益な生物、気の狂った者、邪悪な者、ずるい者、恨みを持つ者、嫉妬深い者、歯が生え揃っていない者、らい病患者は入れてはならない・・・(4)

規模の大きさは別として、イマの神がバルを造らせたことと、ノアの神が箱舟を造らせたことの大きな違いは一つしかない。箱舟は、世界を水の下に沈め、あらゆる生物を滅ぼす、恐ろしい破壊的な大洪水から生き残るために造られた。バルは、世界を氷と雪の毛布で覆い、すべての生物を滅ぼす恐ろしい破壊的な「冬」から生き残るために造られた。

ゾロアスター教の別の経典ブンダヒッシュ（最初に書かれたアヴェスター経典にはあったが、今は失われてしまっている太古の資料が含まれていると信じられている）は、さらに詳しくエアヤナ・バエジョを圧倒した氷結の大災害について述べている。悪魔王アングラマイニュは「猛烈で破壊的な氷結」をもたらし、「空を攻撃し狂わせた」という。[5] 経典ブンダヒッシュによると、この攻撃により、悪魔王は「空の三分の一を支配し、暗闇を広げ、氷で地表を埋め尽くした」という。[6]

言語に絶する寒さ、炎、地震と空の混乱

イランのアヴェスター系アーリア人は、どこかはわからないが、遠くの故郷から、西アジアに移住して来たとされている。[7] 彼らの伝承には大洪水と不思議に共通する大災害の話があるが、彼らがこのような太古からの伝承を持つ唯一の存在というわけではない。神からの警告があり、世界の崩壊から少数の人間を救済するというおなじみの話は世界中に存在し、多くは大洪水だが、突然に氷の世界になるという話もある。

たとえば南アメリカのグランチャコ地域（南アメリカ中南部、アンデス山脈とパラグアイ川の間に広がる平原）のインディオ、トバ族は、今でも古代の神話を語り伝えているが、それによると、「すさまじい寒さ」が到来したという。警告は半神の英雄アシンによってもたらされる。

アシンはできるかぎりたくさんの木を集め、小屋を厚くわらで囲うように人々に言った。小屋の用意ができるやいなや、アシンと他の人々は中に閉じこもり時を待った。「すさまじい

寒さ」が到来すると、寒さに凍えた人々が、燃え木を求めてやってきた。アシンは厳しく、友人にだけ燃えさしを与えた。人々は凍り、一晩中泣き声をあげていた。真夜中には子供も大人も、男も女もすべて死んでしまった・・・この氷とみぞれの時代は長く続き、すべての火は消えた。霜柱は革のように厚かった。(8)

アヴェスター系アーリア人の伝承の場合と同じように、「すさまじい寒さ」の到来とともに深い暗闇が訪れたようだ。トバ族の古老によると、このような苦難が訪れたのは、「地上が人で埋まったので、変わらなければならなかったからだ。世界を救うためには人口が減らなければならなかったのだ・・・長い暗闇の時期に、太陽が姿を消してしまい、人々は飢えに苦しんだ。食べものがなくなると、子供が食べられた。だが結局、みんな死んでしまった・・・」という。(9)

マヤの『ポポル・ヴフ』の洪水の時は「大量のヒョウが降り、黒い雨と霧が発生し、信じがたいほどの寒さになった」とある。(10) また「曇り、世界中が薄暗くなった・・・太陽と月は隠された」とも言っている。(11) 別のマヤの伝承によると人類がこの奇妙で悲惨な経験をしたのは、(12)「太古の時代のことだった。地上は暗くなり・・・太陽は明るく輝いていたが、日中突然暗くなった・・・太陽が戻ったのは洪水が起こってから二六年目だった」という。(13)

読者の方々も覚えておられると思うが、大洪水や大災害の神話には一面の暗闇が付きまとうだけでなく、天空にも変化が起こっている。たとえば、南米大陸南端、ティエラデルフエゴ地方の伝説では、太陽と月が「空から落ちた」とある。(14) また中国では「惑星はその軌道を変え、太陽と月と星は動きを変えた」とある。[15] インカの人々は「太古に空が地上に戦いを挑み、アンデスは引き裂かれた」と信じている。[16] 北メキシコのタラウマラ族は世界崩壊の伝説を持っているが、それによると太陽の軌道が変わったという。[17] アフリカ低コンゴ地方の神話によれば、「大昔に太陽が月に出会い、泥を投げつけた。そのため月は暗くなったが、同時に大洪水が起こった・・・」[18] という。カリフォルニアのインディアン、カート族は明快に「空が落ちた」という。[19] また古代ギリシア・ローマの神話では、デウカリオーン（ゼウスの起こした大洪水に妻ピュラーとともに生き残り人類の祖となった）の洪水の前には恐ろしい天体の変動があった。[20] これらの出来事は、パエトーンの話に象徴的に描かれている。太陽の神ヘーリオスの子パエトーンは、父の馬車の手綱を取ったが、軌道を保つことができなくなった。

荒々しい馬たちは、すぐに手綱が不慣れな者の手にあることを感じた。棒立ちしたり、左右に走るなどして、軌道から外れていった。地上は驚愕した。栄光ある太陽が、それまでの天空の安定した軌道を捨て、頭上を曲がりくねって走りはじめ、流星のように激しく落下しはじめたからだ」[21]

ここでは世界中の大災害の伝説に関連して、天空の異変がなぜ起こっているかについて推測するのはやめておこう。現在の段階では、このような伝承が、イランのアヴェスターの人々が伝える破壊的な冬と氷結の広がりを伴う「空の異変」と似ていることを指摘するだけで十分だろう。[22] 他にも関連する出来事が起こる。たとえば洪水の前後には炎が現われる。太陽神の子パエトーンの冒険の場合には、「草は枯れ、穀物は焼かれ、木々は燃えて煙を出し、裸の地面は割れボロボロになり、岩は熱で黒くなり破裂して粉々になった」[23]

火山活動や地震もまた、洪水とともに起こったと報告されているが、こういった話はとくにアメリカに多い。チリ南部のインディオ、アラウカン族ははっきりと、「洪水は火山の爆発の結果起こり、激烈な地震を伴った」と述べている。[24] グアテマラの西部高原のサンティアゴ・チマルテナンゴに住むマヤのマム族は、世界崩壊の原因の一つだという「燃える黒色の物質の洪水」を記憶している。[25] アルゼンチンのグランチャコに住むマタコ族は「洪水とともに南から黒雲が押し寄せてきて空を覆った。稲妻が落ち、雷鳴が聞こえた。空から落ちてくるのは雨ではなかった。火のようだった…」と語る。[26]

太陽を追いかけた怪物

ある古代文明は他の文明よりも、太古の記憶を神話の中に色濃くとどめていると思われるが、とくに、ドイツとスカンディナビアに住んでいたチュートン族はその代表的な例だ。チュートン族の文化は古代スカンディナビアの吟唱詩人・哲人の歌を通してよく知られている。ここで歌われている内容は、学者が考えるよりもはるかに古い時代のものと思われるが、ここでもおなじみのイメージが語られている。奇妙な抽象的な表現と、寓話的手法で恐ろしい規模の大災害が語られているのだ。

東の遠い森林で年取った巨人が若い狼を世界に招き入れた。狼たちの父親はフェンリル(大きな狼の姿をした怪物）だった。その怪物の一匹が太陽を追いかけ手に入れようとした。長い間、その追跡は徒労に終わっていた。だが毎年、狼は強く大きくなり、ついに太陽に届いた。太陽の輝く光線は徐々に消えていった。太陽は血に染まったように赤くなり、やがて完全に消え去った。

その後、世界は恐ろしい冬になった。雪嵐が地平線の至る所から吹き込んだ。地上の至る所で戦争が勃発した。兄弟同士で殺し合い、子供たちは血筋を尊重しなくなった。この時代の人間は狼と変わらなかった。お互いを滅ぼそうとした。世界はすぐに空虚な奈落の底に沈んでいった。

おなじころ、大昔に神々によって鎖につながれていた狼のフェンリルは、鎖を断ち切り逃げた。フェンリルが身震いをすると、世界が激動した。トネリコの木イグドラシル（地球の軸と見られている)も、根っこから梢の枝まで震えた。山々は砕け、山頂から麓《ふもと》まで裂けた。山々の地中に住んでいた小人たちは、入り口を探したが、いつもの入り口は消えていた。

神から見捨てられた人間は炉端から追い出され、人類は地上の表面から一掃された。陸地そのものも形が崩れた。星は空から漂流しはじめ、空虚な裂け目に落ちた。まるで長い旅路に疲れ果てた燕が波間に落ちるようだった。

巨人スルトは地上全体を炎で包んだ。宇宙は巨大な溶鉱炉でしかなかった。炎は岩の裂け目から吹き出した。いたる所で音をたて蒸気が吹き出した。すべての生物、すべての植物の生命が消滅した。残ったのはむき出しの地面だけだったが、空と同じように地上も裂け、深い割れ目だらけだった。

次にすべての川と海の水があふれ洪水を起こした。いたる所で波と波がぶつかった。水は増え、すべてのものの上にゆっくりと広がっていった。地表は海の下に沈んだ・・・。

だが、突然の大災害ですべての人々が死んだわけではなかった。トネリコの木イグドラシルの中に潜んだ人々は死を免れ、来たるべき時代の人々の先祖となった。トネリコの木イグドラシルの中までは、宇宙の大火災による猛烈な炎も達しなかったのだ。この聖なる領域のただ一つの滋養物は朝の露だった。

こうして、太古の世界が崩壊して新しい世界が生まれた。ゆっくりと地上が波間から姿を現わしはじめた。山々は再び高くなり、そこからは奔流が音をたてて流れていた。(27)

チュートン族の神話がいう新しい世界とは、現在の世界のことだ。言うまでもないが、アステカとマヤの「第五の太陽」と同じように、この時代はずいぶん前に始まり、もう少しも新しくはない。また、中央アメリカの多くの洪水伝説の一つに、一組の男女がノアのような箱舟ではなく、トネリコの木イグドラシルのような大きな木に入って助かる話があるのは偶然だろうか？「第四の太陽は洪水によって終わった。山々は消えた・・・二人が生き残った。なぜなら神々の一人が非常に大きな木に穴を堀り、空が落ちるとき木の中に身を潜めるように指示したからだった。二人はそのとおり実行し助かった。かれらの子孫は再び増え、世界に広がった」[28]

奇妙ではないだろうか？　同じような象徴的な言葉が、世界の遠く離れた場所の多くの古代伝承で使われているのだ。われわれは異なる文化を結ぶ広範囲の潜在意識下のテレパシーの話をしているのか？　あるいは、世界中に存在するこれらの偉大な神話は、何らかの目的を持った賢明な人々によって創作されたのだろうか？　この二つのありそうもない見解のどちらが真実に近いのだろうか？　あるいは神話の謎にたいする第三の説があるのだろうか？

この問題に関しては、後ほど本書で再び考察する。ところで多くの神話に登場する、炎と氷と洪水と火山の噴火と地震による終末の物語からわかることは何だろうか？　それらの忘れがたい話は実に現実感に溢れている。なぜだろうか。それはそれらの伝説が、人類の過去の真実の物語かもしれないと私たちが薄々感じながらも完全に忘れ去ることも完全に思い出すこともできないでいる物語だからだろうか？

第26章　地球の長い冬に生まれた種族

歴史とは、人類がはっきりと記憶している時代のことであり、その期間に人類全体が破滅の危機に直面したことはない。色々な時に色々な場所で多くの自然災害が発生している。だが、過去五〇〇〇年間、人類全体が絶滅するような危機に遭遇したことは一度もない。

いつもこのような状態だったのだろうか？　あるいは遠く過去にさかのぼれば、我々の先祖が絶滅しかけた時代があったのだろうか？　終末論的な偉大な神話の舞台は、そのような時代だったのか？　学者たちは、通常、神話は古代の詩人の作り話だという。だが、学者が間違っていたらどうか？　実際に恐ろしい自然の大災害が連続して起こり、太古の祖先をほとんど消滅させ、生き残ったのは、数少ない人々で、それも地球上の色々なところに散在して、連絡もとれなかったのではないだろうか？

神話の世界が、シンデレラの靴のようにぴったりとはまる時代はないのだろうか？　これを探究するにあたって、地球上に文明をもった人類が生まれる前の時代は、当然ながら調査する必要がない。ここではホモハビリス（初めて道具を作ったとされる直立猿人）やホモエレクトス（直立猿人）やホモサピエンス・ネアンデルタールですら取り上げようとは思わない。興味があるのはホモサピエンス・サピエンス、つまり現代の人類だけだ。われわれの歴史はそれほど古くないのだ。

今の人類がいつごろから存在したかについては色々な意見がある。ある研究者は十万年前のある遺骨は、「完全に文明化された」人類のものだという。他の研究者は四万年前から三万五〇〇〇年前ごろから存在していたという。別の学者はその間をとって五万年前ぐらいだという。だが誰にも正確にはわからない。「ホモサピエンス・サピエンスと呼ばれる亜種が、いつ完全に文明化された人間の姿で現われたかは、原始人類学の最大の謎の一つだ」とある専門家は言っている。[1]

三五〇万年にわたる進化の過程を、いくつかの化石が示している。その第一の記録は小さな二本足で歩いた原人（ルーシーというニックネームをもつ）から始まっている。この原人の遺骨は一九七四年に東アフリカのグレートリフトバレー（エチオピア）で発見された。頭脳の容積は四〇〇cc（現代の人類の平均の三分の一以下）で、ルーシーは明らかに人類ではなかった。だが猿でもなく、人間のもつ特徴を備えていた。たとえば立って歩いたし、骨盤や奥歯が人間と似ていた。こうしたことを含む様々な理由により、ルーシーの種族はアウストラロピテクス・アファレンシスに類別され、おおかたの原始人類学の学者から、人類の直接の先祖だとみなされている。[2]

二〇〇万年前頃から、現代の人類の始まりであるヒト属の、ホモハビリスが頭蓋骨や骨の化石を残すようになった。この種族は、時間の経過とともに進化していった過程をはっきりとした形で残している。彼らは、より「きゃしゃ」になり、洗練され、頭脳は大きくなり、様々な能力を持つようになっていった。ホモハビリスと重なる時代に生きたホモエレクトスは、ホモハビリスの後継者で、一六〇万年前頃に現われており、頭脳の容積は九〇〇cc（ホモハビリスは七〇〇cc）だった。[3]それから一〇〇万年ほど後になる四〇万年前頃までの間には、少なくとも現存している化石から判断する限りでは、大きな進化は見られない。ホモエレクトスは死滅の瀬戸際を越え、やがてゆっくりとヒト属の天国が始まる。それから少しずつ、本当に少しずつ、原始人類学者が呼ぶところの「サピエント段階」が出現してくる。

いつごろより「サピエント（賢い）」の形態に移行しはじめたかを述べるのは難しい。ある人々は、頭脳の拡大、頭蓋骨の脆弱化などの変化が始まったのは、四〇万年前だという。だが残念なことに、この時代の化石はあまりにも少なく、何が起こっていたかをはっきりと言うことはできない。[4]

四〇万年前に間違いなく起こっていなかったことは、物語を語ったり、神話を創ったりできる亜種ホモサピエンス・サピエンスの出現だ。賢い人間はホモエレクトスから進化してきたというのが定説になっている。[5]確かに原始的な「賢い」種類は四〇万年前から一〇万年前までの間に存在しはじめている。だが残念なことに、これらの過渡的な「種」と現在の人類との関係は、何も明らかになっていない。先ほど述べたとおり、研究者によっては、この時期の終わり頃に、「ホモサピエンス・サピエンス」という類人猿とは一線を画す最初の人々が現われたという。だが、それらの遺骨はいずれも部分的なもので、かれらの主張が広く認められたわけではない。文明人のものと推測される古い頭蓋骨の一部としては、紀元前一一万三〇〇〇年ほど前のものが見つかっている。(6) ホモサピエンス・ネアンデルタールが初めて現われた頃だ。この特徴的な亜種は「ネアンデルタール人」として、よく知られている。

背が高く、筋肉が盛り上がり、広い額と前に突き出した顔をもったネアンデルタール人は、人類よりも大きな頭脳を持っていた(一四〇〇cc、人類は一三〇〇cc)(7)。大きな頭脳を持っていたことからも明らかなように、彼らは「知的で、繊細で、機略縦横の生き物」だった。(8) 化石の記録から見ると、ネアンデルタール人は一〇万年前から四万年前頃まで、地球上に君臨していたようだ。この長いが謎の多い時期に、ホモサピエンス・サピエンスが台頭し、四万年前頃から化石を残しはじめている。彼らは疑いをはさむ余地のない、文明化された人間だ。そして三万五〇〇〇年前頃までに、完全にネアンデルタール人にとって代わっている。(9)

まとめると、われわれのような人類、つまり髭を剃り、現代の服を着て町を歩いていても誰も驚かないような人種は、一一万五〇〇〇年前に出現した可能性もあるが、五万年前に出現した可能性の方が高い。したがってこれまで見てきた神話に登場する大災害は、人類が経験した地殻の大変動の時代の話だったとすると、これらの大変動が起こったのは少なくとも一一万五〇〇〇年前以降、それよりも可能性が高いのは五万年前以降だということになる。

シンデレラの靴

地質学と原始人類学が奇妙に符号している。最後の氷河期の開始と進展の時期が、文明化された人類の発祥と急激な増加の時期に重なり合っているのだ。さらに奇妙なのは、双方についてわかっていることが非常に少ないことだ。

北アメリカでは最後の氷河期をウィスコンシン氷期と呼んでおり(ウィスコンシン州で石の堆積物を研究したため)、その始まりは一一万五〇〇〇年前になる。[10] それ以降、氷原は拡大と縮小を繰り返した。氷原が一番広がったのは六万年から一万七〇〇〇年前頃だ。氷河が拡大した最盛期はタズウェル増進期と呼ばれ、一万五〇〇〇年ほど前になる。[11] だが、一万三〇〇〇年前になると何百万平方キロもの氷が溶けはじめたが、その理由は不明であり、紀元前八〇〇〇年にはウィスコンシン氷期は完全に終わってしまった。[12]

氷河期は地球全体で起こった。北半球も南半球も影響を受けた。世界のいたる所に、似たような気候と地質的状況があった(東アジア、オーストラリア、ニュージーランド、南アメリカなど)。ヨーロッパも氷河で覆われていた。大量の氷はスカンディナビアやスコットランドのみならず、英国、デンマーク、ポーランド、ロシア、ドイツの大部分、スイス全域、オーストリア、イタリア、フランスの多くを覆っていた。[13](専門用語ではビュルム氷期と呼ばれるヨーロッパの氷河期はアメリカ大陸よりも少し遅れて七万年前に始まったが、最盛期はほぼ同じころ、一万七〇〇〇年前に迎えている。その後、同じように退却をはじめ、同じころに完全に終わっている)。[14]

氷河期の重要な年代を見てみよう。

❶六万年前にはビュルム氷期もウィスコンシン氷期もその他の氷期も進行中だった。
❷一万七〇〇〇年前頃、氷原は新世界でも旧世界でも最盛期に達していた。
❸その後、七〇〇〇年にわたって氷が溶け続けた。

ホモサピエンス・サピエンスが台頭してきたのは、地質的にも気候的にも大荒れの長い時期だったことになる。この時代の特徴は猛烈な凍結と洪水であった。氷が執拗に拡大していく何千年という時代は、人類の祖先にとって怖く、恐怖を感じたときだったろう。だが、最後の七〇〇〇年間は、広範囲に急激に氷が溶けたためもっと悲惨だったにちがいない。

この恐怖の時代に生きていた人々の、社会的、宗教的、科学的、知的発展段階について、ここで慌てて結論をだすのはやめよう。当時の人々がすべて原始的な洞窟に住んでいたと考える一般的な固定観念は、間違っているかもしれない。実際のところ彼らについては何もわかっていないのだ。一つだけはっきり言えるのは、当時の人々は肉体的にも心理的にも、まったくわれわれと同じ人間だったということだけだ。

彼らはこの大荒れの時代に何度か絶滅の危機にさらされたのだろうか？　また学者たちが歴史的価値がまったくないという大災害の偉大な神話が、実は実際に起こったことを目撃した人々の、正確な記録を含んでいるのではないだろうか？　次の章では神話がシンデレラの靴のようにピッタリと合う時代について見てみよう。それはどうやら最後の氷河期のようなのだ。

第27章　地表は暗闇で覆われ、黒い雨が降りはじめた

最後の氷河期には、すべての生物に対して恐ろしい力が襲いかかった。これがどのように人類に影響を与えたかは、当時の他の大きな動物たちが受けた被害に関する確実な証拠から、推察することができる。それらの証拠の多くは謎を含んでいる。南アメリカを訪問したチャールズ・ダーウィンもまた謎を発見した。

これらの動物の絶滅に私ほど驚いたものはいないだろう。ラプラタ（アルゼンチン東部）では馬の歯を発見したが、これがマストドン（巨象）やメガテリウム属の動物（カバほどの大きさのナマケモノに似た貧歯類の動物）やトクソドンやその他の巨大な動物たちと一緒に埋もれていた。これらの動物はつい最近まで共存して生きていた動物だ。私は驚愕するばかりだった。スペイン人が南アメリカに連れてきた馬は、野生化して南アメリカ中で驚くほどの速度で繁殖した。だが、極めて良好な環境の中で、昔の馬が最近になって絶滅してしまっ

ているのはなぜだろうか?[1]

答えはもちろん氷河期だった。氷河期にアメリカの原生馬だけでなく、その他の多くのそれまで繁栄していた哺乳動物が死滅している。死滅したのは新大陸の動物だけではない。氷河が発達する長い期間に、地球のいたる所で広範囲にわたって動物が絶滅している(原因はそれぞれ異なり時期も異なる)。だがほとんどの動物が氷河期最後の七〇〇〇年間に絶滅している。紀元前一万五〇〇〇年から紀元前八〇〇〇年の間だ。[2]

この段階では、動物たちを死滅させた氷原の拡大や後退に関する、気候や地震や地質などの特質について突きつめて考える必要はないだろう。合理的に考えれば、津波や地震や巨大な暴風や突然の氷原の発達や後退が、動物たちの絶滅に大きな役割を果たしたことは推測できる。だがもっと重要なことは、何があったにしろ、最後の氷河期の混乱時に大量の動物が絶滅したことがはっきりと観察できることだ。

この混乱は「地球の枠組み全体」を揺さぶったに違いない、とダーウィンは「日誌」の中で結論している。[3] たとえば、新大陸では紀元前一万五〇〇〇年から八〇〇〇年にかけて七〇種類以上の大型哺乳類が絶滅している。この中には北アメリカ特有の七種類の長鼻類(象・マンモスなど)が含まれる。[4] この期間に四〇〇〇万頭以上の動物が命を失ったが、それはこの長い期間の流れの中でいつでも同じように起こっていたことではない。むしろ、紀元前一万一〇〇〇年から前九〇〇〇年の二〇〇〇年間に集中している。[5] この時期の前の三〇万年の間に死滅したのは二〇種類程度であり、

比較すると突出していることがわかる。(6)

動物たちが滅んだ時期が一時期に集中しているのは、ヨーロッパやアジアでも同じだった。遠く離れたオーストラリアも例外ではなく、この短い期間に一七種類以上の脊椎動物（哺乳類以外も含む）が絶滅している。(7)

アラスカとシベリア——突然の氷結

アラスカとシベリアの北方地域は、紀元前一万三〇〇〇年から前一万一〇〇〇年頃にかけて、死を伴う大混乱に襲われたようだ。北極圏の端のあたりでは大規模な天災の爪痕《つめあと》が見られ、数知れぬ巨大動物たちの遺体が発見されている。残骸の多くにはまだ肉がついており、驚くほど大量のマンモスの牙が完璧な状態で保存されている。両方の地域でマンモスの遺体はソリ犬の餌になっており、フェアバンクス（アラスカ州中東部の都市）のレストランではマンモス・ステーキをメニューに載せている。(8) ある専門家は「何百、何千という動物たちが死ぬと同時に冷凍された。そうでなければ肉も牙も腐敗したはずだ・・・何か物凄い力が働いてこのような破局が訪れたのだ」と言う。(9)

北極圏生物学研究所のデール・ガスリー博士は、アラスカには紀元前一万一〇〇〇年には、実に多くの種類の動物が棲息していたという、興味深い指摘をしている。

> 犬歯がサーベル状に発達した虎、駱駝《らくだ》、馬、サイ、ロバ、巨大な枝角を持つ鹿、ライオン、イタチ、サイガ（シベリア草原地帯の羊）などが生息していたことがわかり、これらの動物

がどのような環境に住んでいたかを考えざるを得ない。現在、生息している動物たちとはまったく異なる、多彩な動物が住んでいたということは、[10] 当然の疑問を生む。環境もまた動物たち同様、まったく違っていたのではないだろうか？

遺体が堆積されていたアラスカの黒泥は、きめの細かい暗い灰色の砂だ。ここに大量に冷凍されていた動物についてニューメキシコ大学のヒブン教授は、次のように言う。

変形した動物の死骸や木の一部が、氷の塊や泥炭やコケの層に混ざっている・・・野牛、馬、狼、熊、ライオン・・・これらの動物が一緒に葬り去られている。何かひとつの強大な力で圧倒されたようだ・・・動物や人間の遺体がこのように重なり合うのは、自然な状態では起こりえない・・・[11]。

色々な層に石器が見つかっており、「地中深くで昔のままの状態で凍っていた。氷河期の動物相も見つかる。したがって動物たちが絶滅したころ、人類はアラスカに住んでいた」という[12]。

アラスカ中の黒泥には以下のような形跡が発見されている。

前代未聞の天変地異が起こった形跡がある。マンモスと野牛たちが、引き裂かれ押し潰されているのだ。まるで怒り狂った神の手によって行なわれたみたいだ。ある場所には、マンモスの前脚と肩があり、黒くなった骨には筋肉や爪や毛がまだついている。その近くには野牛の首と頭蓋骨があり、脊髄には腱靭帯が付着している。角を覆うキチン質も保存されている。ナイフなどの刃物の形跡はまったくない(人間の狩人が関係していた形跡がない)。動物たちは単純に引き裂かれ、わらや紐のように一か所に吹き寄せられたのだ。だが、動物たちの重さは数トンもある。骨の山に混じって木があるが、それらもねじれ、裂かれて、絡み合っている。この全体の上に黒泥がかぶさり、堅く凍結している。[13]

シベリアでも似たような状況にあり、同じ時期に地質的混乱が起こり劇的な気候の変化を経験している。シベリアのマンモスの墓場は、ローマ時代から象牙を取り出すため掘り起こされているが、二〇世紀のはじめまで、一〇年間に平均して四万本も発掘されていたと推測されている。[14]

大量の絶滅が起こった背景には、ここでも謎の要素が働いたと思われる。羊毛のような毛と厚い皮膚を持つマンモスは寒さに適応できると考えられている。したがってシベリアに遺体があっても不思議ではない。もっと説明が難しいのは、人間が一緒に死んでいることだ。[15] それだけでなく、寒さに適応できそうもない多くの動物が一緒に死滅していることだ。

北シベリア平原にはサイや羚羊《れいよう》や馬や野牛など、その他の多くの草食動物が繁殖していた。またそれらの動物を餌にする虎などの、多彩な肉食動物が繁殖していた・・・それらの多くの動物は、マンモスと同じようにシベリアのずいぶん北の方にまで棲息していた。北極海の沿岸やもっと北のリャーホフ諸島やニューシベリア諸島など、北極点のすぐそばでも棲息していた。[16]

研究者たちは、紀元前一万一〇〇〇年前の大災害が起こる前にシベリアに棲んでいた三四種類の動物のうち、二八種類以上が温暖な気候にしか棲めないことを確認している。[17] 三四種類の中にはマンモスや巨大な鹿、ハイエナ、ライオンなどが含まれている。大量絶滅にまつわる最も大きな謎は、北に行けば行くほどマンモスやその他の動物の死骸が増えることである。[18] 今日の地理的あるいは気候的状況から考えると逆のように思える。たとえばニューシベリア諸島の一部は、北極圏の内部に入っている。だが、この土地を最初に探検した人物は、島がマンモスの骨と牙で埋まっていると報告している。[19] 一九世紀のフランスの動物学者ジョルジュ・キュビエが言うように、「動物たちが凍結している場所には、もともと氷はなかった。そのような環境には棲めないからだ。動物たちが命を断たれたときに、棲息していた場所が凍結した」というのが、唯一の論理的結論だ。[20]

紀元前一万一〇〇〇年頃、突然シベリアが凍結したことを示す形跡は、たくさん残っている。ニューシベリア半島を調査した北極圏探検家エドアルド・フォン・トル男爵は「サーベル状の犬歯を持つ虎と、立っていれば二七メートルもある果樹の遺物を見つけた。枝には緑の葉と成熟した実がまだついていた・・・永久凍土層の中に良い状態で保存されていた。木は果実と根をつけたまま、現在この島に育っている木は、高さ二・五センチにしかならないヤナギの仲間だけだ」[21]

シベリアに厳しい寒さが訪れ、大変動が起こったことを示唆するのは、絶滅した動物たちが死ぬ直前に食べていた食物だ。「マンモスは突然死んだ。極寒のなかで大量に死んだ。死はあまりにも急激だったので、食べた植物が消化される間もなかった・・・草、イトシャジン、キンポウゲ、柔らかいスゲ、野生の豆がその体内で見つかったが、食道でも胃でも、まだ形状をとどめていた」[22]

言うまでもないが、そのような植物は、現在のシベリアでは育たない。したがってそのような植物が育っていたということは、紀元前一万一〇〇〇年前のシベリアは快適な気候の豊かな土地であり、もっと暖かかったようだ。[23] 世界の他の場所では最後の氷河期が終わろうとしていたというのに、楽園だった場所がなぜ死の冬を迎えてしまったのか？　この疑問は第8部で取り扱うことにする。だがはっきりしていることは、一万二〇〇〇年から一万三〇〇〇年前のシベリアに、破壊的な氷結が恐るべき速度で起こり、その後、この土地は氷に閉ざされてしまったままだということだ。七か月の夏があったのに、ほとんど一晩のうちに十か月も氷と雪に埋もれる土地に変わってしまったアヴェスターの伝承とも不気味な一致を見せている。[24]

一〇〇〇のクラカトア火山が一度に爆発

天変地異の神話の多くはその中で、ひどい寒さと暗い空の、黒く燃える炭のような雨が降った時代を語っている。シベリア、ユーコン、アラスカに横たわる広大な「死の弓形」の土地においては、何百年にもわたってそのような状態が続いたのだろう。「泥の中や骨や象牙の積み重なるところには火山灰も堆積している。絶滅が起こったときに火山噴火があったのは偶然ではない」[25]

ウィスコンシン氷原が後退している最中に、火山噴火が多発した形跡が数多く残っている。[26] アラスカの凍った黒泥地帯の遙か南、ロサンゼルスのラブレアの有名なタール坑には、何千という有史以前の動植物が、一緒に埋もれていた。発掘された動物は野牛、馬、駱駝、ナマケモノ、マンモス、マストドンなどだが、サーベル犬歯の虎は、少なくとも七〇〇匹出てきている。[27] 関節が外れた人間の骸骨も発見された。骸骨は軟炭に埋没していたが、絶滅したハゲワシの骨と一緒に出てきた。一般的に言えば、ラブレアの遺物(「砕かれ、潰れ、変形した様々な種類の動物の死骸」[28])は、突然襲った大規模な恐ろしい火山噴火を雄弁に物語っていると言える。[29]

最後の氷河期の典型的な鳥や哺乳類の遺骸は、カリフォルニアの二か所の天然アスファルトの中からも発掘されている(カーピンテリアとマクキトリック)。サンペデロ溪谷ではマストドン象の骸骨が発見されたが、火山灰や石に埋もれて立ったまま死んでいた。コロラド州の氷河期の湖フロリスタンやオレゴン州のジョンデイ盆地で出土した化石は火山灰の中から発掘されている。[30]

このような大きな墓場をつくった強大な噴火は、ウィスコンシン氷期が終わるころに多発しているが、氷河期全体を通して発生している。それは北アメリカだけでなく、中央アメリカ、南アメリカ、北大西洋、アジア大陸、日本でも発生している。[31]

幅広い地域で起こった火山噴火は、当時の奇妙で恐ろしい時代に生きていた人類にとって、どういう意味があったかを想像することは難しい。だが、一九八〇年にセントヘレンズ火山が噴火し、カリフラワー型の土砂の雲や煙と灰が大気圏の外に吹き上げられたことを覚えている読者は、このような爆発がたくさん起こったら(地球上の異なった場所で長い期間にわたって連続したら)、噴火のあった地方が破壊されるだけでなく、地球全体の気候が非常に悪化することがわかるだろう。

セントヘレンズ山は一立方キロメートル分の岩を吹き飛ばしたと推測されているが、氷河期の噴火と比べると規模が小さすぎる。[32] もっとよく似ているのは、一八八三年のインドネシアの火山クラカトアの噴火だ。このときの噴火は猛烈なもので、三万六〇〇〇人が死亡し、四八〇〇キロ離れた場所でも爆発音が聞こえた。震源地のスンダ海峡からは津波が発生し、ジャワ海とインド洋沿岸には三〇メートル以上の高波が押し寄せた。蒸気船は数キロも内陸に運ばれ、東アフリカ沿岸や南北アメリカ両大陸の西海岸も高波に襲われた。一八立方キロメートルの岩と大量の灰とほこりが舞い上がり、超高層大気圏に打ち上げられた。この結果、地球の大空は二年間以上も目に見える形で暗くなり、夕陽は非常に赤かった。この期間、地球の平均気温は大きく下がった。なぜなら火山灰が空を漂い、太陽光線を宇宙に反射していたからだ。[33]

氷河期の特徴であった活発な火山活動の場合、一つではなくたくさんのクラカトアが爆発したと想像するべきだ。爆発が続く最初の結果は、凍結状態の発展であった。打ち上げられた火山灰に太陽光線がさえぎられ、ただでさえ低かった温度がさらに急降下したのだ。火山噴火は莫大な量の二酸化炭素を大気中に吐き出す。二酸化炭素は「温室ガス」だ。したがって火山活動が鎮静化した時期には、地球が温暖化したと見ることができる。多くの専門家たちが、氷河が発達したり後退したりする理由を、この火山活動による気候の変動に求めている。[34]

世界的な洪水

地質学者たちは、紀元前八〇〇〇年にはウィスコンシンの氷床もビュルムの氷床も後退していたという見解で一致している。氷河期は終わったのだ。だが、その前の七〇〇〇年間は想像を絶する壮大な規模の気候と地質の大変動があった。大変動が大災害になり、不運な惨禍となり、生き残った人類は恐怖と混乱の中に生きたことだろう。ときには変動が鎮静化する時期もあっただろう。そのようなときにはそれで最悪の事態が終わったことを願っただろう。大変動が鎮静化した期間に巨大な氷河が溶けはじめると、破壊的な洪水が次から次へと起こったに違いない。さらに地球の外殻の一部は、何百万トンもの氷の重さで、地球内部の岩流圏に沈み込んでいた。ところが氷が溶けはじめたので、外殻が突然盛り上がりはじめ、大規模な地震を起こし、轟音がこだました。

あるときはとくに変動が激しかった。ほとんどの動物が絶滅したのは紀元前一万一〇〇〇年から紀元前九〇〇〇年の間だった。このときに気候が激変しているが、そのメカニズムはまだわかっていない(35)(地質学者ジョン・インブリーは「一万一〇〇〇年前に気候の革命が起こった」という言葉で表現している)(36)。この時期には堆積物も増加し(37)、急激に海の温度が上昇した。大西洋の海面で摂氏にして六度から一〇度も上昇している(38)。

もう一つの、たくさんの動物が絶滅した混乱の時期は、紀元前一万五〇〇〇年から前一万三〇〇〇年だった。前章でタズウェル増進期で氷河が最盛期に達したのは一万七〇〇〇年前であり、それ以降、劇的な長期にわたる氷の溶解が始まったことを述べた。その結果、二〇〇〇年もかからないうちに北アメリカやヨーロッパの何百平方キロもの土地が氷河から開放されることになった。

だが奇妙なことがある。アラスカ西部、カナダのユーコン地区、シベリアの大部分、ニューシベリア諸島(現在では世界で最も寒い地域)には氷河時代が終わる直前まで、氷が存在していなかったのだ。現在のような気候になったのは一万二〇〇〇年前なのだ。それも非常に急激な変化だった。マンモスや他の大きな動物たちが日常生活を送っている最中に、突然、冷凍されてしまったのだ。[39]

他の場所はまたそれぞれ事情が異なっている。ヨーロッパのほとんどは三キロ以上の厚さの氷で覆われていた。[40] 北アメリカも似たような状態だった。氷原はハドソン湾あたりを中心とし、カナダ東部全体、ニューイングランド州、中西部のほとんどを覆い隠していた。氷原の南端は三七度線まで来ており、ミシシッピー溪谷、シンシナティーの南に到達し、赤道までの距離の半分を越えていた。[41]

最盛期の一万七〇〇〇年前に北半球を覆っていた氷の量は、二四六〇万立方キロメートルだったと計算されている。だが、前にも述べたとおり南半球にも広大な氷原が広がっていた。無数の氷原ができるためにはたくさんの水が必要だが、それらは海や太洋の水だった。したがって当時の海面は現在よりも一二〇メートルも低かった。[42]

このときに気候の振り子が一八〇度反対側に乱暴に振れたのだ。壮大な氷原が突然しかも広範囲で急激に溶け出したが、これは「奇跡のようなもの」だと言われている。[43] この暖かい気候の時期をヨーロッパではボーリング期と呼び、北アメリカではブラディ亜間氷期と呼んでいる。このとき、両地域では——

> 四万年かかってできた氷原が二〇〇〇年でほとんど溶けてしまった。これは氷河期の気候が徐々に変わったために起きたことではないのは、明らかだ・・・氷が異様な速さで溶けて

しまったことは、環境に何か異常なことが起こったことを示唆している。この異常な現象が最初に起こったのは、一万六五〇〇年ほど前だ。そのため、その後の二〇〇〇年の間に氷河の四分の三が溶けることになった。だがこの劇的な変化の大部分が起こったのは一〇〇〇年間かそれより短い期間に集中している。(44)

この変動の最初の結果は、海面が際だって高くなったことだった。一〇〇メートル程度は上がったと思われる。(45) 島や、陸橋(大陸と大陸、あるいは島を結ぶ帯状の陸地)が消え、大陸の沿岸も低いところは水没した。さらに時々、大津波が押し寄せ、高い土地も海水に飲み込まれた。高波の水は引いただろうが、大きな爪跡を残した。

アメリカでは、「氷河期の海の動物がミシシッピー川の東側まで見つかるが、場所によっては、高さ六〇メートル以上のところで見つかる」(46)。ミシガン州の氷河期の沈殿物が埋まっている沼地では、二頭のクジラの骨が見つかっている。ジョージア州では、四九メートルの高さのところで海の動物が見つかり、北フロリダでは七三一メートルの高さで見つかっている。テキサス州はウィスコンシン氷期の氷床が届いていない場所だが、ここから氷河期の陸上哺乳動物の死骸が海の堆積物の中で見つかっている。カナダの北東の州や北極海湾岸の海の堆積物の中では、セイウチやアザラシとともに少なくとも五種類のクジラが横たわっていた。北アメリカの太平洋岸の多くの場所では、三二〇キロメートルの内陸部でも、氷河時代の海洋生物の死骸が見つかっている。(47) オンタリオ湖の北側で見つかったクジラの骨は、標高一三四メートルの高さにあった。バーモント州では一五二メートルの高さ、モントリオール・ケベック地区では標高一八三メートルの高さで見つかっている。[48]

世界中の洪水神話には、人間や動物が海の潮が満ちてきて高い山の頂上に逃げる話が繰り返し出てくる。化石の記録から見ると、これは実際に起こった出来事だと言える。氷が溶けたとき、逃げた山が十分に高くなかったために、逃亡者たちが災害にあっている。たとえば、中央フランスの孤立した丘の岩の裂け目は、「骨の角礫岩」とよばれる骨でできた岩で埋まっている。骨はマンモスや体毛を持つサイやその他の動物たちのものだ。ブルゴーニュ地方のゲネイ山の標高四三六メートルの頂上は「マンモス、トナカイ、馬その他の動物の骨で」覆われている。[49] さらに南のジブラルタルの岩山では「動物たちの骨とともに旧石器時代人の大臼歯と火打ち石」が見つかっている。[50]

カバの骨も、マンモス、サイ、馬、熊、野牛、狼、ライオンの骨とともに、イギリス海峡に面する英国のプリマス近辺で発見された。[51] シシリー島のパレルモ近辺の丘でも「異常な数のカバの大量死」が発見されている。[52] これらの事実を基にして、オックスフォード大学の元地質学教授ジョセフ・プレストウィッチは、中央ヨーロッパ、イングランド、コルシカ島やサルデーニャ島やシシリー島などの地中海の諸島が、氷床が溶けた時期に何度か水没していると結論している。

水かさが増えると動物たちは自然に丘へと集まった。それは水に完全に包囲されるまで続いた・・・彼らは一か所に殺到し、入れる洞穴の中に逃げ込んだ。だがそれも水没するまでで、みんな死滅した・・・丘の瓦礫や大岩が水流で押し流され骨を砕き粉々にした・・・初期のいくつかの人類社会も、この大災害で被害を受けただろう。[53]

同じころ中国でも似たような洪水が起こったと思われる。北京近くの洞窟ではマンモスや野牛の骨と一緒に、人間の骸骨も見つかっている。[54] 多くの専門家たちが、シベリアでマンモスのなぎ倒された死骸が、折れたり裂けたりした木と一緒になっているのは、「大津波が森林を根こそぎにし、泥の洪水で大虐殺が行なわれ葬られたからだ。極地ではこの泥が急速に凍結し証拠を今日まで永久凍土層に残したのだろう」と考えている。[55]

南アメリカ全域でも氷河期の化石が発掘されている。「そこでは肉食獣と草食獣が、無差別に人間の骨と混ざり合っている。同じ地質層に墓場をつくっている」[56] 広範囲にわたって陸上生物と海中生物が無秩序に混ざり合い、同じように重大なことに、同じ地質層に墓場をつくっている。

北アメリカも洪水で打撃を受けている。大規模なウィスコンシン氷床が溶け始めると驚くべき速度で巨大な湖が一時的にできあがり、動物たちを水死させたが、数百年後には完全に水が引いてしまった。たとえば新大陸にできた最大の氷河湖アガシーは、ある時期、二八万平方キロメートルの広さをもっており、現在のカナダのマニトバ州(中南部)、オンタリオ州(南部)、サスカチェワン州(南西部)と、アメリカのノース・ダコタ州とミネソタ州のほとんどを覆っていた。[57] だがこの状態は一〇〇〇年も続かなかった。氷の溶解と洪水が突然起こり、そのあと穏やかな時期に入ったことがよくわかる。[58]

信頼できる証拠

新大陸にはじめて人間が到来したのは一万一〇〇〇年前だと、これまで長いこと信じられてきた。だが、最近の発見により、その時期はもっと古かったことがわかっている。カナダの研究者がアラスカのユーコン準州にあるオールド・クロウ盆地で二万五〇〇〇年前の石器を発見している。[59] 南アメリカでは（ペルーや南米南端のティエラデルフエゴ諸島でも）人間の遺骨と工芸品が発見されたが、それらは確実に紀元前一万二〇〇〇年のものだったし、紀元前一万九〇〇〇年から紀元前二万三〇〇〇年頃のものとみなされる人骨や工芸品も発見されている。[60] これらのことを考慮に入れると「アメリカに人々が住みはじめた時期は、少なくとも三万五〇〇〇年前だと見るのが最も理屈にかなっているが、それ以降も移り住む人々はあったことだろう」[61]

氷河時代にベーリング陸橋をわたって、シベリアから歩いて新しく到来したアメリカ人は、一万七〇〇〇年前から一万年前頃にかけて、肝を潰すような状況に直面したことだろう。そのころウィスコンシン氷河が、突然、猛烈な勢いで溶け始め、前代未聞の気候の大変動と地質的混乱の中、世界中で海面が一〇〇メートル以上も上昇したのだ。この七〇〇〇年間に人類が経験したのは、地震、火山噴火、大洪水であった。時には静かな時期もあったが、新大陸に住んでいた人々の毎日の生活は、これらの動乱に支配されていただろう。だから神話の多くでは確信を込めて炎や洪水が語られ、暗闇の時期、そして太陽の創造と崩壊が語られるのだろう。

さらに新世界（新大陸）の神話は、この面に関しては旧世界の神話と変わらない。地球上どこでも、驚くほど共通する話がでてくる。それらは「壮大な洪水」であり「強烈な寒さ」であり、「大変動の時」だ。同じ経験が何度も何度も詳しく述べられることは、理解できる。なぜなら氷河時代とその後遺症は地球規模の事件だからだ。もっと興味深いのは、同じ象徴的テーマが何度も何度も登場することだ。人格者とその家族がいて、神から警告があり、生物の種を保存し、船、あるいは寒さに耐える場所、あるいは木の中の隠れ家に人類の先祖が隠れ、洪水のあと鳥が放たれ陸地を探す・・・というものだ。

また多くの神話にケツァルコアトルやビラコチャのような人物がでてくるのも奇妙ではないだろうか？　洪水の後の暗闇の時代に現われ、打ちのめされながらも生き残った一族に、建築学や天文学や科学や法の支配を教えるのだ。

この文明をもたらした英雄は誰だろうか？　たんなる幼稚な想像の産物だろうか？　それとも神か？　人間か？　もしも人間たちだったら、神話に細工をしなかっただろうか？　何らかの細工を施して、神話を時を超えて知識を運べる乗り物に仕立てていないだろうか？

このような考えは奇抜に思えるかもしれない。だが、第5部で見るように、ある種の神話には、驚くほど正確な天文学的情報と科学的な内容が盛り込まれており、ちょうど古来から伝わるどこにでもある洪水の話のように、それが何度も何度もでてくるのだ。

これらの科学的な内容はどこから来たのだろうか？

第5部　神話の謎2　歳差運動の暗号

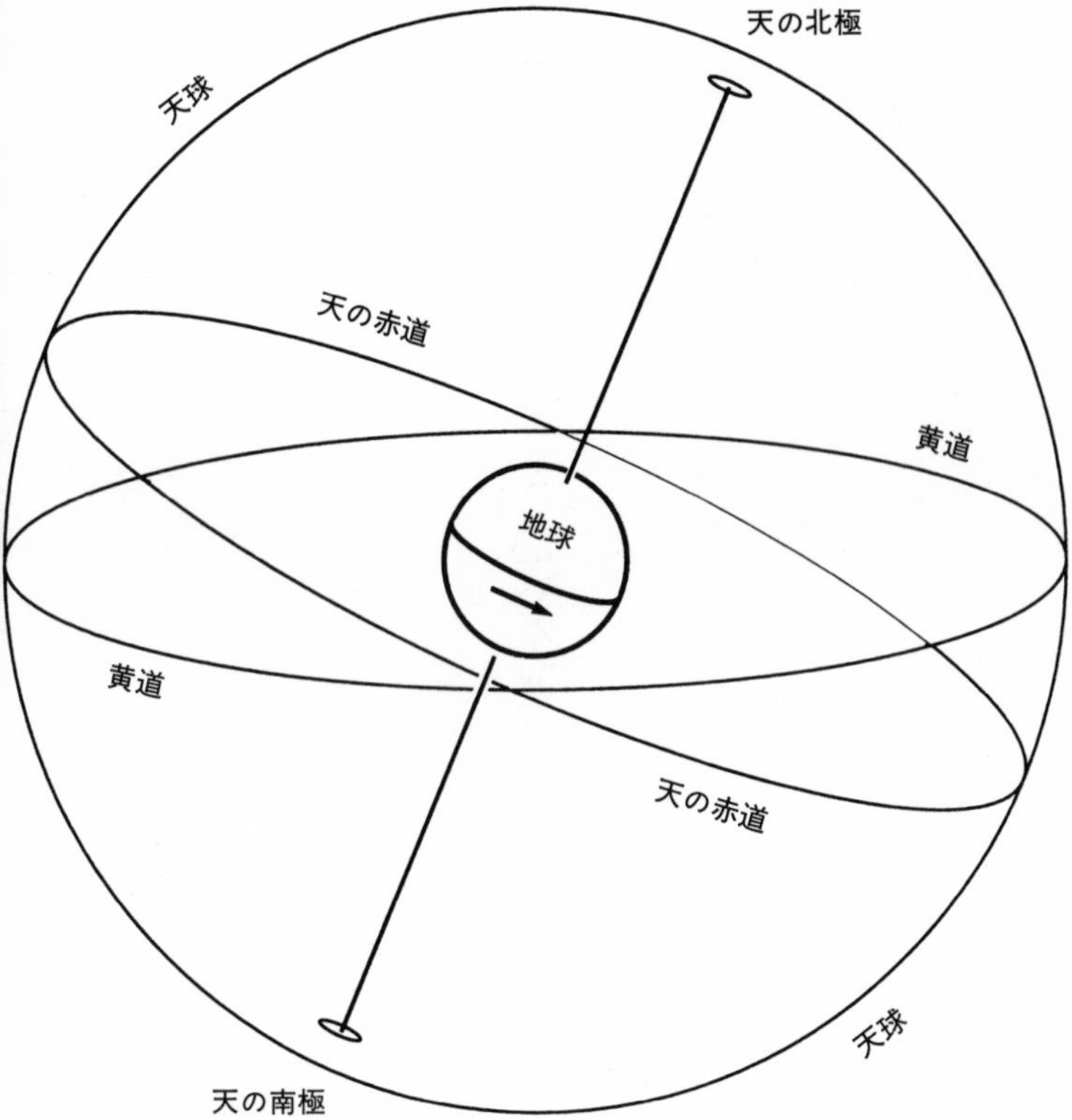

天球

第28章　天空の機械

現代の読者は、天体の仕組みに関する文章が、童話のように楽に読めるとは思っていない。だが、神話ならばすぐに理解できると言う。なぜなら、科学といえば、一ページの長さの連立方程式のようなものだ、と思っているからだ。

また人々は、価値ある知識が、日常の言葉で昔から表現されている可能性があるとも思わない。だが、ピラミッドや冶金技術など、古代文明が成し遂げたものを見れば、真剣で知的な人々が舞台裏で活動し、技術的な専門用語を使いこなしていたという可能性も考えられるのではないだろうか・・・[1]。

この文章は、マサチューセッツ工科大学で科学史を教えていた故ジョルジョ・デ・サンティラーナ教授のものだ。次の章からは、サンティラーナの古代神話に関する革命的な研究について見ていく。だが、手短に言うと、サンティラーナの主張は次のようなものだ。「遠い昔に真剣で知的な人々が、高度な天文学の技術用語を神話の言葉の裏に隠す手法を編み出していた」

サンティラーナは正しいのか？　正しいとしたら、その真剣で知的な人々とは誰なのか？　古代の天文学者であり、科学者であり、有史以前の世界を舞台に活躍した人々だということになる。まず、いくつかの基礎的な事柄を確認しておこう。

激しい天空のダンス

地球が一回転するには二四時間かかり、赤道の長さは四万〇〇七六・五一キロある。赤道の上にじっと立っている人は、実際は動いており、地球と一緒に回転する速さは、時速一六〇〇キロ以上だ。[2]また宇宙に出て北極を見下ろすと、地球は反時計回りに自転している。

地球は自転しながら太陽のまわりを公転している(これも反時計回り)。軌道はわずかに楕円形で、完全な円ではない。軌道を回る速度は恐ろしく速く、時速一〇万七〇〇〇キロだ。これは、平均的なドライバーが六年間運転して走破する距離だ。数字の桁を減らしてみよう。地球はどんな弾丸よりも遙かに速く宇宙を飛んでおり、毎秒二九・六キロになる。この段落を読んでいる間に、地球の公転軌道にそって約八八〇キロも旅している。[3]

一周するのに一年かかるこの途方もない軌道レースに、われわれも参加している。だが、レースが行なわれていることを示す唯一の証拠は、ゆっくりとした季節の移り変わりしかない。季節の移り変わりには不思議なメカニズムが作用して、春、夏、秋、冬が地球上ほぼ全域に訪れ、毎年、絶対的な周期で巡ってくる。

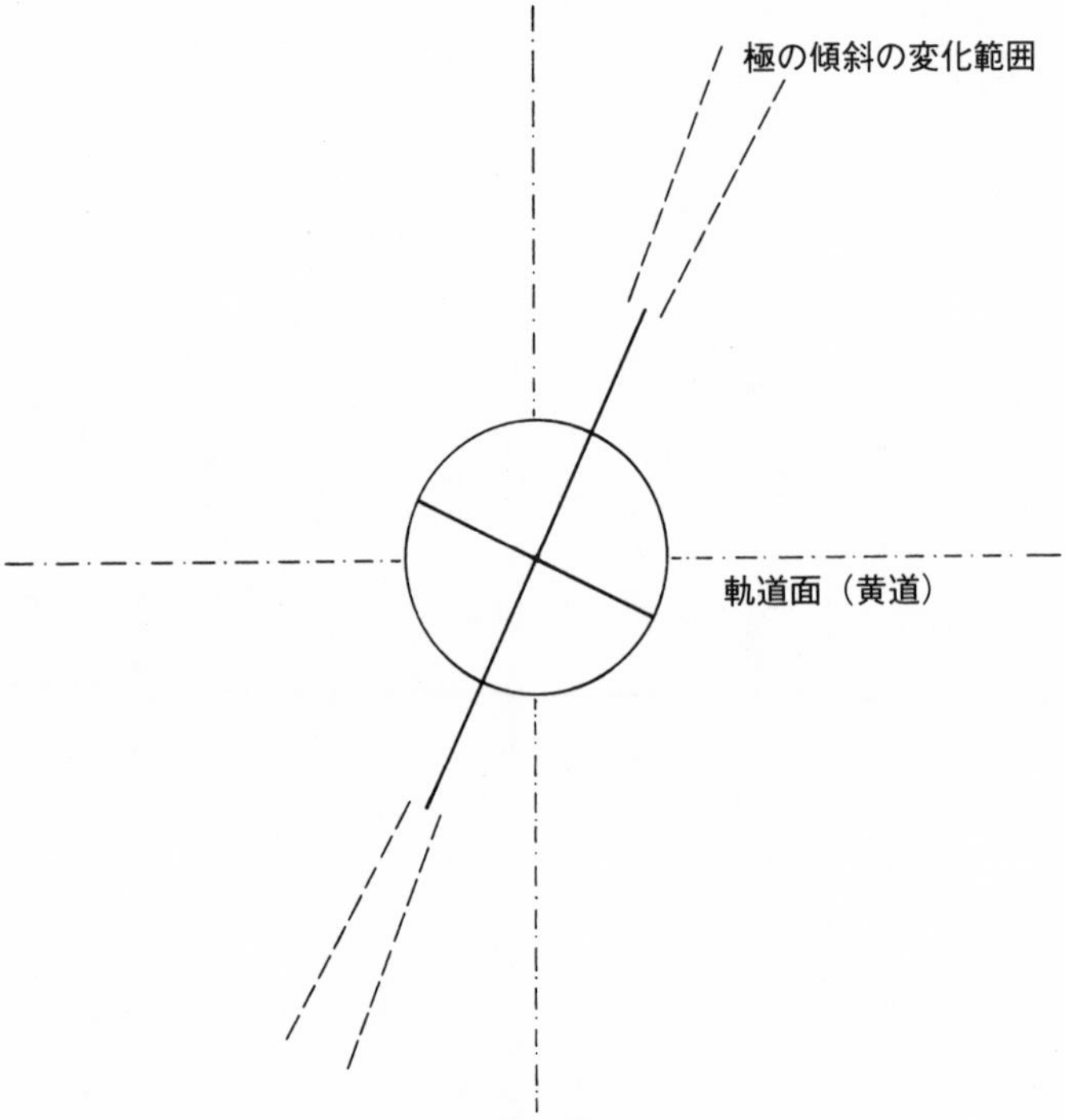

黄道傾斜は、22.1度から24.5度にかけて、4万1000年の周期で変化する。

地球の自転軸は、公転軌道面に対して傾いている（垂直に対して約二三・五度）。季節をもたらすこの傾きが、六か月間、北半球全体を太陽から遠ざける（その間、南半球は夏を満喫している）。また、残りの六か月間、南半球全体を太陽から遠ざける（その間、北半球は夏を満喫している）。季節が存在するのは、太陽光線が地表のある地点に当たる角度が、一年を通じて変化し、その地点の日射時間が変化するためだ。

地球の傾きは、専門用語では「黄道傾斜」と呼ばれる。また、地球の公転軌道面を外側に拡大し、天球に大きな円を描いたものは「黄道」と呼ばれる。天文学者は「天の赤道」という言葉も用いるが、これは地球の赤道を天球に拡大したものだ。天の赤道は、現在約二三・五度ほど黄道に対して傾いている。なぜなら、地球の自転軸が垂直に対して二三・五度傾いているからだ。この角度、つまり専門用語でいう「黄道傾斜角」は、不変ではない。その反対に（アンデスの都市ティアワナコの年代測定に関して第11章で見たように）、常に非常にゆっくりと振動している。この振動は、変化の幅が三度より少し小さく、垂直に最も近づいたときが二二・一度で、最も傾いたときが二四・五度になる。一周期、つまり二四・五度から二二・一度になり、また二四・五度に戻るのに、ほぼ四万一〇〇〇年の時間がかかる(4)。

したがって、このはかない惑星は、揺れながら回転し、軌道を駆け巡っている。軌道を巡るのに一年かかり、自転には一日かかり、揺れは四万一〇〇〇年周期だ。激しい天空のダンスは、飛んだり跳ねたり突進しながら永遠に続いていく。また、そこには引き合う力関係も存在している。一方の力は、太陽に向かって落ちようとし、他方は、外の暗闇に逃げようとしている。

秘められた影響

太陽の引力圏は、二四兆キロメートル以上も宇宙に広がり、最も近い恒星までの距離のほぼ半分にまで到達しており、もちろん地球もその内側に捕えられている。[5] したがって、太陽が地球を引っ張る力は強大だ。もう一つ、地球に影響を与えるのは、太陽系の仲間の惑星たちの引力だ。各惑星の引力は、太陽を回る軌道から地球を遠ざける方向に働くことが多い。だが、惑星の大きさはそれぞれ違い、太陽の周りを異なった速度で回転している。したがって、各惑星の引力の影響は時の経過とともに複雑だが予測可能な変化をし、それに伴い地球の公転軌道の形も常に変化している。軌道は楕円形なので、変化するのは軌道の伸びとなり、これは専門用語で「離心率」と呼ばれる。軌道の離心率は、最小のときゼロに近い値をとり(このとき軌道は真円に近づく)、最大のときは約六パーセントで、このときの軌道は最も引き延ばされた形の楕円形となる。[6]

惑星の影響は、他の形でも現われる。たとえば、理由はまだわからないが、木星と土星と火星が一直線に並ぶとき、短波無線が妨害を受けることが知られている。[7] また以下のような事実も明らかになっている。

木星と土星と火星の公転軌道における位置と、地球の高層大気で起こる激しい電気的障害との間には、奇妙で推測不能な関連がある。各惑星と太陽は、宇宙における電気的均衡のメカニズムを共有しており、このメカニズムは、太陽系の中心から何十億キロメートルもの距離にまで作用しているようだ。このような電気的均衡は、現在の天体物理学の理論では計算に入れられていない。[8]

この記事を掲載した「ニューヨーク・タイムズ」は、これ以上この事象について掘り下げていない。記者は、これがどれほどベロッソスの述べたことと似ているか、おそらく気づいていない。ベロッソスは、紀元前三世紀のカルデアの歴史家、天文学者、予言者であり、様々な現象の前兆を深く研究し、そこには世界の最終破壊が予言されていると信じていた。ベロッソスの結論を見てみよう。「われベロッソスは、ベルスの言葉を伝える者として断言する。受け継がれてきた地のすべてのものは、焼き尽くされるであろう。それが起こるのは、五つの惑星が蟹座に集まって一列に並び、あたかも一本の直線が惑星たちを貫くように見えるときだ」[9]

五つの惑星が一列に並ぶことにより、強大な引力が生まれると予測されるが、この現象は二〇〇〇年の五月五日に起こる。このとき、海王星、天王星、金星、水星、火星が、地球から見て太陽の反対側に整列し、まるで宇宙で綱引きをするような配置になる。[10] もう一つ、現代の占星術師たちの言うことにも注意しておこう。占星術師たちは、マヤ文明が五番目の太陽の終わりの日として示す日付の天宮図を計算して作成したところ、その日に惑星は非常に特殊な配置になるという。あまりに特殊な配置であり、「四万五二〇〇年に一度しか起こらない・・・。この特殊な配置からは、特殊な影響が生まれることが予想される」という。[11]

健全な精神をもっている者なら、このような主張を鵜呑みにしたりはしないだろう。だが否定で

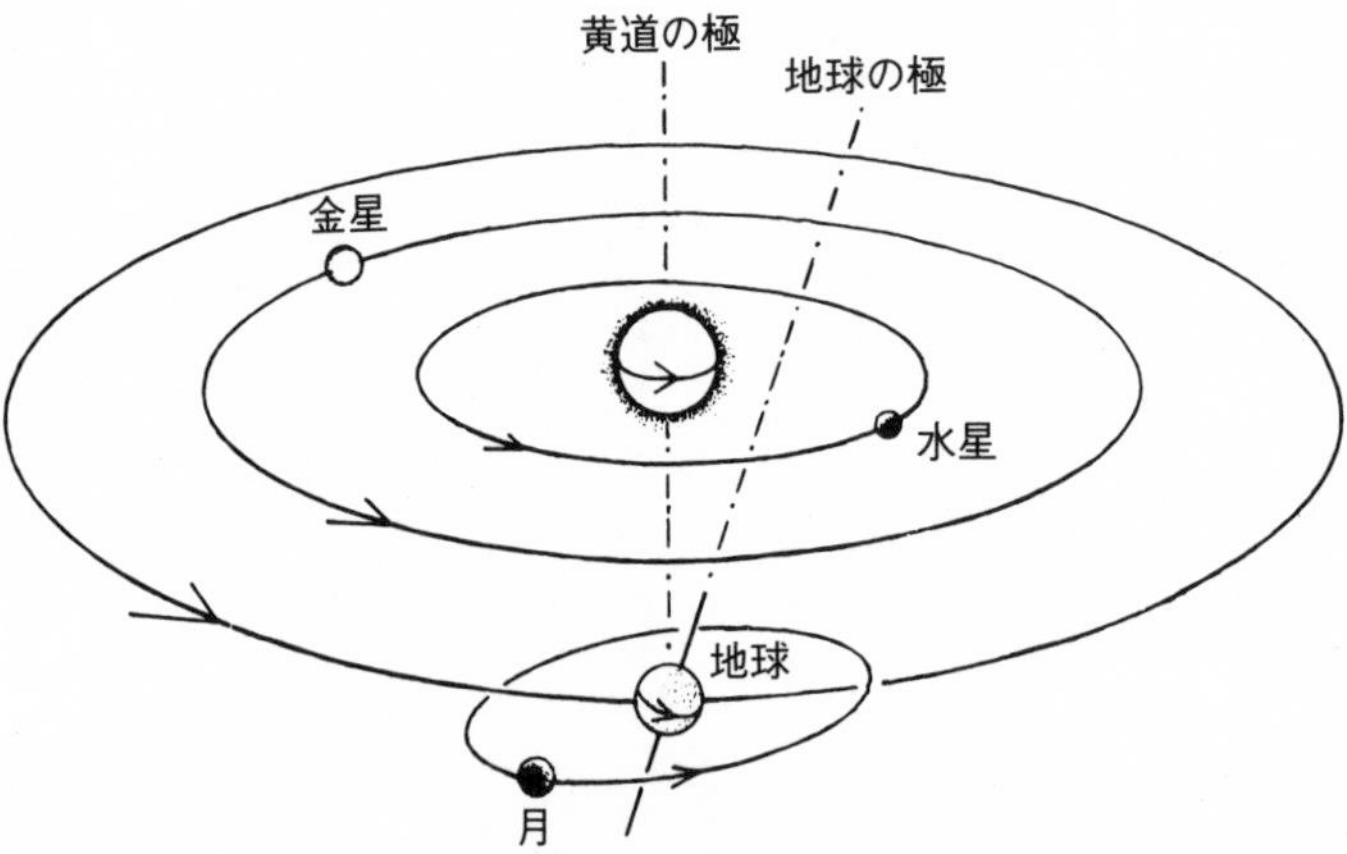

太陽系の内惑星

きないのは、まだ十分に解明されていない複雑な力関係が、太陽系の中で動いていることである。その中でも地球の衛星、つまり月の影響は特に強い。たとえば、地震が起きやすいのは、満月の時、地球が太陽と月の間にある時、新月の時、月が太陽と地球の間にある時、月がその土地の天球子午線を横切る時、月が軌道上で地球に最も接近した時、などである[12]。月が地球に最も接近したとき(専門用語で言えば「近地点」にあるとき)に、月の引力は約六パーセント増加する。これは、二七と三分の一日ごとに起こる。この時、月の引力は海だけでなく、地球の薄い地殻の中に封じ込められている熱いマグマにも影響を与える。薄い地殻はハチ蜜がたっぷり入った回転する紙袋にたとえられる。その袋が、赤道における自転速度で毎時一六〇〇キロメートル、公転速度では毎時一〇万六〇〇〇キロメートル以上で動いている[13]。

歪んだ惑星のぐらつき

このような回転は、当然巨大な遠心力を生み出し、アイザック・ニュートン卿が一七世紀に示したように、「紙袋」としての地球は、赤道で外側にふくらみ、北極・南極ではふくらまず、平たい形になっている。その結果、地球は完全な球形からわずかに歪み、より正確には「扁球」になる。赤道半径（六三七八・四一六キロ）は、極半径（六三五六・七六六キロ）よりも、約二一キロほど長い。[14]

何十億年も、へこんだ極とふくらんだ赤道は、引力の影響を受けながら相互作用を行なってきた。ある専門家は「地球が平たくなっているため、月の引力は、地球の軸を月の軌道方向と垂直になるよう引っ張る傾向がある。影響力は月よりも小さいが、太陽についても同じことがいえる」という。[15] 同時に赤道付近のふくらみ、つまり赤道の周りにある余分な塊りは、ジャイロスコープの外輪のような働きをし、回転の軸を安定させている。[16]

常に、太陽と月の引力によって地球の自転軸が大きく変わるのを、この惑星規模のジャイロスコープが防いでいる。だが、太陽と月の両方が引く力は強く、それによって地球の軸に「歳差運動」が起きる。これは地軸が、自転の向きとは反対に時計回りにゆっくりと旋回するというものだ。

この重要な動きは、太陽系の中でも地球に特有のものである。こまを回したことがある人ならば、この動きはすぐに理解できるだろう。こまはある種のジャイロスコープだ。邪魔されずにフル回転しているとき、こまは直立している。しかし、こまの軸が垂直からそれた瞬間、もう一つの動きが始まる。それは、回転方向とは逆の、ゆっくりとした旋回だ。この旋回が歳差運動であり、地軸の向きを変えるが、新しい角度は一定に保たれる。

アプローチを少し変えてみよう。この現象をもう少しはっきり理解するのに役立つかもしれない。

❶地球が宇宙に浮かび、約二三・五度傾き、地軸を中心にして二四時間に一回まわっているところを頭に描く。

❷この地軸はどっしりした強い心棒で、地球の中心を通り、北極と南極から出て、外に向かって両側に伸びている。

❸自分が巨人となり、太陽系をまたぎ、仕事をしに来たと想像する。

❹傾いた地球に近づいていく（あなたは大きいので、地球は水車の輪ほどにしか見えない）。

❺手を伸ばして、延長された地軸の両端を握る。

❻片方の端を押し、反対側の端を引いて、地球にもう一つ別の回転をゆっくりと与える。

❼地球は、あなたが着いたとき、すでに自転していた。

❽そこであなたの仕事は、地軸の自転に関わることではなく、「別の」動きを加えることだ。それが、ゆっくりとした時計回りの旋回、つまり歳差運動だ。

❾この任務を果たすために、地軸の心棒の北の端を、天球の北半球に描いた大きな円に沿って押していく必要がある。同時に南の端を、天球の南半球に描いた同様の大きな円に沿って引いていく必要がある。これには両手と両肩を使って、ペダルをゆっくりと回すような動きが必要となるだろう。

地球から見た北の空

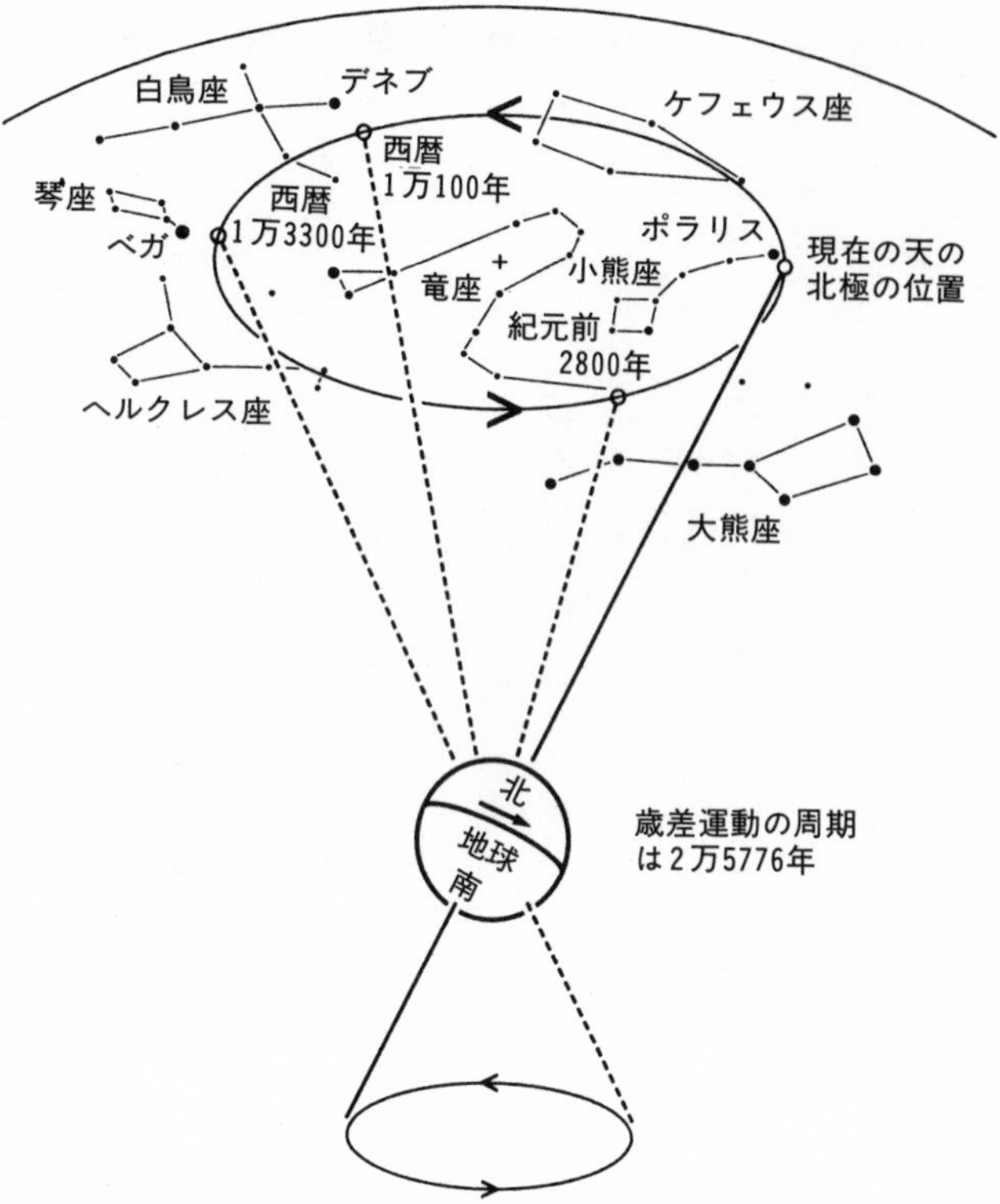

歳差運動

❿しかし注意してほしい。地球という「水車の輪」は見た目より重い。遙かに重いため、地軸の両端を歳差運動の一周期分回すには、二万五七七六年かかる（一周期の終わりには地軸の両端は、回す前と同じ天球上の点を指している）[17]。

⓫ところで、仕事を開始した段階で言っておこう。この仕事を辞めることは決して許されない。歳差運動の一つの周期が終わったら、次を始めなければならない。次から次へ、またその次へと、永遠に続く。

⓬お望みなら、次のように考えることもできる。これは、太陽系の基本的メカニズムの一つであり、神の意志による命令の一つだと・・・。

地軸を天空でゆっくりと旋回させるこの過程で、地軸の南端は、天球の南半球の極近くの緯度にある異なる星を次々と指し(もちろん時には何もない空間を指す)、一方、北端は北半球の極近くの緯度にある星を次々と指していく。これは、極の周りの星をめぐる一種の椅子取りゲームだ。これらすべての動きをもたらしているのが歳差運動だ。これは、巨大な引力とジャイロスコープの原理によって引き起こされる。歳差運動は規則的で予測可能であり、文明の利器を用いれば簡単に計算できる。たとえば現在の北極星は、小熊座のアルファ星（ポラリスとして知られている）である。しかし、コンピュータで計算すると、紀元前三〇〇〇年の北極星は龍座のアルファ星であり、ギリシア時代には小熊座のベータ星であり、西暦一万四〇〇〇年にはベガになると確実に言える[18]。

過去の大きな秘密

地球の動きと、宇宙におけるその位置づけについて、基礎的データをいくつか確認しておこう。

- ●地球は、垂直に対して約二三・五度傾いており、四万一〇〇〇年かけてこの角度からそれぞれの側にさらにプラス・マイナス一・五度ほど角度を変える。
- ●地球が歳差運動の一周期を完了するのに、二万五七七六年(19)かかる。
- ●地球が地軸のまわりを一周するのは、二四時間。
- ●地球が太陽のまわりを一周するのは、三六五日（実際には三六五・二四二二日）。
- ●季節に一番大きな影響を与えるのは、公転軌道上のいろいろな地点において、太陽光線が地球に当たる角度。

もう一つ確認しておきたいのは、季節が始まることを示す、四つの重要な天文学的瞬間だ。古代人には非常に大きな重要性があったこれらの時（あるいは方位点）とは、それぞれ冬至、夏至、春分、秋分だ。北半球では、冬至の日、つまり日射時間が一番短い日は一二月二一日であり、一番長い夏至は六月二一日になる。一方、南半球ではまったく逆である。冬は六月二一日に始まり、夏は一二月二一日に始まる。

春分、秋分は対照的に、一年の内で、地球上どの地点でも夜と昼が同じ長さになる日だ。しかし北半球で春の始まりを示す日（三月二〇日）は、南半球では秋の始まりを示し、北半球で秋の始ま

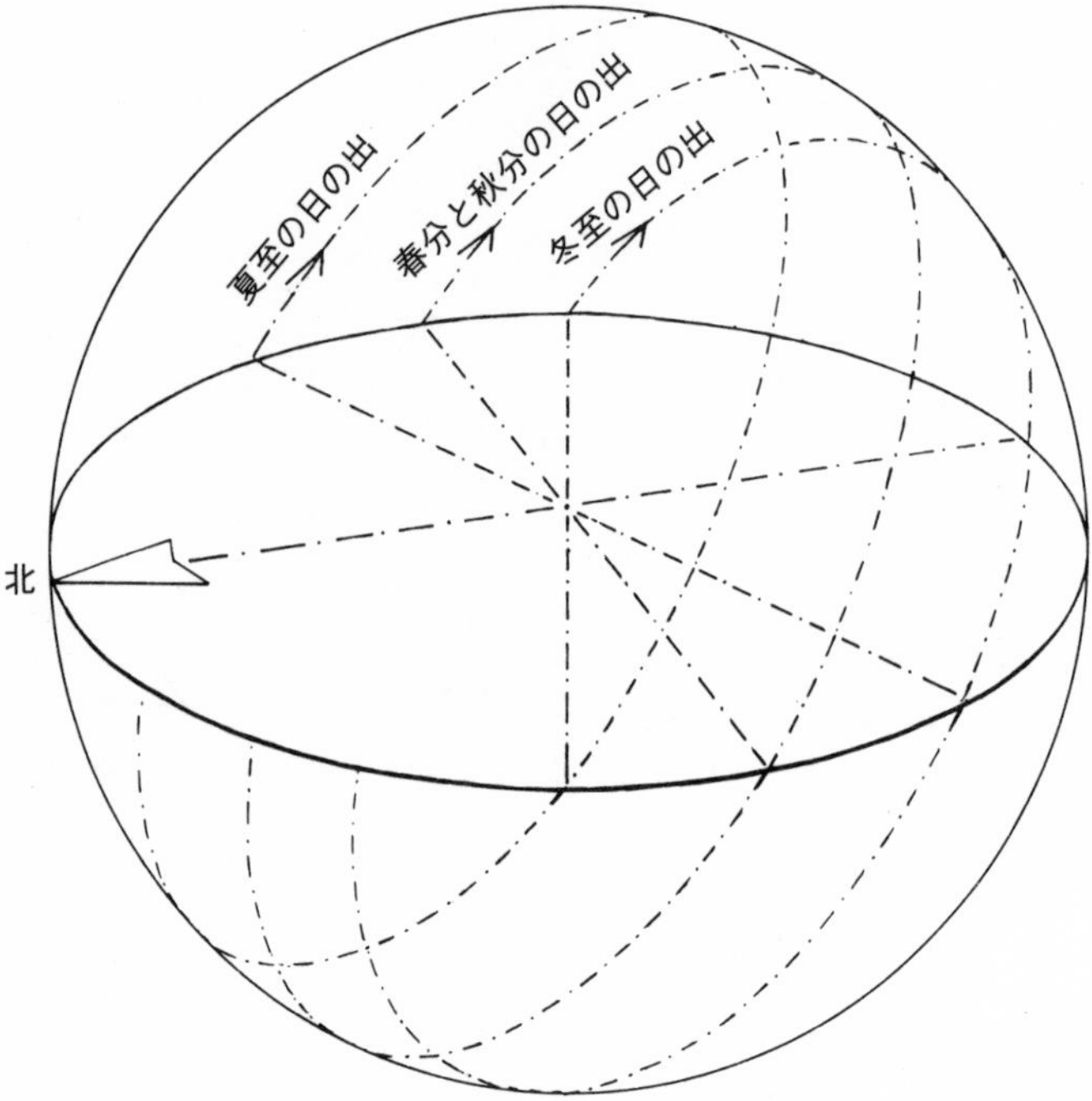
夏至の日の出
春分と秋分の日の出
冬至の日の出
北

分点と至点

りを示す日（九月二二日）は、南半球では春の始まりを示す。

微妙に変化する季節を区切る、至点（冬至、夏至）や分点（春分、秋分）は地球が傾いているために現れる。北半球の夏至は、公転軌道上において、北極が最も太陽に「近づいて」いる時だ。六か月後の冬至は、北極が太陽から最も「離れている」時になる。また、春分と秋分に昼と夜が地球上どこでもまったく同じ長さになるのが、地球の傾いた地軸が太陽に対して真横を向くときだということは、理論的に言って明らかである。

さて、天空の仕組みが織りなす、奇妙で美しい現象を見てみよう。

この現象は、「歳差運動」として知られている。この運動は、厳密に反復して繰り返す数学的特徴を備えており、正確に予測できる。しかしこの現象は、観察するのが非常に難しく、正確に測定するのはもっと難しく、精巧な装置が必要だ。

ここに、過去の大きな謎の解く一つの手がかりがあるかもしれない。

第29章　古代の暗号の最初の手掛り

地球の公転軌道を外側に拡大して、天球上に大きな円を描いたものを黄道と呼ぶ。黄道を中心に南北に約七度の幅で広がる帯にあるのが、黄道十二宮の星座である。それぞれ、牡羊座、牡牛座、双子座、蟹座、獅子座、乙女座、天秤座、蠍座、射手座、山羊座、水瓶座、魚座となっている。これらの星座は、大きさ、形、配置は様々だ。しかし、黄道を取り巻くそれぞれの星座の間隔はほぼ等しく、毎日繰り返される日の出と日没と同様に、宇宙の秩序の存在を感じさせるものである。

わかりやすくするため、次のことを行なってほしい。(1)白紙の真ん中に点を打つ。(2)点の周りに、半径一・五センチの円を描く。(3) 円の外側に、もう一つ大きな円を描く。

点は太陽を表し、二つの同心円のうち小さな円は、地球の公転軌道を表し、大きな円は、黄道のへりを表している。したがって、大きな円のまわりに、一二の四角を書いてほしい。間隔は等しく空けて、黄道帯の十二宮の星座を表すのだ。円は三六〇度だから、各星座は、黄道に沿って三〇度のスペースを占める。点は太陽で、二つの同心円のうち内側の円は、地球の公転軌道である。すでに見た通り、地球はこの軌道を、時計と逆回りの方向に西から東へ回り、それに加え、二四時間ごとに地軸のまわりを一回転する（これも西から東に向かって）。

この二つの動きから、二つの錯覚が生じる。

❶毎日地球が西から東へ自転するにつれ、太陽（もちろん不動点）は地球上空を東から西へ「動く」ように見える。

❷自転している地球が公転軌道を旅するにつれて、大ざっぱにいうと三〇日ごとに、太陽自体もゆっくり、黄道帯の十二宮の星座（これも不動点）を次々と「通り過ぎていく」ように見える。この場合もやはり東から西へ「動いている」ように見える。

別の言い方をすると、一年のどの日においても（さきほど描いた図の、地球の公転軌道を表す内側の円のどの点においても）、太陽は、地球上の観測者と黄道帯の十二星座のどれか一つとの間に存在する。日の出前に起きて太陽の昇る東方向の空を見ると星座が必ず見える。

古代世界の澄み渡り汚染されていない天空のもとでは、このような規則的な空の動きを見て、人類がいかに安心感を覚えたかは理解できる。同様に、一年における四つの方位点（春分、秋分、冬至、夏至）が、なぜ大きな重要性を与えられていたかも理解できる。とくに方位点と黄道帯の星座との重なりは、最も重要なものとみなされていた。だが、すべての中で最も重要だったのが、春分（秋分）の朝に太陽が昇るとき、そこに見える星座であった。地軸の歳差運動のため、この星座は不変ではないことを古代の人々は知っていた。また、太陽の「住まいとなる」、あるいは太陽を「運ぶ」ことを星座の名誉とみなし、非常にゆっくりとした周期で黄道帯の各星座が順番にこの名誉にあずかっていくことも知っていた。

ジョルジョ・デ・サンティラーナは言う。「春分に太陽がどの星座のところにあるかは、歳差運動の周期の中で「いま何時か」を示す指標になっていた。実際にはこの周期は大変に長いもので、太陽は、黄道帯のそれぞれの星座のところに、ほぼ二二〇〇年もとどまる」[1]

地球の地軸のゆっくりとした歳差運動の方向は、時計回り（すなわち東から西）であり、地球が一年かけて太陽のまわりを回る方向とは逆である。この結果、宇宙で不動の黄道帯の星座との関係でみると、春分点は、「黄道に沿って動き、方向は太陽が一年かけて回るコースとは逆である。つまり、黄道十二宮の『正しい』順序とは逆である（水瓶座→魚座→牡羊座→牡牛座ではなく、牡牛座→牡羊座→魚座→水瓶座）」[2]

これが、きわめて簡潔な「歳差運動」の意味である。また、ミュージカル「ヘアー」に出てくる「水瓶座の時代の夜明け」という有名なフレーズは、その前の過去約二〇〇〇年にわたって毎年、春分に、太陽は魚座の所から昇ってきた、という事実を言っている。しかし、魚座の時代は終わりに近づいており、まもなく春分の太陽は魚座を離れ、水瓶座を背にして昇りはじめる。

二万五七七六年の周期をもつ歳差運動が原動力となり、この壮大な天空の怪物たちは動かされ、天空をめぐる終わりのない旅が続く。しかし、歳差運動が正確にどのように春分点を魚座から水瓶座に動かし、どのように春分点が黄道の周りを動き続けるかは、知る価値がある。

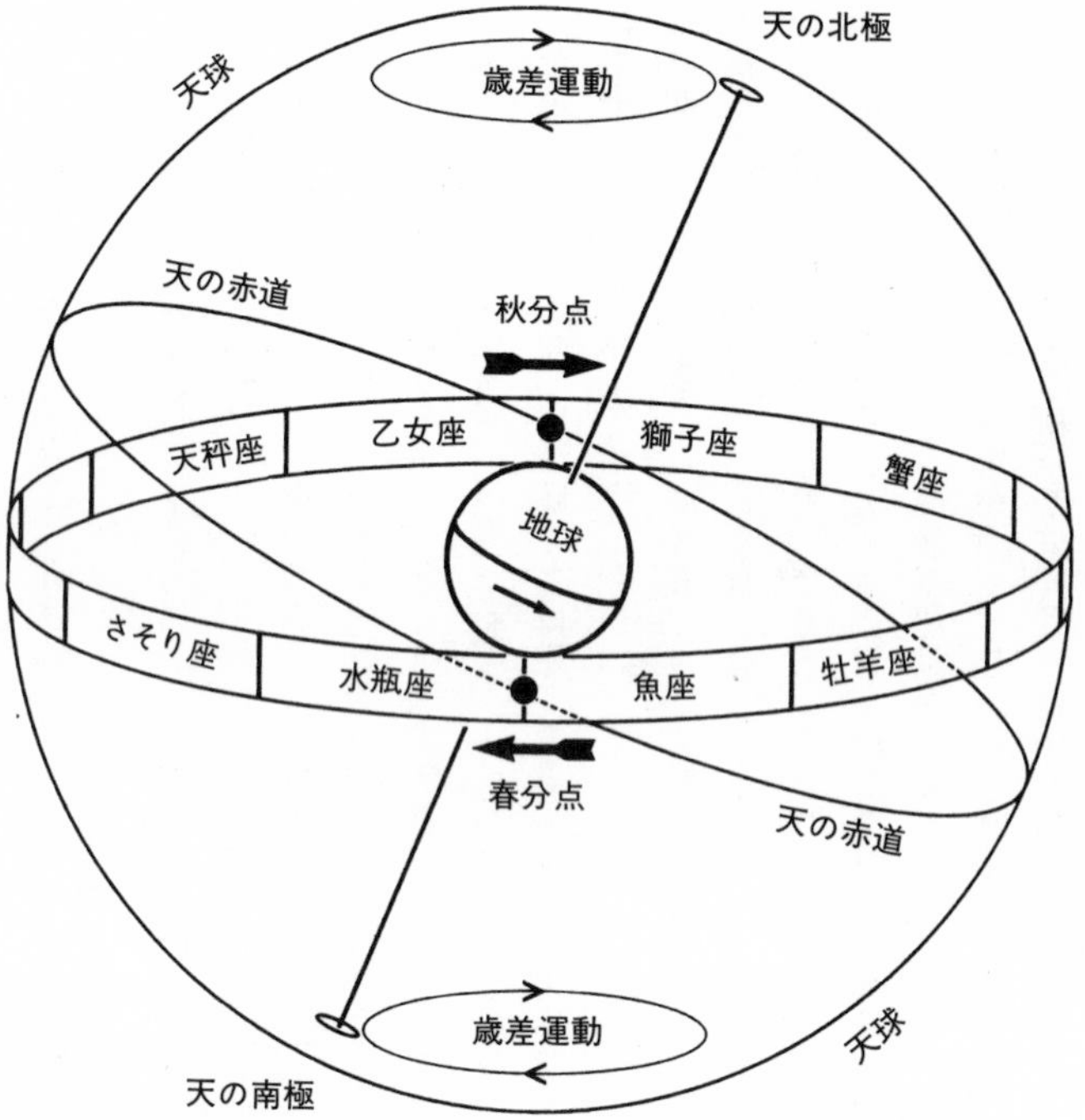

1年間にわたり地球が軌道を動くため、太陽が昇るとき背景に見える星座は、毎月変わる。水瓶座→魚座→牡羊座→牡牛座→双子座→蟹座→獅子座・・・のように。現在、春分の日に、太陽は真東から魚座と水瓶座の間に昇る。歳差運動の影響で、「春分点」は毎年軌道上でほんのわずかずつ早まっていく。その結果、黄道の十二宮の間を非常にゆっくりと移動し、1つの星座で2160年ほど過ごし、2万5920年で一周する。この「歳差運動のずれ」の方向は、1年間の「太陽の道」の向きとは逆で、獅子座→蟹座→双子座→牡牛座→牡羊座→魚座→水瓶座となる。一例をあげると、「獅子座の時代」つまり春分の太陽が、獅子座を背景として昇った2160年間は、紀元前10970年から紀元前8810年まで続いた。現在は占星術的にいって「魚座の時代」の終わりにあたり、水瓶座の「新時代」に入ろうとしている。言い伝えでは、1つの時代から次の時代への移り変わりの時期は、不吉とされてきた。

分点（春分、秋分）は、一年に二度しか起こらないことを思い出してほしい。それは、地球の傾いた地軸が太陽に対して真横を向くときのみに起きる。このとき、太陽は世界中どこでも真東から昇り、昼と夜が同じ長さになる。地球の地軸は、ゆっくりとしかし確実に、軌道の向きとは逆に歳差運動しているため、地軸が太陽に対して真横になる地点は、一年ごとに軌道上でほんのわずかずつ早くやって来る。この毎年の変化は、非常に小さいのでほとんど気づかない（黄道に沿って角度にして一度の移動、これは地平線に向けて上げた小指の幅の移動に相当するが、これに要する時間はほぼ七二年間）。しかしサンティラーナが指摘するように、このような微少な変化も、二一二〇〇年経てば三〇度になり、黄道帯の星座を一つ通り過ぎる。そして二万六〇〇〇年ほどで三六〇度となり、歳差運動の一周期が完了する。

いつ古代人は歳差運動を把握したのか？

この問いの答えには、過去の大きな秘密と謎が秘められている。この謎を解き、秘密を知る前に、「公式的な」情報を知っておく必要がある。ブリタニカ百科事典は、歴史情報の倉庫として良質で、他のものにひけをとらない。以下は、歳差運動の発見者とされるヒッパルコスという学者について記載している内容だ。

ヒッパルコス（ビチュニア王国のニカイア生まれ。紀元前一二七年以降、ロードス島にて死去）――リュキアの天文学者・数学者で歳差運動を発見した。この注目すべき発見は、辛抱強い観測の結果であり、鋭い理性によって成し遂げられた仕事である。ヒッパルコスは星の位置を観測し、その結果をアレクサンドリアのティモカリスがその約一五〇年前に行なった観測結果および、さらにそれ以前にバビロニアで行なわれた観測結果と比較した。ヒッパルコスが発見したのは、観測結果の間で天空の経度が異なることであり、この違いは観測誤差と考えられるものよりも遥かに大きかった。そこでヒッパルコスは、違いが大きいことを説明するために歳差運動というものを提示し、一年に変化する量として、四五秒あるいは四六秒（秒は円弧の単位）という値を出した。これは、現在受け入れられている値五〇・二七四秒に、近い数字である・・・[3]。

初めに、用語の説明をしよう。秒は、円弧上の角度を表わす最も小さい単位である。円弧の一分は六〇秒、一度は六〇分、そして地球が太陽を回る一周の軌道は三六〇度である。一年の変化量である五〇・二七四秒は、一度の六〇分の一より少し小さい距離であり、春分点の太陽が黄道に沿って一度移動するには、だいたい七二年（人間の一生ほどの時間）かかる。このカタツムリの歩みのような変化を検出するには、必然的に観測上の困難が伴い、それゆえ紀元前二世紀にヒッパルコスが算出した値は、ブリタニカ百科事典で「注目すべき発見」と認められたのだ。

だがこれが再発見だったら、注目すべき発見になるだろうか？　もしも歳差運動を測定するという困難な仕事が、ヒッパルコスより何千年も前に成し遂げられていたら、このギリシア人の数学的、天文学的業績がそれほど輝かしいものとされただろうか？　あるいはほぼ二万六〇〇〇年にわたる天空の周期が、科学的思考が始まったとされる時代よりも遥か前に、精密な科学的調査の対象となっていたらどうか？

この問いに対する答えを探すにあたって、関連がありそうな事柄はたくさん存在するが、それらは、どの裁判所でも確実な証拠としては受理されないだろう。われわれも受理しないでおこう。ヒッパルコスが、四五秒ないし四六秒という値を一年間の歳差運動の大きさとして提示したことはすでに見た。それでは、これよりも正確な値が、ヒッパルコスよりかなり古い情報源に記録されているのを見つけるまでは、このギリシアの天文学者を、歳差運動の発見者の座から引きずり下ろすのはやめておこう。

もちろん、情報源になり得るものはたくさんある。しかし現時点では、話を簡潔にするため、調査を普遍的な神話に限ることにする。すでに神話の一群は詳細に調べており（第4部で述べた洪水と大変動の伝承）、これらの神話が、興味深い特徴をもっていることも見てきた。

❶疑いもなく、これらの神話は限りなく古い。メソポタミアの洪水神話を例にとると、あるものは、シュメール人の歴史における最古層から出土した銘板に刻まれており、紀元前三〇〇〇年頃のものだ。これらの銘板は、記録が始まった最初の時代から伝わるもので、世界を破壊する洪水の伝説は、疑う余地なくその時すでに大昔のものであった。したがって歴史の夜明けよりずっと古い起源をもつが、どのくらい古いかはわからない。神話の生まれた時期を確定できた学者は、今まで一人もいないので、いたるところに広まった太古の伝承の起源に

ついては知る術もない。伝承は常に存在しており、人類文化の一部であるというのが、実感だ。

❷神話が非常に古いものであるというこの予感は、幻想に終わらず、当たっている可能性が強い。すでに見てきたように、大変動に関する多くの神話は、氷河時代の最後に人類が経験したことの目撃証言を含んでいるようだ。したがって理論的には、これらの物語がわれわれが属する亜種「ホモサピエンス・サピエンス」が出現した五万年前に作られたこともあり得るが、地質学上の証拠は、起源がもっと新しいことを示唆しており、紀元前一万五〇〇〇年から前八〇〇〇年あたりのようだ。人類の全経験の中では、この時代にのみ、神話が雄弁に語るような、急激な気候の変化が起こっている。

❸氷河時代とその荒々しい終焉は、地球的な現象だった。したがって、地球上に広く分布している多彩な文化に伝わる大変動の伝承が、かなり一様で、似た特徴を持つことは、驚くべきことではないだろう。

❹驚くべきことは、神話が共通の経験を物語るだけでなく、共通の象徴言語と思えるものを持っていることだ。同じ「文学的題材」がたびたび現われ、同じ様式の「脚本」、覚えのある登場人物、そして同じ筋立てがでてくる。

サンティラーナ教授によると、この種の統一性には、「導きの手」が働いているという。古代の神話に関する独創的な論文「ハムレットの臼」は、サンティラーナ教授がハーサ・フォン・デヒェント（フランクフルト大学の歴史学の教授）と共同で執筆したものだが、この中で以下のように主張している。

　ある特定の様式と結びついていた場合、普遍性というものは試金石となる。つまり、中国で見つかったものが、バビロニアの占星術の文献にも現われたとする。それが一般的でないイメージで、自然発生によって独立に出現したものだと主張できなければ、そこには関連があると仮定する必要がある。音楽の起源を例にとってみよう。オルフェウス（ギリシア神話にでてくる無生物をも感動させた竪琴の名手で、妻の死を悼むあまり女を近づけなかったため、侮辱されたとしてトラキアの女たちに八裂きにされた）とその苦しみに満ちた死は、数回にわたっていろいろな場所で独自に生まれた詩的な創造かもしれない。しかし、登場人物が竪琴を弾くのではなく、笛を吹いたり、ばかげた理由で、生きたまま皮を剝がれたり、いくつもの大陸において物語の最後が同じように語られる場合、何かがあると感じる。というのは、そのような物語が続発する可能性はないからだ。あるいは笛吹き男が、ドイツのハーメルンの神話と、コロンブスより遥かに古いメキシコ神話に現われ、どちらの場合もたとえば赤い色という特徴がある場合、これも偶然の一致ではあり得ない。同様に、一〇八や九×一三といった数字がベーダ（バラモン教の宗教文献）や、アンコールワット、バビロン、ヘラクレイトスの不吉な発言、北欧のワルハラ神話などにたびたび出てきたら、これも偶然とは言えない・・・(4)。

世界規模の大災害の神話がたくさんあるが、これらは偶然に生まれたのだろうか？　偶然ではなかった可能性があるだろうか？　これらの神話を結びつけたのは、地球的規模で影響を及ぼした古代の「導きの手」（まだ何者かは不明だ）なのだろうか？　もしそうなら、第1部で見た、最後の氷河期の最中およびその後に、一連の非常に精密で技術的に高度な世界地図を描いたのが、同じ手だということはあり得るだろうか？　その同じ手は、他の一連の普遍的な神話に、亡霊のような指紋を残したのではないか？　それらの神話が表現していたのは、神々の死と再生、地球と天空がその周りを回る大きな木々、渦巻き、かく乳器、錐《きり》、そして他の似たような回転してすりつぶす道具などである。

サンティラーナとデヒェントによると、このようなイメージはすべて天体の動きに関連しており、[5]古代の洗練された専門用語と天文学と数学に関連しているという。[6]「これらの用語は、土地の信仰や崇拝とは無関係で、数字、動き、測定、全体の枠組、概要、数の構造と幾何学に関するものである」[7]

このような言語はどこから来たのだろうか？　論文「ハムレットの臼」は、優れてはいるが、意識的にあいまいにされている学問的迷宮であり、この問いに率直に答えてはくれない。だが随所に、ためらうかのように、ヒントが示されている。たとえば、ある箇所で、解読したと著者が信じている科学的言語あるいは「暗号」は、「畏敬の念を覚えるほど大昔」[8]のものである、と述べている。別の箇所では、これがどのくらい古いかも正確につきとめており、少なくとも「ウェルギリウス（二〇〇〇年前のローマの詩人）の時代より六〇〇〇年前」[9]、すなわち八〇〇〇年かそれ以上前のものだとしている。

歴史にその名を残しているどの文明が、洗練された技術的言語を八〇〇〇年以上前に発達させることができただろうか？　この問いに対する正直な答えは「どれでもない」であり、率直に認めると、高度な技術を持った文明が、有史以前に存在したことが推測されるだけだ。サンティラーナとデヒェントは、肝心な点になるとここでもあいまいだ。ある文明の遺産について語っているが、それは「ほとんど信じがたいようなある古代文明」で、「世界は数字や長さや重さに従って創造されたことを理解した最初の文明」だ、と言うだけなのだ。[10]

この遺産は明らかに、科学的思考および数学的性格をもつ複雑な情報と関係があるが、あまりにも古く、時の経過が消し去ってしまっている部分が多い。

ギリシア人が文明の舞台に登場したときには、すでに何世紀分もの塵《ちり》がこの世界に広がる偉大な古代遺跡に積もっていた。しかしその遺産のいくらかは、もはや解読できなくなった伝統的な儀式や神話やおとぎ話の中に残っている・・・これらは失われた全体のうちの断片であり、歯がゆい思いをさせるものだ。中国の画家が得意とするもやがかかった風景を思い出してしまう。そこには岩があり、小屋があり、木の枝があって、残りは想像に任される。もし暗号の秘密が明らかになり、当時の人々が持っていた技術がわかるようになっても、この遠い先祖の考えを知ることは期待できない。最初からシンボルの中に隠されており、このシンボルを編み出した創造的で秩序だった理性は、永遠に消え去ってしまったからだ。[11]

二人の著名な科学史の教授が、大西洋の両側にある有名な大学で教鞭をとり、暗号化された科学的言語のなごりを発見したと主張しているのだ。さらにこの言語は現在認められている人類最古の文明より、さらに何千年も昔のものだと言っている。何事にも用心深いサンティラーナとデヒェントが「暗号化された科学的言語の一部を解読した」と言っている。[12]

これは、二人の生真面目な学者の発言としては驚くべきものだ。

第30章　宇宙の木と神々の臼

非常に優れた労作である「ハムレットの臼」の中で、サンティラーナ教授とデヒェント教授は、数々の証拠を提示し、奇妙な現象が存在することを示した。理由はわからないが、ある時、世界中の古代神話のいくつかが選ばれて、歳差運動に関する複雑な技術的データを運ぶ乗物に仕立て上げられたと言うのだ。この驚くべき論文の重要性について、古代の計測術のある専門家は、この論文は一斉射撃の最初の一発であり、「人類の文明の発展に関する現在の認識に対するコペルニクス的革命をもたらすもの」だと言っている。[1]

「ハムレットの臼」は一九六九年に出版された。すでに四半世紀以上前のことだ。したがって、革命はもうとっくに起きていなければならない。だがこの期間、この本は一般大衆に広く読まれはしなかったし、古代を専門とする学者の間でもほとんど理解されなかった。別にこの作品が問題点や弱点をもっていたわけではない。むしろ、コーネル大学で政治学を教えるマーティン・ベルナール教授が言うように「ほとんどの考古学者、エジプト学者、古代歴史学者が、サンティラーナの提示した専門的な主張に反論するのに必要な、時間も力も技術も持っていなかった」からなのだ。[2]

この論文が主として述べているのは、「歳差運動のメッセージ」であり、広範囲の古代神話の中で、これが繰り返し伝えられているという。また奇妙なことに、これらの神話の中に現われる重要なイメージとシンボルの一つである「天空の混乱」が、24章と25章で見てきた世界的規模の大変動の古代伝承の中にも織り込まれている。

北欧の神話を例にとると、狼フェンリルは、神によって注意深く鎖でつながれていたにもかかわらず、鎖を切って逃げた。「フェンリルは身震いをし、世界は揺れ動いた。トネリコの木イグドラシルは、根元から枝の先まで震えた。山々は崩れ、あるいは頂上から麓《ふもと》まで裂けた・・・。大地は形を失い始めた。すでに星たちは空を漂っていた」

サンティラーナとデヒェントは、この神話は、おなじみのテーマである大災害の話に、非常にかけ離れたテーマである歳差運動を紛れ込ませたものだという。地上では大災害が起きる。その規模はノアの洪水でさえちっぽけに見えるほどだ。一方で、不吉な変化が天空に起こっており、空を漂っていた星が「虚空へ落ちていった」という。[3]

こういった天空のイメージは何度も繰り返されており、世界の多くの地域の神話においても、比較的小さな違いしか見られない。「ハムレットの臼」の中では、このようなイメージを持つ物語は、「自然に発生するような類の物語ではない」とされている。[4] さらに、怪物のような狼フェンリルと、イグドラシルの揺れを語っている北欧の伝説は、物語の最後の終末まで進む。その時、最高神ワルハラが力を発揮して世界の「秩序」のために、神々の最後の戦いに参加する。この戦いは終末論的破壊を伴って終了する。

五百と四〇の扉が、
ワルハラの壁にあるだろう。
八百の戦士がそれぞれの扉から出ていき、
狼との戦いに赴く。(5)

ほとんど無意識の領域に働きかけるかのように、この詩は、ワルハラの戦士の数を数えるようにうながす。そしてすぐに注意が、戦士の合計数（五四〇×八〇〇＝四三二〇〇〇）に向けられる。この合計数は、第31章で見るように、歳差運動の現象を説明するのに用いられる数字だ。これが偶然に北欧の神話に入り込んだとは思えない。とくに「天空の混乱」が激しく、星々が空の定位置から漂い出した、という文脈とも一致している。

何がどうなっているのか理解するためには、サンティラーナとデヒェントが偶然発見したと主張している、古代の「メッセージ」の基本的イメージを把握することが必要だ。このイメージでは、まず、輝くドームである天球を、巨大で複雑な機械に置き換える。つぎに、水車の輪や、かき混ぜ器や、渦巻きや、手びき臼のように、この機械をいつまでも永遠に回し続ける（この動きは常に太陽によって測定される。太陽は、黄道帯の一つの星座に昇り、続いて別の星座に移り、これが一年中続く）。

一年の四つの主要な点は、春分、秋分、冬至、夏至の各点である。それぞれの点で、太陽は異なった星座を背景に昇る（したがって、もし現在のように春分の時に太陽が魚座に昇るなら、秋分には乙女座に昇り、冬至には双子座に昇り、夏至には射手座に昇る）。過去二〇〇〇年あまりにわたり太陽はまさにこの通りに動いてきた。しかし歳差運動によって、春分点はそう遠くない将来、魚座から水瓶座に移動する。これが起きるとき、他の三つの点の三つの星座も同様に変化する（乙女座、双子座、射手座から、獅子座、牡牛座、蠍座へ）。まるで、天空の巨大なメカニズムがギアを重々しく切り替えたかのようだ・・・。

サンティラーナとデヒェントの説明によれば、二人が解読した古代の科学的言語において、イグドラシルは、水車の心棒のように、「世界の軸を表現している」。この軸は外側に伸び、（北半球の人から見れば）天球の北極に至っている。

これが直感的に連想させるのは、まっすぐ立った柱だ。しかしこれは単純過ぎる見方だろう。神話の文脈においては、軸や線を別々に見ないほうがよい。一度に一本の線を考えるよりも、軸と枠組を全体として見た方がよい。・・・半径が自動的に円を想い起こさせるように、軸は天球面の大円を想い起こさせるだろう。天球面の二つの大円とは、春分や冬至の時を示す分点経線と至点経線である。[6]

分点経線と至点経線は想像上の二つの大円で、天球の北極で交差し、黄道と交わっている。その黄道と交わった点がそれぞれ、春分、秋分、夏至、冬至の各点となる。分点経線は、地球の公転軌道上の二つの分点（すなわち地球が三月二〇日および九月二二日にいる場所）を結び、至点経線は、二つの至点（地球が六月二一日および一二月二一日にいる場所）を結んでいる。つまり、「極の軸の回転は、ともに天を移動していく大円から切り離してはならない。大円の枠組みは軸と一体と考えられている」のだ。[7]

サンティラーナとデヒェントは、神話は信仰ではなく寓意であると確信している。軸からぶら下がった二つの交差する大円の輪が枠となっているという見方は、古代人の宇宙認識ではない、と主張する。そうではなく、これは「思考の道具」であり、暗号を解読できる聡明な人々に焦点を合わせ、発見が難しい天文学的事実である歳差運動に目を向けさせるために創られているという。

古代世界の神話全体にわたって現われているのは、種々の変装をした思考の道具だというのだ。

臼の奴隷たち

一つの例が中央アメリカにあるが（ここでは、歳差運動に関する神話と大災害に関する神話が、興味深く象徴的に入り混じっている）、ここに、一六世紀にディエゴ・デ・ランダがまとめたものを引用する。

ここの人々（マヤ族）が崇拝したたくさんの神々の中に、バカブという名前で呼ばれる四人の神々がいる。四人は兄弟で、創造主が世界を創ったとき、世界の四隅に置かれ、天空が

落ちてこないように支えたと言う。また、世界が大洪水で破壊されたとき、バカブたちは逃げた、とも言われている。(8)

サンティラーナとデヒェントによれば、マヤの天文学者であった神官たちは地球が平らで四隅をもっているなどと、単純に思い込んでいたわけではないという。そうではなく、四人のバカブのイメージは寓意として用いられ、歳差運動という現象に光を当てることを意図していた、という。つまり、バカブたちは占星術における年代を示す存在なのだ。四人のバカブは、分点経線と至点経線を表し、四つの星座を結んでいる。春分、秋分、冬至、夏至における太陽は、この四つの星座を背景に昇り、二二〇〇年ほどそれは続く。

もちろん、天球のギアが切り替わるとき、古い時代は崩れ落ちて、新しい時代が生まれることはわかっている。ここまでは、あたりまえの歳差運動だ。だが、ここで目を引くのが、地球的規模の災害への明らかな結びつきだ。この場合は、バカブが生きのびた洪水である。これも関連があるかもしれないが、チチェンイッツアで見つかったレリーフの彫刻はバカブを表現したものだが、彼らには確かにひげがあり、ヨーロッパ人の風貌をしている。(9)

そのことはともかく、バカブのイメージは(「天空の四隅」、「四角い大地」などの数々の誤解されやすい言葉と結びついている)、歳差運動のための思考の道具として作られた多くのものの一つに過ぎない。その典型はもちろん、サンティラーナが「ハムレットの臼」とタイトルに付けたように、「臼」である。

シェークスピアが生んだこの人物は「詩人がわれわれの仲間にした、最初の不幸な知識人」であり、伝説上の人物であるという過去を隠されてしまった。長く伝わる神話でその姿はあらかじめ決められ、形作られていた[10]。ハムレットはいろいろな姿で現われるが、どれをみても、奇妙なまでにハムレットであり続ける。アイスランドの伝説の登場人物であるアムロディ（時にアムレス）も、「同じように憂鬱であり高い知性をもつ。アムロディもまた、父のかたきをうつ使命を負った息子であり、謎めいていた。しかし避けられない真実を語る者であり、運命をひそやかに背負い、使命が果たされれば敗れなければならない・・・[11]」。

古代北欧人の素朴で生き生きとしたイメージの中で、アムロディは、寓話的な水車または手びき臼の持ち主であり、金や平和や豊かさといったものを創造した人物として描かれた。多くの伝承の中で、二人の巨大な娘（フェンジャとメンジャ）が年季奉公に出され、この大きくて奇妙な装置を回すように命じられたことになっている。この臼はどんな人間の力でも動かせるようなものではなかった。だが異変が起こり、二人の巨大な娘は、昼も夜も休みなく働かされることになった。

臼の作業台の前に引き出され、
灰色の石を動かす。
休みも安らぎも与えられず、
臼のきしみに耳を傾けている。

狼の遠吠えのような彼女たちの歌は
静けさを破る。
「穀物箱のかさを低く、石を軽く！」[12]
彼女たちはさらに回すよう強いられる。

怒って反抗心を抱いたフェンジャとメンジャは、皆が寝静まるのを待ち、臼を乱暴に回し始めた。やがて大きな支柱は、鉄で覆われているにもかかわらず、ばらばらに裂けてしまった。[13] その後、話の筋は混乱しているが、臼はミシンガーという名の海王に盗まれ、巨大な娘と一緒に船に乗せられた。ミシンガーは二人に再び臼をひくように命じたが、今度はひくものは塩だった。真夜中に二人はミシンガーに、塩に飽きていないかと尋ねたが、ミシンガーはもっと臼をひくように命じた。二人はまた臼をひき始めたが、すぐに船は沈んでしまった。

巨大な支柱は箱から外れ、
鉄の鋲は裂けた。
木の軸棒は震えはじめ
箱は潰れた。[14]

臼は海の底に沈んでも回り続けていたが、岩と砂をひいて巨大な渦巻を作り出した。これがモスケンの大渦巻（ノルウェー北西海岸の大渦巻）である。[15]

このようなイメージは歳差運動を意味していると、サンティラーナとデヒェントは断言する。[16] 臼の軸と「鉄の支柱」は、

天球のシステムに対応しており、世界の年数の枠組みを表現している。この枠組みが世界の年数を定義しているのだ。なぜなら極の軸と分至経線は、より大きな目に見えないものの一部分なので、一つの部分が動くと枠組み全体の調子が狂ってしまう。そうなったとき、新しい北極星とそれに対応する分至経線は、時代遅れになった装置を取り換えることになる。[17]

さらに、巨大な渦巻きは、

古代の寓話にはよく見られるものである。「オデュッセイア」の中では、メッシナ海峡に住むカリュブディスとして登場しているし、インド洋や太平洋の他の文化にも見られる。不思議なことに、渦巻きと一緒に、張り出しているイチジクの木が登場し、船が沈むとき主人公はその枝につかまるが、このエピソードは、インドのサチャブラタにも、トンガのケイにも出てくる・・・。このように、様々な伝説において細かい部分まで一致した物語が繰り返し現われるということは、これらの話が自由に創造されたものだという可能性を否定する。このような話は、太古の時代から伝わる宇宙の構造に関する文章なのだ。[18]

ホメロスの「オデュッセイア」(三千年以上前のギリシア神話を集めたもの)にも渦巻きは出てくるが、驚くことはない。なぜなら、アイスランドの伝説に出てきたあの大きな臼も、ここに登場しているからだ(しかもおなじみの状況で)。それは、決戦の前夜のことである。オデュッセウスは復讐を決心し、イタカ島に上陸して、女神アテナの魔法の呪文によって姿を隠した。オデュッセウスはゼウスに祈り、試練の前に勇気づけのしるしを願った。

ただちにゼウスは輝くオリュンポスから雷を落とした・・・オデュッセウスは喜んだ。さらに、臼のひき手である女性が、家の中で予言の声を発した。そこには、羊飼いの人々の臼が並んでいた。これらの手びき臼で、一二人の女性が仕事に精を出し、男たちの活力の素となる大麦や小麦の粉をひいたのだ。皆寝静まっていた。それぞれに割り当てられた穀物はひき終わっていたからだ。しかし一人だけまだ眠りについていなかったが、それは一番弱い娘だった。娘は臼の手を止めて、つぶやく・・・「オデュッセウスの敵にとって、今日が広間で宴会を行なう最後の時でありますように。奴らの食事となる大麦をひく無慈悲な労働で、私のひざは弱ってしまいました。これが奴らにとって最後の夕食でありますように！」(19)

サンティラーナとデヒェントによると、「天の球体が臼の石のように回り、繰り返し災いをもたらす」(20)という寓意は、聖書の「ガザに住む盲目の男で、奴隷とともに臼をひいた」サムソンの話にも現われるが、これは偶然ではないという。[21] サムソンを捕まえた残酷な者たちは、寺院で盲目のサムソンを解き放ち、「慰み者」にした。しかし、サムソンは最後の力をふりしぼり、大寺院の中心の柱をつかむと建物全体が崩れ落ち、すべての者が死んだ。[22] フェンジャやメンジャ同様、サムソンも復讐を果たした。

このテーマは、いろいろな場所で姿を現す。日本、[23] 中央アメリカ、[24] ニュージーランドのマオリ族の伝説、[25] フィンランドの神話である。フィンランドの神話には、ハムレットやサムソンに相当する存在としてクレルボーという人物がいて、臼はサンポーという特有の名前を持っている。フェンジャとメンジャの臼のように、サンポーは盗まれ、船に乗せられる。そして同様に、最後にはばらばらに壊れてしまう。[26]

「サンポー」という言葉は、サンスクリット語で「柱」という意味をもつ「スカンバ」という言葉に起源があることがわかっている。[27] そして、北インドの中で最も古い文学の一つであるアタルバベーダの中に、スカンバに捧げる詩歌がある。

> 大地も大気も空もスカンバが支える。炎、月、太陽、風もスカンバがつなぎ留める・・・スカンバは天と地の両方を支える。スカンバは大気すべてを支える。スカンバは六つの方角を支える。すべての存在はスカンバの一部分である。

アタルバベーダの翻訳者（アタルバベーダ一〇章七節）であるホイットニーは、当惑した。「スカンバ、留まる、保つ、支える、柱などの語は、奇妙なことに詩歌の中で、宇宙の枠組みを表わす言葉として用いられている」[28]。しかし、宇宙の臼や渦巻きや世界の木などを結びつけるいろいろな考えに気がついてみると、古代ベーダ人たちの言葉がこのように使われていても奇妙には思えない。他のすべての寓話と同様、ここで暗に示されているのは、「世界の年数の枠」のことだ。例の天空のメカニズムであり、二〇〇〇年も太陽は常に同じ四つの方位点から昇り、やがて天空の座標が動き、新しい四つの星座に向かい、それが次の何千年か続く。

これが、臼がいつも壊れる理由であり、巨大な支柱が箱からふっ飛び、鉄の鋲が裂け、軸となる木が砕ける理由である。歳差運動はこれらのイメージに合っているが、確かにそれは、長い時間をかけて、天球全体の安定した座標を変化させ、あるいは破壊するからである。

道を開くもの

これらすべてに共通する驚くべきことは、臼（常に宇宙の動きの寓意として登場する）が、執拗なまでに顔を出すことだ。世界中で、話の脈絡が混乱していても臼は現われる。サンティラーナとデヒェントの主張するところによれば、脈絡が失われていてもそれほどの問題にはならない。二人が言うには、「神話を、知識を乗せる乗物として利用することの利点は、物語を語り伝える人々の理解力とは無関係に、しっかりとした知識を伝えていくことができるという点だ」[29]。言い換えると、重要なのは、ある中心イメージが生き残り、何度も語られることで、物語が筋からずれてもかまわないのだ。

そのようなずれの例（本質的なイメージや情報は保たれている）が、アメリカのチェロキー族の伝承に見られる。チェロキー族は、天の川（われわれの銀河系）に「犬が走る所」という名前をつけている。チェロキー族の伝承によると、古代において「南の人々はトウモロコシの臼をもっていた」が、そこから粉が何度も盗まれた。やがて持ち主は泥棒を見つけたが、それは犬だった。犬は「北にある自分の家に向かって吠えながら逃げ」、走りながら口から粉を落とし、白い跡を残した。それが現在の天の川で、チェロキー族は今日に至るまで・・・「犬が走る所」と呼んでいる。[30]

中央アメリカの数多いケツァルコアトル神話の一つによれば、四番目の太陽を終わらせ、すべてを破壊した大洪水の後、ケツァルコアトルが人類を再生させる重要な役割を果たしたという。犬の頭を持つ仲間ソロトルとともに地下に降り、大洪水で死んだ人々の骨を探したのだ。死の神ミクランテチュトリをだまして骨を手に入れたケツァルコアトルは、骨をタモアンチャンと呼ばれる場所に持っていく。骨はそこでトウモロコシのように臼でひかれて細かい粉となる。この粉の上に神々は血を流し、現在の人間たちの肉体を創った。[31]

サンティラーナとデヒェントは、この二つの形を変えた宇宙の臼の話に、犬、または犬の特徴を持つ登場人物がでてくるのも偶然ではないという。フィンランドのハムレットであるクレルボーもまた、「黒い犬ムスティ」を伴っていた。[32] 同様にオデュッセウスが、イタカの領地に戻ったとき、最初に出迎えたのは忠実な犬だった。[33] そして、日曜学校に行ったことがある者なら誰でも思い出すだろうが、サムソンの話にはキツネが（正確にいうと三〇〇匹）[34] 登場するが、キツネはイヌ科に属している。アムレス（ハムレット）の物語のデンマーク版には、「アムレスは進んだ、そこへ狼が現われ、アムレスの行く藪《やぶ》の中の道を横切った」[35]とある。フィンランドのクレルボーの物語には別の版があって、その中で主人公は(かなり異様だが)、「エストニアに送られ、塀の下で吠え、一年間吠え続けた・・・」という。[36]

サンティラーナとデヒェントは、これらの「犬の登場する傾向」は、すべて意図的に作られたものだと確信している。まだ解読されていない古代の暗号が、一貫してメッセージを送ってきているのだという。彼らは、これ以外にも多く犬のシンボルが登場する例を挙げているが、それらは一連の「形態構造を持った目印」の一部であり、これらの目印は、歳差運動に関する科学的情報が、古代神話に存在する可能性を示すものだという。[37]これらの目印は、独自の意味を持っていたかもしれないし、あるいは、語られる物語に確実なデータが入っていることを聞き手に喚起するものだったのかもしれない。あるいは、「道を開くもの」として作られたのかもしれない。「道を開くもの」とは、初心者が、一つの神話から次の神話へと、科学的情報の跡をたどっていけるようにするものだ。

したがって、ここにはおなじみの臼や渦巻きは一つも出てこないが、注目すべきは、ギリシア神話の偉大な狩人オリオンが犬の飼い主であったことだ。オリオンが処女の女神アルテミスを強奪しようとしたとき、アルテミスは地からサソリを生じさせ、オリオンと犬は殺された。オリオンは空に上げられ星座となった。オリオンの飼い犬は、シリウス星(狼星)となった。[38]

古代エジプト人もシリウスを犬とみなしており、[39]同時にオリオン座をオシリスの神に結びつけて考えていた。[40]また古代エジプトには、忠実な天空の犬がでてくるが、明確な個性が与えられている。それは、ジャッカルの頭をもったウプワウトという神であり、名前の意味は「道を開くもの」である。(41) もしも、この道を開くものに従いエジプトに行き、目をオリオン座に向け、オシリスの力強い神話の世界に入れば、おなじみのシンボルに包まれることになる。

読者は、神話の中でオシリスは策略の犠牲者だったことを思い出すだろう。首謀者たちは、オシリスを箱に封じ込め、ナイルに流した。この点で、オシリスはウトナピシュティムやノア、コスコストリ、そして大洪水の物語に出てくる他のすべての主人公に似てはいないだろうか？　これらの主人公たちは皆、箱船（あるいは箱や櫃《ひつ》）に入って、洪水の水面を漂っている。

もう一つのおなじみの要素は、歳差運動の古典的なイメージである世界の木や屋根の支柱の登場だ。神話はオシリスが、箱の中に封じ込められたままで海へ運ばれ、ビブロスに打ち上げられたことを伝えている。波がオシリスをギョリュウの木の枝の間に運んだが、この木が急速に巨大に育ち、その幹の中に箱を閉じこめた。(42) 国王は、そのギョリュウの木を非常に崇拝しており、切り倒してオシリスが入っている部分を宮殿の屋根の柱にした。後にオシリスの妻であるイシスは、柱から夫の体を取り出してエジプトに持ち帰り、再生させた。(43)

オシリスの神話もまた、鍵となる数字を含んでいる。偶然か、計画されたものか、いずれにせよそれらの数字は歳差運動の「科学」に近づく道を与えている。このことを次の章でみていこう。

第31章　オシリスの数字

シカゴ大学の東洋研究所でエジプト学を学んだ天文考古学者のジェーン・B・セラーズは、冬はメイン州ポートランドで過ごし、夏はリプリーネックで過ごす。リプリーネックは、一九世紀的な孤立した地域で、メイン州の岩がそそり立った海岸線を「東の奥」に行った所にある。セラーズによれば、「そこでは、夜空は砂漠のように澄みわたり、ピラミッド・テキストをカモメを相手に大声で読み上げても、誰も気にしない・・・」という。[1]

サンティラーナとデヒェントが「ハムレットの臼」で提示した学説を検証した数少ない学者の一人であるセラーズは、古代のエジプトとその宗教を正しく研究するためには、天文学、特に歳差運動の概念を用いる必要があると注意を喚起してきたことで知られる。[2]セラーズは言う。「考古学者のほとんどは、歳差運動についての理解を欠いている。そのため、古代の神話や神々、神殿の配置に関する結論に悪影響がでている・・・。天文学者にとっては、歳差運動は確固とした事実だ。古代の人類に関する分野で活動する者には、歳差運動を理解する責任がある」[3]

セラーズは、最近の著書『古代エジプトにおける神々の死』で雄弁に自説を展開している。それによると、オシリスの神話は、いくつかの重要な数字を意図的に暗号化しているという。この数字は、物語自体にとっては余分だが、永遠の計算法を表すものであり、これによって以下に関して驚くほど正確な値を得ることができる。

❶地球のゆっくりとした歳差運動により、春分の日の出の位置が、黄道に沿って（星座を背景として）「一度」移動するのに必要な時間。
❷太陽が、黄道帯の星座一つ分、つまり三〇度通り過ぎるのに必要な時間。
❸太陽が、黄道帯の星座二つ分（合計して六〇度）通り過ぎるのに必要な時間。
❹「大復帰」[4]が起きるのに必要な時間。すなわち、太陽が黄道に沿って「三六〇度」移動する、歳差運動の一周期分、あるいは「グレート・イヤー」。

大復帰を計算する

セラーズが示したオシリス神話に出てくる歳差運動の数字は、三六〇、七二、三〇、一二だ。これらの数字のほとんどが、いろいろな登場人物の生い立ちの詳細を説明する部分にでてくる。都合のいいことに、以前、大英博物館で古代エジプト室長を務めていたE・A・ウォーリス・バッジがこの点についてまとめている。

女神ヌートは、太陽神ラーの妻であったが、神ゲブに愛された。ラーが密通を発見したとき、ラーは妻を呪い、どの年のどの月にも子を産むことはできないと宣告した。そのとき神トトもヌートを愛していたので、「月」とテーブルで賭けをし、「月」から五日間を勝ち取った。トトはこの五日間を、「その頃の一年の日数であった」(強調が加えられている)三六〇日に加えた。この五日間の最初の日、オシリスが生まれた。そしてオシリスが誕生したとき、不思議な声が聞こえた。その声は創造の神が生まれたことを宣言していた。[5]

この神話は、他の箇所で一年の三六〇日は、「それぞれ三〇日の月が一二か月分」[6]あってできている、と伝えている。そしてセラーズの観察によれば、一般的に「単純な暗算をうながしたり、数字に対する注意を引きつけるような言葉が使われている」という。[7]

ここまでに、セラーズが言う歳差運動の数字のうち、三つが出ている。それは、三六〇、一二、三〇である。四番目の数字はこの文章の後の方に出てくるが、最も重要だ。第9章で見たように、セットという悪の神は、仲間を率い、オシリスを殺す陰謀を企てた。この共謀者の数が七二であった。

この最後に述べた数を手にしたセラーズは、これで古代のコンピュータ・プログラムを動かすことができると述べている。

一二＝黄道にある星座の数。

三〇＝黄道上のそれぞれの星座が、黄道に沿って占めている角度。

七二＝太陽が、歳差運動により、黄道に沿って一度移動するのに必要な年数。

三六〇＝黄道の全体の角度。

七二×三〇＝二一六〇（太陽が、黄道に沿って三〇度移動するのに必要な年数。すなわち、黄道にある一二の星座のうち、一つを完全に通過するのに必要な年数）

二一六〇×一二（もしくは三六〇×七二）＝二五九二〇（歳差運動の一周期の年数、もしくは「グレート・イヤー」の年数。したがって「大復帰」を起こすのに必要な年数）

他の数字や、他の組み合わせも現われる。たとえば、

三六＝太陽が、歳差運動により、黄道に沿って〇・五度移動するのに必要な年数。

四三二〇＝太陽が、歳差運動により、六〇度（すなわち黄道の星座二つ分）移動するのに必要な年数。


これらの数字は、歳差運動の暗号の基本要素であり、古代の神話や聖なる建築物に何度も不気味な執拗さをもって現われるとセラーズはいう。深遠な数秘学（誕生日の数字・名前の総字数などで運勢を占う）によく見られるように、この暗号は、小数点を右にも左にも自由に移動でき、歳差運動に関係する数字を使って、あらゆる組み合わせ、順列、乗算、除算、分数を用いることが許され

る。

この暗号の中で重要な数字は七二である。七二には三六がしばしば足されて一〇八になる。さらに一〇八に一〇〇をかけて一〇八〇〇としたり、一〇八を二で割って五四にしたり、あるいは五四に一〇をかけて五四〇として表わす(あるいは五万四〇〇〇、五四万、五四〇万など)。もう一つ重要なのが、二一六〇だ(分点が、黄道の星座一つ分移動するのに必要な年数)。ときどき十や十の倍数がかけられ(二一万六〇〇〇、二一六万などになる)、また時には二がかけられ、四三二〇、四万三二〇〇、四三万二〇〇〇、四三二万などになる(無限に続く)。

ヒッパルコスよりも正確

もしもセラーズの「これらの数字を生み出す計算法が、オシリス神話に意図的に暗号化されて組み込まれており、歳差運動の情報を伝えている」という仮説が正しいとしたら、興味深い事実に直面することになる。まず、数字が本当に歳差運動を示すとしたら、これらの数字は時代にそぐわない。この数字が含む科学は高度であり、現在知られているどの古代文明も計算できるものではない。

これらの数字は神話の中にあるが、神話はエジプトで文字を書くことが始められた時代に記録されたことを忘れてはならない(オシリスの物語は、紀元前二四五〇年頃のピラミッド・テキストの中で見つかり、文脈から、内容は、書かれた時すでにきわめて古かったことがわかる)[8]。歳差運動の発見者と呼ばれているヒッパルコスは、紀元前二世紀の人物だ。ヒッパルコスは、一年間の歳差運動の動きとして、四五秒または四六秒という値を提示した。これらの値を用いると、黄道に沿って一度移動するのに、八〇年（一年間につき四五秒の場合）、または七八・二六年かかる（一年間につき四六秒の場合ということになる）。二〇世紀の科学によって算出された厳密な値は、七一・六年だ。[9] もしセラーズの理論が正しければ、「オシリスの数字」は七二年という値を出しており、ヒッパルコスの値よりもかなり正確であるということになる。実のところ、物語という性格のため、七二という数字を変えるのは難しい。古代の神話の創り手が正確な数字を知っていたとしても、七一・六人の共謀者を物語に組み込むことはできないが、七二人ならばうまく収まる。

この四捨五入した数字を用いるオシリス神話からは、歳差運動の移動により黄道帯の一つの星座を完全に通り過ぎる時間として、二一六〇年という値が生まれる。正しい数字は、今日の計算によると、二一四八年だ。[10] これがヒッパルコスの数字では、二四〇〇年ないしは二三四七・八年となっている。最後にオシリス神話では、黄道の十二宮を回って歳差運動の一周期を完成するのは、二万五九二〇年だという計算になる。ヒッパルコスの場合は、二万八八〇〇年および二万八一七三・六年という値だ。正確な数字は、今日の計算では二万五七七六年となる。[11] ヒッパルコスの大復帰の計算結果には、およそ三〇〇〇年の誤差がある。オシリスの計算は、厳密な値と比べると一四四年分の誤差がある。しかし十分満足できる数字と言えよう。なぜなら、物語という性格上、やむを得ず数字を丸めなければならず、正確な値である七一・六から、より扱いやすい数字である七二にしているからだ。

しかし、これらのすべては、セラーズの説が正しいことを前提にしている。二一六〇、七二、三〇、一二といった数字が、オシリス神話に織り込まれているのは偶然ではなく、歳差運動を理解し正確に測定した人々によって意図的に入れられた、という説だ。

果たしてセラーズは正しいのか？

退廃の時

オシリスの神話は、歳差運動の計算を組み込んだ唯一の神話ではない。関連のある数字が、いろいろな形、倍数、組み合わせで、古代世界のいたる所に顔を出している。

その一つの例が第30章に出ている北欧神話で、四三万二〇〇〇人の戦士がワルハラから出撃し、「狼」との戦いに赴く。この神話を振り返ると、「歳差運動の数字」のいくつかの順列が含まれていることに気づく。

同様に、第24章で見たように、宇宙規模の大変動について述べている古代中国の伝承は、長文だったと言われるが、その巻数は正確に四三二〇巻である。

そこから何千キロも離れたバビロニアの歴史家ベロッソス（紀元前三世紀）が、洪水が起きる前のシュメールの地を治めた神話の王が君臨したのが、四三万二〇〇〇年間だと述べているのは、偶然の一致だろうか？　さらに、この同じベロッソスが、「創造の時から世界的な大災害までの間」[12]を二一六万年としたのは、偶然だろうか？

マヤ族のような古代のアメリカインディオの神話もまた、七二や二一六〇、四三二〇といった数字を含んでいただろうか？　それが解明されることはないだろう。征服者と熱狂的な修道士たちは中央アメリカの伝承という遺産を破壊して、研究の対象となるものをほとんど残さなかったからだ。

乳の海をかき回している図　歳差運動のためのいくつかの「思考の道具」の1つで古代神話にでてくる。

だが、関連のある数字が、マヤのロング・カウント・カレンダーに、頻繁に現われるということは言える。このカレンダーについての詳細は、第21章で述べた。歳差運動を計算するのに必要な数字はそこに登場しており、次のような公式で表されている。一カトゥン＝七二〇〇日、一トゥン＝三六〇日、二トゥン＝七二〇日、五バクトゥン＝七二万日、五カトゥン＝三万六〇〇〇日、六カトゥン＝四万三二〇〇日、六トゥン＝二一六〇日、一五バクトゥン＝二一六万日。[13]

セラーズの「暗号」は、神話に限られているわけではないようだ。カンボジアのジャングルにあるアンコールワットの寺院群は、まるで歳差運動を象徴する目的で建てられたかのようだ。たとえば、そこには五つの門があり、それぞれの門からは道が延び、その道は遺跡全体を取り巻く、ワニがひしめく堀をまたいでいる。これらの道の両端には巨大な石像が立ち並び、一つの道に一〇八体、片側に五四体ずつあり(全部で五四〇体)、石像の列はそれぞれ、ナーガと呼ばれる巨大な蛇を抱えていた。さらに、サンティラーナとデヒェントが「ハムレットの臼」で指摘するところでは、石像は蛇を「抱えている」のではなく、蛇を「引いている」のであり、これは五四〇体の石像が「乳の海をかき回している」様子を示している。したがってアンコールワット全体が、歳差運動の概念を表現している「巨大なモデルで、ヒンドゥー人の空想と不条理を背景に造られた」ものだという。[14]

同じことがジャワの有名な寺院であるボロブドゥールにもいえるかもしれない。ここには、鐘に似た形の仏塔が七二ある。たぶんレバノンのバールベクにある巨石群も同様だろう。これは、世界最大の切石の塊と考えられている。ローマやギリシア時代の建築物より遙かに古いこの三つの石は、「トリリシオン」と呼ばれるものを構成しており、五階建てのビルと同じくらい高く、重さはそれぞれ六〇〇トン以上もある。四つ目の巨石は、長さがほぼ二四メートルで、重さは一一〇〇トンもある。これらの巨石は見事に切り出され、完璧な形をしており、何キロも離れた石切場から何らかの方法でバールベクまで運ばれてきた。さらにこれらの巨石は、壮大な寺院の土留め壁の相当な高さの所に巧妙に組み込まれている。またこの寺院は、巨大な大きさと高さをもつ五四の柱に取り囲まれている。[15]

インド亜大陸（そこではオリオン座はカルプルシュとして知られており、その意味は「時間人」である）[16]においては、セラーズが言うオシリスの数字がさまざまなものを通して表現されており、偶然のせいにするのがますます難しい。たとえば、インド人の炎の祭壇であるアグニカヤナには、一万八〇〇〇の煉瓦がある。また、リグベーダは一万八〇〇〇連からなっている。リグベーダは、ベーダの文章の中で最も古いもので、インドの神話の豊かな宝庫である。それぞれの連（四行以上から成る有韻の詩句）は四〇の音節から成り、その結果、文章全体は四三万二〇〇〇の音節で構成されている・・・それより多くも少なくもない。[17]そして、リグベーダの一章一六四節（典型的な連）には、「一二本の輻《や》がある車輪で、そこにはアグニの七二〇人の息子たちが住み着いていた」とある。[18]

ユダヤのカバラでは七二人の天使が出てきて、その天使たちを通じてセフィロス（神の力）[19]に近づき、またこれを呼び出すことができた。これは、天使の名と数字を知る者によってなされた。薔薇十字会（一七～一八世紀にオカルト的教義を信奉し、錬金魔法の術を行なった秘密結社）の伝説は、一〇八年（七二＋三六）の周期について語っている。この周期に従って、この秘密結社は社会に影響を及ぼすべく行動を取る。[20]同様に、七二という数字と、その順列および約数が大きな重要性を持っていたのは、三合会（一八世紀中国の代表的秘密結社で反清朝運動を行なった）として知られる中国の秘密結社だ。古くからの儀式で、入会を希望する者は金銭を払うことになっている。その内訳は、「服を作るのに三六〇の硬貨、寄付金に一〇八の硬貨、指導に七二の硬貨、裏切り者の首をはねるのに三六の硬貨」となっている。[21] この「硬貨」（昔の中国で広く使われていた真鍮の硬貨。真中に四角い穴が空いていた）は、もちろん今は流通していないが、数字は、大昔から儀式の中で受け継がれ、今に生き残っている。現代のシンガポールにおいて、三合会に入ろうとする者は入会金を払い、その金額は経済的状況によって算出される。その額には条件があり、ある額の倍数で構成されなければならない。その基礎となる額は、一・八〇ドル、三・六〇ドル、七・二〇ドル、一〇・八〇ドル、一八ドル、三六ドル、一〇八ドル、三六〇ドル、七二〇ドル、一〇八〇ドルなどである。[22]

あらゆる秘密結社の中で、最も謎めいていて、きわめて古風なのは、疑いなく洪秀全（一九世紀中頃、清朝に対立して太平天国を建てた。キリスト教と民間信仰を混合した教義を広めた教祖）が率いる上帝会である。学者はこれを、「中国の古い宗教の宝庫」としている。[23] 上帝会に入会するための儀式において、新参者は問答の試験を受ける。それは次のようなものだ。

問　歩いてくるときに何を見たか？

答　赤い竹の鉢を二つ見ました。

問　いくつの竹が生えていたか知っているか？

答　一つの鉢には三六、もう一つには七二、合わせて一〇八の竹がありました。

問　それを自分のために持って帰ったか？

答　はい、一〇八の竹を家に持って帰りました。

問　どうやってそれを証明する？

答　詩で証明します。

問　その詩はどのようなものか？

答　広東の赤い竹は、世界でも珍しい。
三六本と七二本茂っている。
誰が一体この意味を知るだろう？
仕事にとりかかるとき、その秘密はわかる。

この文章には好奇心を誘う雰囲気があるが、それは上帝会が見せる寡黙なふるまいによって、いっそう強められる。この組織は、中世ヨーロッパのテンプル騎士団(および現代のフリーメーソン)に多くの点で似ているが、この問題は本書で述べる範囲を超えている。(24) 洪秀全の上帝会の漢字「洪」

は、〝水〟と〝たくさん〟という意味を表す部分からできており、「氾濫」を意味する・・・すなわち洪水のことだ。

最後にインドに戻り、プラーナとして知られている聖なる教典の内容に注目しておこう。プラーナは、四つの「地の時代」について語っており、この「地の時代」は、ユガと呼ばれ、合わせて一万二〇〇〇年の「聖年」の長さがあると言われている。この四つの時代の長さは順に、「聖年」で表すと、クリタユガ＝四八〇〇年、トレータユガ＝三六〇〇年、ドゥワパラユガ＝二四〇〇年、カリユガ＝一二〇〇年である。[25]

プラーナは、「人間の一年は、神々の一日に等しい」[26]とも述べている。さらに、オシリスの神話とまったく同じように、聖年と人間の年の両方とも、一年の日数は、人為的に三六〇とされているため、一聖年は人間の三六〇年に等しいということになる。[27]

したがってカリユガは、一二〇〇聖年であるから、四三万二〇〇〇年の長さをもつことになる。[28]一マハユガ、あるいは大時代（四つのユガの合計である一万二〇〇〇聖年からなる）は、四三二万年に等しい。一〇〇〇マハユガ（一カルパ、あるいは一ブラフマー日）は、通常の年数でいうと、四三億二〇〇〇万年だ。[29]ここでも、歳差運動の基礎的計算のための数字がでてくる。また、マンバンタラ（人類の始祖、マヌの時代）という単位がある。教典には「一マンバンタラの間に、四つのユガを合わせた期間が約七一回経過する」とある。[30]ここで読者は、歳差運動の黄道に沿って一度の動くのに、七一・六年かかることを思い出すだろう。この数字は丸めることができ、するとインドの「約七一」となる。それは古代エジプトでこの数字が七二に丸められたのと同じことだ。

ところで、四三万二〇〇〇年の長さをもつカリユガとは、われわれの時代である。教典が語るところでは、「カリの時代に退廃は進み、人類は絶滅に近づく」という。[31]

犬と叔父と復讐

われわれをこの退廃の時に導いてきたのは犬だった。

犬の星シリウスを通ってここまで来たのだが、この星はエジプトの上空にそびえる巨大なオリオン座の足元にある。エジプトでは、すでに見てきたように、オリオンは死と再生の神オシリスであり、オシリスの数字は・・・偶然かもしれないが・・・一二、三〇、七二、三六〇である。だが、これらの数字および歳差運動の他の主要な整数が、世界の各地の互いに無関係のはずの神話に現われ、また、長く残る伝達手段であるカレンダー・システムや建築物のようなものに現われ続けるという事実を、果たして偶然として説明できるだろうか？

サンティラーナとデヒェント、ジェーン・セラーズ、そしてますます多くの学者たちが、偶然の可能性を否定するようになっており、「細部に至るまでの一貫性」は、導きの手の存在を示すものだと主張している。

もし彼らが間違っているならば、別の説明を見つける必要がある。このような特定の互いに関係性をもつ数字（その明白な役割は、歳差運動を計算することだけ）が、広い範囲で人間の文化に記録されているが、これが偶然に起こるということを説明しなければならない。

だが、もし彼らが間違っていないとすればどうなるのか？　導きの手が本当に舞台裏で働いていたのか?

サンティラーナとデヒェントの神話と謎の世界に入っていくとき、導きの手の影響をかすかに感じとれるように思うときがある。犬のことを思い出してみよう。あるいはジャッカル、狼、キツネのことを。この犬のような存在が、神話から神話へこっそり渡り歩くその微妙なさまは、奇妙だ。また刺激的で、われわれは当惑しながら、常に先へ先へとおびき寄せられてしまう。

アムロディの臼から、エジプトのオシリスの神話まで、われわれはこの犬の後をついていった。古代の物語の構想に従うと(セラーズ、サンティラーナ、デヒェントが正しいとして)、最初に、天球の姿をくっきりと心に描くように促され、次に、機械的なモデルが提示され、歳差運動が及ぼす天球全体にわたる大きな変動を思い浮かべる助けとなる。最後に、犬の星シリウスが道を開き、歳差運動の値をだいたい正確に算出できる数字が与えられる。

オリオンの足元に永遠に留まっているシリウスが、オシリスの周りにいる唯一の犬というわけではない。第11章で見たように、イシス(オシリスの妻であり妹)[32]は、夫がセット(イシスの兄弟で、オシリスの弟)に殺された後、夫の死体を探し求めた。古代の伝承によると、このとき犬が手伝ったという(伝承によってはジャッカル)[33]。同様に、エジプトの歴史の全時代にわたって、神話的および宗教的文献は、ジャッカルの頭をもつアヌビスが、オシリスの死後その霊に仕え、黄泉の国を行く案内役を務めた、と明言している[34](現存する絵の中で、アヌビスの外見は、道を開く神ウプワウトと同一である)。

最後になるが、オシリスも、セットとの最後の戦いで息子ホルスを助けるため黄泉の国から戻ったとき、狼の姿をしていたと信じられている。[35]

この種の資料を調査していると、古代の知性によって操られているような気味の悪い感じを覚えることがある。この知性は、広大な時間の隔たりを超えてわれわれと接触する方法を見つけ、難問を仕掛け、神話の言葉を解くように仕向けているようだ。

何度も現われ続けるのが犬だけならば、このような異様な直感を無視するのもやさしい。犬が現われる現象は、偶然である可能性が高いように思える。だが、犬だけではないのだ。

二つの非常に異なる神話、オシリス神話とアムロディの臼の神話（両方とも、歳差運動の正確で科学的なデータを含んでいると思われる）には、もう一つの奇妙なつながりがある。家族関係だ。アムロディ（アムレス、ハムレット）は、父を殺された息子であり、謀殺者を罠《わな》にかけて殺すことで復讐を遂げる。さらに謀殺者は、いつでも父の実の兄弟であり、ハムレットの場合も叔父である。[36]

これはまさにオシリス神話の筋書きに他ならない。オシリスとセットは兄弟である。[37] セットはオシリスを殺す。そしてオシリスの息子ホルスは、叔父に復讐する。[38]

もう一つの奇妙な傾向として挙げられるのは、ハムレット的登場人物はしばしば、妹との近親相姦的関係をもっていることだ。[39] フィンランドのハムレットであるクレルボーの場合は、とくに強く心に訴える場面がある。クレルボーは長い旅から帰宅する途中、森の中でイチゴを集めている娘に出会う。二人はともに寝る。その後になってようやく、二人は兄妹であることに気づく。娘は即座に水に身を投げる。その後、クレルボーは足元につきまとう「黒い犬ムスティ」とともに森の中をさまよい、やがて剣で身を貫く。[40]

エジプトのオシリスの神話には自殺は出てこないが、しかしオシリスと妹のイシスとの間には近親相姦がある。この結びつきから、復讐者ホルスが生まれる。

そこでもう一度尋ねてもよいだろう。何が起こっているのか？　なぜ、このように明らかな関連やつながりがあるのか？　なぜ、これらの神話は、表向き異なった題材を扱っているのに、それぞれのやり方で歳差運動という現象に光を投げかけているのか？　なぜこれらの神話では、犬が駆け回り、近親相姦の傾向を持った人物が登場し、身内を殺し、復讐するのか？　これだけ多くの同一の仕掛けが偶然に生まれ、これだけ多くの異なった文脈の中に現われ続けたというなら、いくら懐疑主義を信奉していても限度を超えてしまうだろう。

だが、もし偶然でないなら、いったい誰が、この入り組んだ巧妙につなぎ合わされたパターンを創り上げたのか？　誰がこのパズルの作者やデザイナーで、どんな動機を持っていたのだろうか？

何かを伝えている科学者

誰であろうと、その人物が賢かったことは間違いない。歳差運動による微小な動きを観測し、それにかかる時間を、現在の高度な技術によって得られた値に驚くほど近い値で計算することができるほどの知性を持っていた。

したがって、彼らは高度な文明をもつ人々ということになる。実際に、科学者と呼ぶにふさわしい人々だ。さらに、この人々は途方もなく遠い昔に生きていたに違いない。なぜなら、共通の遺産である歳差運動の神話が大西洋の両側において創造され広まった時期は、「有史以前」であると確信をもって言えるからだ。その一方で、証拠が示すところでは、歴史と呼ばれるものが約五〇〇〇年前に始まったとき、神話はすでに「年老いてよろめきながら歩いていた」のだ。[41]

古代の物語がもつ偉大な長所は、永遠に用いることができ、著作権に関係なく翻案できることだ。そのため、物語は知的なカメレオンのように、微妙であいまいさをもち、環境に従ってその色を変化させる能力を持っていた。異なる時代に、異なる大陸で、古代の物語は様々な形に姿を変えて語られてきたが、その象徴性は本質的には変化せず、当初からプログラムされていた歳差運動のデータは常に伝達され続けてきた。

なんのためか？

次の章で見るように、歳差運動の長くゆっくりとした周期は、見かけ上の空の眺めを変化させてきただけではない。この天空の現象は、地球の地軸の旋回で起き、地球に直接的な影響を与える。実際のところ、歳差運動は、氷河時代の突然の始まりや突然の衰退に深い関係があるとみられているのだ。

第32章　まだ生まれていない世代への語りかけ

古代世界の多くの神話が、大災害を目の前で見たかのように語っているのは理解できる。人類は最後の氷河時代を生き抜いており、洪水や寒さ、大規模な火山活動、破壊的な地震についての伝承の情報源は、紀元前一万五〇〇〇年から前八〇〇〇年の氷河の急激な溶解とその期間の荒々しい大変動の中にあるらしいからだ。氷床の最後の後退や、その結果もたらされた地球的規模の九〇メートルから一二〇メートルの海面の上昇は、歴史時代が始まるほんの二、三千年前に起きたことだ。したがって、古代文明のすべてが、先祖を脅かした大洪水について鮮明な記憶を保持しているのも、驚くべきことではない。

説明するのが遥かに難しいのは、大洪水神話の中には奇妙だがはっきりとした、知性を持った導き手の影が現われていることだ。(1) これら古代の物語は、あまりにも互いに似ているので、すべてが同じ「著者」によって「書かれた」のではないかという疑いすら生じる。

この著者は、これまで見てきた多くの神話の中で語られている不思議な神あるいは超人と何かつながりがあるのだろうか？　この神や超人は、恐ろしい大災害で世界が破壊された直後に現われ、動揺し意気消沈した生き残った人々に、安らぎと、文明という贈り物をもたらしている。

ひげを生やしている色の白い人物がしばしば神話に登場しているが、オシリスはこの普遍的な人物のエジプト版だ。オシリスの最初の行ないの一つは、ナイル低地に住む原始的な人々の食人の風習をなくすことだった。[2] 中央アメリカのビラコチャは、大洪水のすぐ後に文明を広める活動を始めた。ケツァルコアトルは、四番目の太陽が破壊的な大洪水によって飲み込まれた後のメキシコで、トウモロコシを発見し、穀物を伝え、数学や天文学や洗練された文化を伝えた。

最後の氷河時代を生き残った旧石器時代の部族と、同じ時代を切り抜けた、まだ正体がわかっていない高い知性をもつ文明人が出会ったという記録が、これらの奇妙な神話の中に描かれているのだろうか？

あるいは高度な文明を持った人々が、神話による交信を試みたのではないだろうか？

時間の瓶の中のメッセージ

ガリレオは言っている。

世の中には様々な素晴らしい発明があるが、奥の深い思考を誰かに伝える方法を考えついた者は至高の理性の持ち主だ。時や場所が大きく隔たっているにもかかわらず、インドにいる者と語り、まだ生まれていない者と語り、それも千年あるいは一万年先に生まれる者と語る。これは、紙の上で二十数個の小さな記号を様々に組み合わせるだけで行なうことができる。これこそ、人類が創り出したすべての賞賛すべき発明の印とすべきだ。(3)

サンティラーナ、デヒェント、ジェーン・セラーズといった学者たちが発見した「歳差運動のメッセージ」が、もしも、失われた文明による意図的な交信の試みであるならば、なぜそれは、文書の形で残されなかったのか？　その方が、神話の中に暗号化するより簡単ではなかっただろうか？　おそらくそうだろう。

だが、何千年も後に、書かれたメッセージが壊されたり、磨耗してなくなってしまったらどうなるか？　あるいは、メッセージを記すのに使われた言語が完全に忘れ去られてしまったらどうなるか（インダス谷の謎の文献は半世紀以上にわたって綿密に研究されてきたが、いまだに解読できていない）？　こうなると、書き残された未来への遺産は、まったく価値がなくなる。誰もそれを理解できないからだ。

したがって、メッセージを伝えようとする者が求めるのは、普遍的な言語であろう。どの時代でも、たとえ千年あるいは一万年先でも、技術的に高度な社会なら理解できる種類の言語を求めるはずだ。そのような言語はまれだが、数学はその一つだ。そうなると、テオティワカンの都市は、永遠の言語である数学で書かれた、失われた文明の名刺なのかもしれない。

地球の形や大きさを正確に測定する測地データは、これまた何万年にもわたって認識可能だろう。これは、地図という手段で最もわかりやすい形で表現されると思われる（あるいは、エジプトの大ピラミッドのように巨大な測地的モニュメントの建設だ。このことは後の章で見ていく)。

太陽系の一つの「定数」は、時間という言語であり、規則正しい時間が、歳差運動の尺取虫のような規則的な動きによって測定される。現在、あるいは一万年後においても、七二や二一六〇、四三二〇、二五九二〇といった数字のメッセージは、数学に関してある程度の発達を遂げた社会なら、また太陽が、動かない星を背景にして黄道に沿って描く、ほとんど気づかないほどの動き(七一・六年に一度、二一四八年に三〇度、など)を測定できるほどの文明ならば即座に理解するだろう。

なんらかの相互関係が存在するという感覚は、別の件によっても強められる。これは、リグベーダの中の連の数ほど確かではないが、関連が感じられる。世界的な大洪水神話と歳差運動の神話には、文体上のつながりがあり、共通した象徴がたくさん使われている。この二つの種類の伝説は、詳細な点で関連しており、どちらの伝説にも、意識的な計画の存在を示す指紋が残されているようだ。したがって、当然のように歳差運動と世界的大災害との間に重要なつながりがあるかどうかをつきとめたくなるのだ。

苦痛の臼

天文学および地質学にからんだ、いくつかのメカニズムは互いに関連しており、すべてが解明されているわけではないが、歳差運動の周期は、氷河期の開始と終焉に強く関係していることがわかっている。

氷河期が発生するためには、いくつかの事が、同時に起こらなければならないため、一つの天文的時代の移行がすべて氷河期に関係するわけではないと思われる。だが、長い時間で見れば、歳差運動が氷河の進行と衰退に影響を与えるのは確実だとされている。現代科学でこの事実に対する知識が確立したのは、一九七〇年代後半になってからのことだ。[4] だが、神話の中の証拠は、最後の氷河期に存在した未確認の文明が、一九七〇年代後半の科学と同じレベルの知識を持っていたことをはっきりと示唆している。その証拠とは、神話が描いている洪水と炎と氷によるひどい大災害が、黄道の大きな輪を巡る天空の重々しい動きと、当然のごとく結びつけられていることだ。サンティラーナとデヒェントの言葉によると、「神々の臼がゆっくりと回り、その結果が、苦痛を生むという考えは、古代人にとっては珍しくなかった」のだ。[5]

すでに見てきた三つの要因が、氷河期の進行と衰退に深く関与していることが知られている（もちろん、突然の厳寒および解氷に続いて起こるいろいろな大変動にも）。これらの要因はすべて、地球の軌道の変動と関係があるという。それらの要因を挙げてみよう。

❶黄道傾斜（地球の自転軸が傾いている角度。天の赤道と黄道との間の角度）。すでに見てきたように、黄道傾斜は、果てしなく長い時間の間に、二二・一度（地軸が最も垂直に近づいたとき）から二四・五度（地軸が最も垂直から遠ざかったとき）まで変化する。

❷公転軌道の離心率（楕円形をした地球の公転軌道が、ある時代においてどのくらい細長く歪んでいたか）。

❸地軸の歳差運動。これによって、地球の公転軌道上にある四つの方位点（春分点、秋分点、

冬至点、夏至点）が、軌道上を反対回りに非常にゆっくりと移動する。

ここまでくると、技術的で専門的な科学の領域に入り込んできており、本書の範囲を大きく超える。詳細な情報を求める読者は、全米科学基金によるクライマップ（CLIMAP）計画や、J・D・ヘイズ教授とジョン・インブリー教授による論文「地球の軌道における変動――氷河期のペースメーカー（注4を参照）」を読んでほしい。

簡単に述べると、ヘイズ、インブリー、その他の学者たちが立証したのは、氷河期の始まりは予測できるということだ。氷河期が始まるためには、以下のような天空の条件が、同時に揃わなければならない。（a）最大の離心率。このとき地球は、「遠日点」（公転軌道の先端）において、太陽から何百万キロも通常より遠ざかる。（b）最小の黄道傾斜。このとき地球の地軸、および北極と南極の位置は、通常より垂直に近づく。（c）歳差運動。歳差運動が長い周期を巡るうち、地球が「近日点」（地球が太陽に最も近づく点）にいる時に、冬がどちらかの半球で始まるようになると、遠日点にいる時に夏になり、比較的寒い夏となる。その結果、冬に形成された氷が、次の夏の間に溶けきらなくなり、氷床が拡大していく[6]。

軌道の形が変化していくことによって、「受光太陽エネルギー」（地球が受け取る太陽光線の量と強度の変化）も時代や緯度によって変化し、氷河期を引き起こす重要な要因になる。

古代の神話作成者たちは、恐ろしい危険について警告を発しようとしたのだろうか？　彼らは世界的な大災害の苦痛を、天空の臼のゆっくりとした旋回と複雑に結びつけている。

この疑問には、再び触れることになる。だがここでは、公転軌道の形が地球の気候に重大な影響を与えることを明らかにし、歳差運動の正確な測定結果を未確認の文明の科学者が、時の隔たりを超えて、我々に向けて発信していることを知るだけで十分だろう。

彼らの言うことに耳を傾けるかどうかは、もちろんわれわれ次第だ。

注

■第1章

1 Charles H. Hapgood FRGS, *Maps of the Ancient Sea Kings*, Chilton Books, Philadelphia and New York, 1966, p.243で再現された手紙.

2 同書, pp.93-98, 235. この時代はおよそ紀元前13,000年から前4,000年まで続いた. その根拠となるのは, たとえばイリノイ大学のジャック・ハック博士による調査結果である. ハック博士をサポートしたのは, ワシントンD.C.にあるカーネギー協会の専門家たちである. コロラド大学に在籍する地震学と重力と惑星地質学の専門家であるジョン・G・ワイプハウプトは, 南極大陸の少なくともある部分は, さきの時代の後半において氷に覆われていなかったという見方をしている. ワイプハウプトは, 他の何人かの地質学者とともに, この時代を紀元前7,000年から前4,000年までと限定している.

3 同書, 序文, pp.1, 209-211.

4 *Encyclopaedia Britannica*, 1991, I:440.

5 *Maps of The Ancient Sea Kings*, p.235.

6 同書.

7 歴史家たちは, 紀元前4,000年以前にそのような「文明」があったことを認めていない.

8 *Maps of The Ancient Sea Kings*, pp.220-4.

9 同書, p.222.

10 同書, p.193.

11 *Maps of the Ancient Sea Kings* (改訂版), Turnstone Books, London, 1979, 序文.

12 同書.

13 同書, 序文. C. H. Hapgood, *Path of the Pole*, Chilton Books, New York, 1970, p.viiiのF・N・アールによる序文も参照.

14 Charles H. Hapgood, *Earth's Shifting Crust: A Key to Some Basic Problems of Earth Science*, Pantheon Books, New York, 1958, pp.1-2のアインシュタインによる序文 (1953年に書かれた) より.

15 *Maps of the Ancient Sea Kings*, 1966年版, p.189.

16 同書, p.187.

17 同書, p.189.

18 *Earth's Shifting Crust*, p.1のアインシュタインの序文.

19 *Maps of the Ancient Sea Kings*, pp.209-11.

20 同書, p.1.

21 同書, pp.76-7 および 231-2.

■第2章

1 *Maps of the Ancient Sea Kings* (以後 *Maps*), p.79.

2 同書, p.233.
3 同書, p.89.
4 同書, p.90. これらの地図は, 1958年の国際地球物理学年に, 数ヵ国の調査団によって作成された.
5 同書, p.149.
6 同書, p.93-6.
7 同書, p.97.
8 この方法の詳細については, *Maps* の p.96を参照.
9 同書, p.98.
10 彼は自分の署名をそこに残した. Peter Tompkins, *Secrets of the Great Pyramid*, Harper & Row Publishers, New York, p.38, 285を参照.
11 *Maps*, p.102.
12 同書, pp.103-4.
13 同書, p.93.
14 この説の背景にある証拠をめぐる詳細な議論については, 本書の第8部およびハプグッドによる *Earth's Shifting Crust* を参照.
15 *Maps*, p.68.
16 同書, p.222.
17 同書, pp.64-5.
18 同書, p.64.
19 同書, p.65.
20 同書, p.69.
21 同書, p.72.
22 同書, p.65.
23 同書, p.99.
24 同書.
25 同書, p.164.
26 同書, p.159.
27 Luciano Canfora, *The Vanished Library*, Hutchinson Radius, London, 1989.
28 *Maps*, p.159.
29 同書, p.164.
30 同書, p.171.
31 同書, pp.171-2.
32 同書.
33 同書, pp.176-7.

■第3章

1 *Maps*, p.107.
2 同書.

3 Simon Bethon and Andrew Robinson, *The Shape of the World: The Mapping and Discovery of the Earth*, Guild Publishing, London, 1991, p.117.
4 同書, p.121.
5 同書, p.120.
6 *Encyclopaedia Britannica*, 1991, 3:289.
7 *Shape of the World*, pp.123-4.
8 同書, p.125.
9 同書, p.131.
10 同書.
11 *Maps*, pp.1, 41.
12 同書, p.116.
13 同書.
14 同書, pp.149-58.
15 同書, p.152.
16 同書.
17 同書, p.98.
18 同書, p.170.
19 同書, p.173.
20 同書, p.225 以降.
21 同書, p.228.
22 同書, pp.244-5.
23 同書, p.135.
24 同書, p.139.
25 同書, pp.139, 145.

■第4章

1 Tony Morrison with Professor Gerald S. Hawkins, *Pathways to the Gods*, Book Club Associates, London, 1979, p.21. *The Atlas of Mysterious Places*, (Jennifer Westwood 編), Guild Publishing, London, 1987, p.100も参照.
2 *Pathways to the Gods*, p.21.
3 ピトルガ博士との個人的なやりとり.
4 ナスカのクモは間違いなく「リチヌレイ」であると最初に確認したのはジェラルド・S・ホーキンス教授である. Gerald S. Hawkins, *Beyond Stonehenge*, Arrow Books, London, 1977, p.143-4. を参照.
5 同書.
6 同書, p.144.
7 Maria Reiche, *Mystery on the Desert*, Nazca, Peru, 1989, p.58.
8 ルイ・デ・モンゾンは, 1586年にナスカの近くのルカナとソラの行政官であっ

た. *Pathways to the Gods*, p.36; *Atlas of Mysterious Places*, p.100.

■第5章

1 たとえば, Father Pablo Joseph, *The Extirpation of Idolatry in Peru* (スペイン語からのL. Clark Keatingによる翻訳), University of Kentucky Press, 1968.

2 これは, Fernando Montesinos, *Memorias Antiguas Historiales del Peru* (17世紀に書かれた)の中で表明された見方である. 英語版は, P. A. Means訳・編, Hakluyt Society, London, 1920.

3 *Encyclopaedia Britannica*, 1991, 6:276-7.

4 Paul Devereux, *Secrets of Ancient and Sacred Places*, Blandford Books, London, 1992, p.76. *Peru*, Lonely Planet Publications, Hawthorne, Australia, 1991, p.168も参照.

5 *The Facts on File Encyclopaedia of World Mythology and Legend*, London and Oxford, 1988, p.657.

6 マクロビウスの言葉. Giorgio de Santillana and Hertha von Dechend, *Hamlet's Mill*, David R. Godine, Publisher, Boston, 1992, p.134に引用された. A. R. Hope Moncreiff, *The Illustrated Guide to Classical Mythology*, BCA, London, 1992, p.153も参照.

7 *Peru*, p.181.

8 *Tan. Terumah*, XI. また, わずかに異なるものとして *Yoma* 39b. *The Jewish Encyclopaedia*, Funk and Wagnell, New York, 1925, vol. II, p.105に引用されている.

9 *Peru*, p.182.

10 *The Facts on File Encyclopaedia*..., p.658.

11 たとえば, H. Osborne, *South American Mythology*, Paul Hamlyn, London, 1968, p.81を参照.

12 この点に関するさらなる証拠や論議については, Constance Irwin, *Fair Gods and Stone Faces*, W. H. Allen, London, 1964, pp.31-2を参照.

13 J. Alden Mason, *The Ancient Civilizations of Peru*, Penguin Books, London, 1991, p.135. Garcilaso de la Vega, *The Royal Commentaries of the Incas*, Orion Press, New York, 1961, pp.132-3, 147-8も参照.

■第6章

1 *South American Mythology*, p.74.

2 同書.

3 Arthur Cotterell, *The Illustrated Encyclopaedia of Myths and Legends*, Guild Publishing, London, 1989, p.174. *South American Mythology*, p.69-88.

4 Francisco de Avila, 'A Narrative of the Errors, False Gods, and Other

Superstitions and Diabolical Rites in Which the Indians of the Province of Huarochiri Lived in Ancient Times', in *Narratives of the Rites and Laws of the Yncas* (Clemens R. Markhem 訳・編), Hakluyt Society, London, 1873, vol. XLVIII, p.124.

5 *South American Mythology*, p.74.

6 同書, p.74-6.

7 同書, p.78.

8 同書, p.81.

9 John Hemming, *The Conquest of the Incas*, Macmillan, London, 1993, p.97.

10 *South American Mythology*, p.87.

11 同書, p.72.

12 *Encyclopaedia Britannica*, 1991, 26:42.

13 Ignatius Donnelly, *Atlantis: The Antediluvian World*, Harper & Brothers, New York, 1882, p.394.

14 *The Facts on File Encyclopaedia*..., p.657の 'Relacion anonyma de los costumbres antiquos de los naturales del Piru' より.

15 *Pears Encyclopaedia of Myths and Legends: Oceania, Australia, and the Americas*, (Sheila Savill 編), Pelham Books, London, 1978, pp.179-80.

16 *South American Mythology*, p.76.

17 同書.

18 *The Conquest of the Incas*, p.191.

19 *Royal Commentaries of the Incas*, p.233.

20 同書, p.237.

■第7章

1 José de Acosta, *The Natural and Moral History of the Indies*, Book I, Chapter four, in *South American Mythology*, p.61.

2 同書, p.82.

3 D. Gifford and J. Sibbick, *Warriors, Gods and Spirits from South American Mythology*, Eurobook Limited, 1983, p.54.

4 *Genesis*, 6:4.

5 Fr Molina, 'Relacion de las fabulas y ritos de los Yngas', in *South American Mythology*, p.61.

6 *Royal Commentaries of the Incas*.

7 *The Ancient Civilizations of Peru*, p.237.

8 Juan de Batanzos, 'Suma y Narracion de los Incas', in *South American Mythology*, p.79.

9 *The Ancient Civilizations of Peru*, p.163.

10 Zecharia Sitchin, *The Lost Realms*, Avon Books, New York, 1990,

p.164に引用されている.

11 もう一人の学者，マリア・シュルタン・ド・デブネも数学的手法で取り組んだ（推論や解釈に重きをおく歴史的手法とは対照的）. ド・デブネの目的は，古代の碁盤目を再発見することであった. 碁盤目は方位に基づいてマチュピチュの遺跡の配置を決めるのに用いられていた. ド・デブネはまず，中央に45度の線が存在することを発見し，他のことも発見した.「中央の45度線と，そこから離れて位置する遺跡との間の角度を計算したところ，この碁盤目が設定された時の地球の傾き（黄道傾斜）は，ほぼ24度0分であった. これは，この碁盤目が測定を行った時（1953年）より5125年前に計画されていたことを意味している. つまり，紀元前3172年である」*The Last Realms*, pp.204-5.

■第8章

1 Professor Arthur Posnansky, *Tiahuanacu: The Cradle of American Man*, Ministry of Education, La Paz, Bolivia, 1957, volume III, p.192. Immanuel Velikovsky, *Earth in Upheaval*, Pocket Books, New York, 1977, pp.77-8も参照.「アンデスの地形およびチチカカ湖の動物相に関する調査と，この湖や同じ高原の湖の化学的調査を行った結果，この高原はかつて海面と同じ高さにあり，現在よりも3,750メートル低い位置にあったことがわかった. さらに，これらの湖は元々，海の湾の一部であったこともわかった. 過去のある時期に，高原全体が湖とともに，海の底から隆起している」

2 1993年9月17日，英国地理院のリチャード・エリソンとの個人的なやりとりより. エリソンは，*The Geology of the Western Corriera and Altiplano* と題されたBGS Overseas Geology and Mineral Resources Paper(No. 65）の著者である.

3 *Tiahuanacu*, III, p.192.

4 *Tiahuanacu*, J. J. Augustin, New York, 1945, volume I, p.28.

5 同書.

6 たとえば，H. S. Bellamy, *Built Before the Flood: The Problem of the Tiahuanaco Ruins*, Faber & Faber, London, 1943, p.57を参照.

7 同書，p.59.

8 *Tiahuanacu*, III, pp.192-6. *Bolivia*, Lonely Planet Publications, Hawthorne, Australia, 1992, p.156も参照.

9 同書. Harold Osborne, *Indians of the Andes: Aymaras and Quechuas*, Routledge and Kegan Paul, London, 1952, p.55も参照.

10 *Earth In Upheaval*, p.76.「進化論学者および地質学者の保守的な意見では，造山運動はゆっくりと進行し，変化は少しずつしか起こらないという. またこの運動は連続的に進行し，大規模に自然に隆起することは起こり得ないという. しかしティアワナコの場合，高度が変化したのは，明らかにこの都市が築かれた後であり，ゆっくりとした過程の結果ではあり得ない・・・」

11 たとえば，Ian Cameron, *Kingdom of the Sun God: A History of the*

Andes and Their People, Guild Publishing, London, 1990, pp.48-9を参照.

12 *Tiahuanacu*, II, p.91 and I. p.39.

■第9章

1 *South American Mythology*, p.87.

2 同書, p.44.

3 Antonio de la Calancha, *Cronica Moralizada del Orden de San Augustin en el Peru*, 1638, in *South American Mythology*, p.87.

4 プルタルコスの説明をよくまとめた記述が, M. V. Seton-Williams, *Egyptian Legends and Stories*, Rubicon Press, London, 1990, pp.24-9, およびE. A. Wallis Budge, *From Fetish to God in Ancient Egypt*, Oxford University Press, 1934, pp.178-83にある.

5 *From Fetish to God in Ancient Egypt*, p.180.

6 Thor Heyerdahl, *The Ra Expeditions*, Book Club Associates, London, 1972, pp.43, 295.

7 同書, p.43.

8 同書, p.295.

■第10章

1 Pedro Cieza de Leon, *Chronicle of Peru*, Hakluyt Society, London, 1864 and 1883, Part I, Chapter 87.

2 *Indians of the Andes: Aymaras and Quechuas*, p.64. *Feats and Wisdom of the Ancients*, Time-Life Books, Alexandria, Virginia, 1990, p.55も参照.

3 *Royal Commentaries of the Incas*, Book Three, Chapter one. たとえば, Orion Press版, New York, 1961 (Alain Gheerbrantによって厳密な注釈が付けられた仏語版をMaria Jolasが訳したもの), pp.49-50を参照.

4 *Bolivia*, p.156 (地図).

5 H. S. Bellamy and P. Allan, *The Calendar of Tiahuanaco: The Measuring System of the Oldest Civilization*, Faber & Faber, London, 1956, p.16.

6 アカパナの水力システムについての詳細は, *Tiahuanacu*: II, pp.69-79を参照.

7 同書, I, p.78.

8 *The Lost Realms*, p.215.

9 *Tiahuanacu*, II, pp.44-105.

10 *The Calendar of Tiahuanaco*, pp.17-18.

■第11章

1 *Tiahuanacu*, II, p.89.

2 *Collins English Dictionary*, London, 1982, p.1015. これに加えて，英国天文学会のジョン・メーソン博士は，1993年10月7日の電話インタビューで黄道傾斜を定義してくれた.「地球は地軸のまわりを回転し，地軸は地球の中心および北極と南極を通っている. 地軸は，地球の公転軌道面に対して傾いており，この傾きが黄道傾斜と呼ばれる. 黄道傾斜の現在の値は，23.44度である.」

3 J. D. Hays, John Imbrie, N. J. Shackleton, 'Variations in the Earth's Orbit: Pacemaker of the Ice Ages', in *Science*, vol. 194, No. 4270, 10 December 1976, p.1125.

4 Anthony F. Aveni, *Skywatchers of Ancient Mexico*, University of Texas Press, Iago, p.103.

5 *Tiahuanacu*, II, p.90-1.

6 同書，II, p.47.

7 同書，p.91.

8 同書，I, p.119.

9 同書，II, p.183.

10 *Myths from Mesopotamia*, (Stephanie Dalley 訳・編), Oxford University Press, 1990, p.326.

11 Alexander Polyhistor から採られた Berossus の断章. Robert K. G. Temple, *The Sirius Mystery*, Destiny Books, Rochester, Vermont, 1987の Appendix 2 pp.250-1に再録されたもの.

12 同書.

13 Jeremy Black and Anthony Green, *Gods, Demons and Symbols of Ancient Mesopotamia*, British Museum Press, 1992, pp.46, 82-3.

14 図と寸法は，*The Ancient Civilizations of Peru*, p.92から採られた.

15 同書.

16 同書.

17 Joseph Campbell, *The Hero with a Thousand Faces*, Paladin Books, London, 1988, p.145を参照.

18 同書，p.146.

19 太陽の門の暦の機能については，*Tiahuanacu: The Cradle of American Man*, volumes I-IV でポスナンスキーが十分に説明し，分析している.

20 *Quaternary Extinctions: A Prehistoric Revolution*, Paul S. Martin, Richard G. Klein 編, The University of Arizona Press, 1984, p.85.

21 同書.

22 *The Calendar of Tiahuanaco*, p.47を参照. ポスナンスキーの著書には，トクソドンについても多くの記述が見られる.

23 *Encyclopaedia Britannica*, 1991, 11:878.

24 同書，9:516. *Quaternary Extinctions*, pp.64-5も参照.

25 *The Calendar of Tiahuanaco*, pp.47-8.
26 *Tiahuanacu*, III, p.57, 133-4, and plate XCII.
27 同書, I, pp.137-9; *Quaternary Extinctions*, pp.64-5.
28 *Tiahuanacu*, II, p.4.

■第12章

1 *Tiahuanacu*, II, p.156以降; III, p.196.
2 同書, I, p.39.「水力を利用する設備と運河が長々と続いており，現在は乾いているが，元の湖底とつながっている．これらの跡もまた，この時代に湖面がティアワナコまできていたという証拠である」
3 同書, II, p.156.
4 *Bolivia*, p.158.
5 *The Ancient Civilizations of Peru*, p.93.
6 同書.
7 たとえば，Aswan の Elepantine 島にあるナイル川の水位計の上に位置する敷石に見られる．この相似点を私に指摘したのは，米国の映画製作者のロバート・ガードナーである．
8 *The Encyclopaedia of Ancient Egypt* (Margaret Burson 編), Facts on File, New York and Oxford, 1991, p.23.
9 *Tiahuanacu*, I, p.55.
10 同書, I, p.39.
11 同書, III, pp.142-3.
12 同書, I, p.57.
13 同書, I, p.56, and II, p.96.
14 *Earth in Upheaval*, pp.75-6 (クレメンス・マーカム卿を引き合いに出して）で引用されている．
15 *Tiahuanacu*, III, p.147.
16 同書.
17 David L. Browman, 'New Light on Andean Tiahuanaco', in *American Scientist*, volume 69, 1981, pp.410-12.
18 同書, p.410. ブローマンによると，「高原で野生植物を栽培植物に変えるには，解毒の技術を開発する必要がある．古代ティアワナコで常用されていた植物の大半は，何もしない状態では毒素を含んでいた．たとえばあるイモの種は，霜に強く，高地でよく育つが，同時にアルカロイド配糖体であるソラニンを多く含んでいる．さらにこのイモの種は，タンパク質を分解するのに必要な消化酵素に対する阻害物質を含んでいる．これは高地では特に好ましくない特徴だ．なぜなら高地では，酸素圧が異なり，これだけでもすでにタンパク質を分解する化学反応を妨げているからだ・・・」

これらのイモを食べられるようにするため，ティアワナコで開発された解毒技術は，保存にも役立った．実は，解毒と保存は，お互いに副産物なのだとブ

ローマンは説明する．「高地の農民は，数千年にわたり，凍結乾燥したイモ，またはチュニョと呼ばれるものを作ってきた．その手法は，冷凍し，水で漉し，太陽で乾燥させるというものだ．この手法に対して当初なされた説明は，長い期間（6年あるいはそれ以上）保存するためというものだった．しかし，現在は別の根拠を示すことができる．水で漉したり，太陽で乾燥させたりするのは，ソラニンの大部分を取り除き，余分な硝酸塩の量を少なくするために必要で，凍結乾燥したイモを調理すると，消化酵素の阻害物質が破壊されるのだ．凍結・乾燥は安全に食料を保存するということだけでなく，イモを栄養の補給源として用いるのに必須であったといえる．両方の要因が確かに存在している」

「チチカカの遺跡があるあたりで早期に栽培されていたとみられる他の植物も，同じくらいの量の毒をもっており，そのすべては，さまざまな解毒技術を用いなければ，食用に適しない．“オカ”は，シュウ酸塩を多量に含んでいる．“キノア”や“カニワ”は，シアン化水素とアルカリ性のサポニンを多量に含んでいる．“アマランス”は，硝酸塩を蓄積し，シュウ酸塩を多量に含んでいる．“ターウィ”は，有毒なアルカリ性のルピニを含んでいる．マメ科の植物は，さまざまな量のシアン化物生成グリコシド・ファセオルナティンを含んでいる．他も同様である・・・．これらのあるものは，解毒することで思いがけず，保存ができる食物となる．解毒に副産物が得られるわけである．このような副産物がない場合（たとえば“キノア”や“アマランス”，“ターウィ”），これらの植物は元から優れた保存性をもっていることが多い．このような解毒技術が発達したことに対する満足のいく説明はまだ存在しない・・・」New Light on Andean Tiahuanaco.

19 この構造の中心には，「盛り上げられた土があった．その高さは約1メートル，長さは10メートルから100メートル，幅は3メートルから10メートルである．これらの盛り上げられた土は，同じくらいの大きさの運河によって分けられ，掘り出された土で築かれている．長い間，盛り上げられた土には定期的に肥料が与えられていた．その肥料は，有機の沈泥や，窒素を豊富に含む藻であった．これらの藻は，乾期の間に運河の底からさらわれたものである．現在でも，それは行われている・・・．古い運河の沈殿物は，付近の平野の土壌よりはるかに肥沃である」

「しかし，この盛り上げられた土と運河という構造は，単にやせた土地を肥沃にするためだけではなかった．この構造は，ある利点をもつ環境を作りだしたように思われる．その利点とは，高地における生育期間を延ばし，作物が厳しい時期を生き延びるのを助けるというものだ．たとえば，この地域で頻繁に干ばつが起きるが，その間運河は，作物の生育に必要な湿度を与えた．一方，盛り上げられた土は，作物を高く上げることによって，この地域にしばしば下りる霜による被害を防いだ．さらに，運河の水は熱を蓄える一種のバッテリーのような役割を果たしたかもしれない．つまり，昼間は太陽の熱を吸収し，寒い夜にそれを放出するというものである．これは比較的暖かな空気の層を作りだし，それが生育中の作物を覆うことになる」*Feats and Wisdom of the*

Ancients, pp.56-7.

20 同書.

21 Evan Hadingham, *Lines to the Mountain Gods*, Harrap, London, 1987, p.34.

22 「アイマラ語は厳密で単純である．つまり，構文規則が常にあてはまり，コンピュータが理解できるような一種の代数的な記法で簡潔に記述できる．実際，アイマラ語は非常に規則的なので，他の言語のように自然に発生したのではなく，何もない状態から書き起こされたと考える歴史家もいる」*Sunday Times*, London, 1984年11月4日号.

23 M. Betts, 'Ancient Language may Prove Key to Translation System', *Computerworld*, vol IX, No. 8, 25 February 1985, p.30.

■第13章

1 *Mexico*, Lonely Planet Publications, Hawthorne, Australia, 1992, pp.839.

2 Ronald Wright, *Time Among the Maya*, Futura Publications, London, 1991, pp.343.

3 Friar Diego de Landa, *Yucatan before and after the Conquest* (訳と注釈はWilliam Gatesによる), Producción Editorial Dante, Merida, Mexico, 1990, p.71.

4 Joyce Milton, Robert A. Orsi and Norman Harrison, *The Feathered Serpent and the Cross: The Pre-Colombian God-Kings and the Papal States*, Cassell, London, 1980, p.64.

5 *Aztecs: Reign of Blood and Splendour*, Time-Life Books, Alexandria, Virginia, 1992, p.105の報告による.

6 同書, p.103

7 *The Feathered Serpent and the Cross*, p.55.

8 Mary Miller and Karl Taube, *The Gods and Symbols of Ancient Mexico and the Maya*, Thames & Hudson, London, 1993, pp.96.

9 *Vaticano-Latin Codex* 3738に書かれている．引用は，Adela Fernandez, *Pre-Hispanic Gods of Mexico*, Panorama Editorial, Mexico City, 1992, pp.21-2から.

10 Eric S. Thompson, *Maya History and Religion*, University of Oklahoma Press, 1990, p.332. *Aztec Calendar: History and Symbolism*, Garcia y Valades Editores, Mexico City, 1992も参照.

11 同書.

12 *Pre-Hispanic Gods of Mexico*, p.24.

13 Peter Tompkins, *Mysteries of the Mexican Pyramids*, Thames & Hudson, London, 1987, p.286.

14 John Bierhorst, *The Mythology of Mexico and Central America*,

William Morrow & Co., New York, 1990, p.134.

15 *World Mythology*, (Roy Willis編), BCA, London, 1993, p.243.

16 Stuart J. Fiedel, *The Prehistory of the Americas*, (第2版), Cambridge University Press, 1992, pp.312-13.

17 Professor Michael D. Coe, Breaking the Maya Code, Thames & Hudson, London, 1992, pp.275-6. Herbert Joseph Spindenが行った対比によると，もう少し早い日付である2011年12月24日となる. *Mysteries of the Mexican Pyramids*, p.286を参照.

18 *Mysteries of the Mexican Pyramids*, p.286.

19 *World Mythology*, p.240. *Encyclopaedia Britannica*, 1991, 9:855, および Lewis Spence, *The Magic and Mysteries of Mexico*, Rider, London, 1922, pp.49-50も参照.

■第14章

1 Juan de Torquemada, *Monarchichia indiana*, volume I. *Fair Gods and Stone Faces*, pp.37-8からの引用.

2 *North America of Antiquity*, p.268. *Atlantis: The Antediluvian World*, p.165からの引用.

3 *The Mythology of Mexico and Central America*, p.161.

4 Nigel Davis, *The Ancient Kingdoms of Mexico*, Penguin Books, London, 1990, p.152, および *The Gods and Symbols of Ancient Mexico and the Maya*, pp.141-2を参照.

5 *Fair Gods and Stone Faces*, pp.98-9.

6 同書, p.100.

7 Sylvanus Griswood Morley, *An Introduction to the Study of Maya Hieroglyphs* (introduction by Eric S. Thompson), Dover Publications Inc., New York, 1975, pp.16-17.

8 *New Larousse Encyclopaedia of Mythology*, Paul Hamlyn, London, 1989, pp.437, 439.

9 同書, p.437.

10 *Fair Gods and Stone Faces*, p.62.

11 明らかに家族関係があるだけでなく特定されていたこともある. たとえば，ボターンはケツァルコアトルの孫と幾度も呼ばれている. 征服の後まもなく，スペインの年代記編者たちに伝説を伝えたインディオたちは，イツァマナとククルカンを時々混同した. *Fair Gods and Stone Faces*, p.100.を参照.

12 *Mysteries of the Mexican Pyramids*, p.347.

13 *New Larousse Encyclopaedia of Mythology*, p.439.

14 James Bailey, *The God-Kings and the Titans*, Hodder and Stoughton, London, 1972, p.206.

15 *Fair Gods and Stone Faces*, pp.37-8.

16 16世紀の年代記編者であるベルナルディノ・デ・サハガン (Bernardino de Sahagun)によると，「ケツァルコアトルは，文明を伝える偉大な者であり，奇妙な集団を率いてメキシコにやって来た．ケツァルコアトルは，メキシコに技術を導入し，特に農業を育てた．この時代，トウモロコシは実が大きく，一度に一本しか持てないほどであったし，綿はあらゆる色のものが育ち，染める必要がなかった．ケツァルコアトルは，広く優雅な家をいくつも建て，ある種の教えを説き，その宗教は平和を育くんだ」

17 *The God-Kings and the Titans*, p.57.

18 *Mexico*, pp.194-5.

19 *The Gods and Symbols of Ancient Mexico and the Maya*, pp.185, 188-9.

20 同書.

21 *New Larousse Encyclopaedia of Mythology*, p.437.

22 *The Feathered Serpent and the Cross*, pp.52-3.

23 *New Larousse Encyclopaedia of Mythology*, p.436.

24 *The Magic and Mysteries of Mexico*, p.51.

25 *World Mythology*, p.237.

26 *New Larousse Encyclopaedia of Mythology*, p.437.

27 同書.

28 *Fair Gods and Stone Faces*, pp.139-40.

29 *The Feathered Serpent and the Cross*, pp.35, 66.

■第15章

1 数字は，*Fair Gods and Stone Faces*, p.56から.

2 同書，p.12.

3 同書，pp.3-4.

4 *Mysteries of the Mexican Pyramids*, p.6.

5 *Mexico*, p.224.

6 当時の説明が，*Mysteries of the Mexican Pyramids*, p.6に引用されている.

7 *The Magic and Mysteries of Mexico*, pp.228-9.

8 同書.

9 *Mysteries of the Mexican Pyramids*, p.7.

10 *Yucatan before and after the Conquest*, p.9. *Mysteries of the Mexican Pyramids*, p.20も参照.

11 *Yucatan before and after the Conquest*, p.104.

12 *Mysteries of the Mexican Pyramids*, p.21.

13 *Fair Gods and Stone Faces*, p.34.

14 同書.

15 *Mysteries of the Mexican Pyramids*, p.23.

16 *Yucatan before and after the Conquest*.

17 *Mysteries of the Mexican Pyramids*, p.24.

18 Diego de Duran, 'Historia antiqua de la Nueve Espana', (1585), in Ignatius Donelly, *Atlantis: The Antediluvian World*, p.200.
19 旧約聖書『創世記』, 11:1-9.
20 *Maps of the Ancient Sea Kings*, p.199で報告されている. *The God-Kings and the Titans*, p.54, および *Mysteries of the Mexican Pyramids*, p.207も参照.
21 Byron S. Cummings, *'Cuicuilco and the Archaic Culture of Mexico'*, *University of Arizona Bulletin*, volume IV:8, 15 November 1933.
22 *Mexico*, p.223. Kurt Mendelssohn, *The Riddle of the Pyramids*, Thames & Hudson, London, 1986, p.190も参照.
23 *The Riddle of the Pyramids*, p.190.
24 同書.

■第16章
1 *The Gods and Symbols of Ancient Mexico and the Maya*, p.126.
2 *Aztecs: Reign of Blood and Splendour*, p.50.
3 *Fair Gods and Stone Faces*, pp.139-40.
4 同書, p.125.
5 *Mexico*, p.637. *The Ancient Kingdoms of Mexico*, p.24も参照.
6 同書.
7 *Mexico*, p.638.
8 Matthew W. Stirling, 'Discovering the New World's Oldest Dated Work of Man', *National Geographic Magazine*, volume 76, August 1939, pp.183-218 *passim*.
9 Matthew W. Stirling, 'Great Stone Faces of the Mexican Jungle', *National Geographic Magazine*, volume 78, September 1940, pp.314, 310.

■第17章
1 *The Prehistory of the Americas*, pp.268-71. Jeremy A. Sabloff, *The Cities of Ancient Mexico: Reconstructing a Lost World*, Thames and Hudson, London, 1990, p.35. *Breaking the Maya Code*, p.61も参照.
2 *The Prehistory of the Americas*, p.268.
3 *Aztecs: Reign of Blood and Splendour*, p.158.
4 「オルメクの石の彫刻は，高度で自然主義的な立体感を達成したが，その原型は残っていない．自然であり抽象的なこの力強い表現力は，この古い文明独自のもののようだ」. *The Gods and Symbols of Ancient Mexico and the Maya*, p.15, および *The Ancient Kingdoms of Mexico*, p.55.「オルメク文化の初期の時代は謎のままである・・・．オルメク文化の特有なスタイルが生まれたのが，いつどこであったかはわかっていない」

5 *The Ancient Kingdoms of Mexico*, p.36.
6 *The Prehistory of the Americas*, p.268.
7 同書, pp.267-8. *The Ancient Kingdoms of Mexico*, p.55.
8 *The Ancient Kingdoms of Mexico*, p.30.
9 同書, p.31.
10 *The Prehistory of the Americas*, pp.268-9.
11 同書, p.269.
12 *The Ancient Kingdoms of Mexico*, p.28.
13 *The Cities of Ancient Mexico*, p.37.
14 *The Prehistory of the Americas*, p.270.

■第18章

1 *Fair Gods and Stone Faces*, p.144.
2 同書, p.141-42.
3 *Fair Gods and Stone Faces*, *passim*. Cyrus H. Gordon, *Before Columbus: Links Between the Old World and Ancient America*, Crown Publishers Inc, New York, 1971も参照.
4 たとえば, 次の本を参照. (a) Maria Eugenia Aubet, *The Phoenicians and the West*, Cambridge University Press, 1993. (b) Gerhard Herm, *The Phoenicians*, BCA, London, 1975. (c) Sabatino Moscati, *The World of the Phoenicians*, Cardinal, London, 1973.
5 このことは, 注4で挙げたすべての本でも確認することができる.
6 W. B. Emery, *Archaic Egypt*, Penguin Books, London, 1987, p.192.
7 同書, p.38. *The Egyptian Book of the Dead* (E. A. Wallis Budge訳), British Museum, 1895, 序文, pp.xii, xiii も参照.
8 John Anthony West, *Serpent in the Sky*, Harper and Row, New York, 1979, p.13.
9 *Archaic Egypt*, p.38.
10 同書, pp.175-91.
11 同書, pp.31, 177.
12 同書, p.126.
13 E. A. Wallis Budge, *From Fetish to Gods in Ancient Egypt*, Oxford University Press, 1934, p.155.

■第19章

1 たとえば, *The Encyclopaedia of Ancient Egypt*, pp.69-70, および Jean-Pierre Hallet, *Pygmy Kitabu*, BCA, London, 1974, pp.84-106を参照.
2 *The Gods and Symbols of Ancient Mexico and the Maya*, p.82.
3 同書, *The Encyclopaedia of Ancient Egypt*, pp.69-70, and *Pygmy Kitabu*,

pp.84-106.

4 同書.

5 *The Encyclopaedia of Ancient Egypt*, p.85

6 *The Mythology of Mexico and Central America*, p.148.

7 *Popol Vuh: The Sacred Book of the Ancient Quiche Maya*, (Adrian Recinosの訳からのDelia Goetz とSylvanus G. Morleyによる英語版より), University of Oklahoma Press, 1991, p.163.

8 同書, p.164.

9 同書, p.181, および *The Mythology of Mexico and Central America*, *p*.147.

10 *The Ancient Egyptian Pyramid Texts*, (R. O. Faulkner訳), Oxford University Press, 1969. 数多くの個所で, 王が星に生まれ変わることを直接的に述べている. 例えば, 248, 264, 265, 268, 570 (「私は空に輝く星だ」など) である.

11 同書, Utt. 466, p.155.

12 *The Ancient Egyptian Book of the Dead*, (R. O. Faulkner訳), British Museum Publications, 1989.

13 *Pre-Hispanic Gods of Mexico*, p.37.

14 *The Gods and Symbols of Ancient Mexico and the Maya*, pp.128-9.

15 *National Geographic Magazine*, volume 176, Number 4, Washington DC, October 1989, p.468に再録されている.「ダブル・コームはカヌーで黄泉の世界に連れて行かれる. 案内するのは『双子のこぎ手』で, この神々はマヤの神話の中で際立った存在である. 他のキャラクター(イグアナや猿, オウム, 犬) は, 死せる王につき従う」 犬がもつ神話的重要性については, 本書の第5部でさらに述べる.

16 詳細が, John Romer, *Valley of the Kings*, Michael O'Mara Books Limited, London, 1988, p.167, および J. A. West, *The Traveller's Key to Ancient Egypt*, Harrap Columbus, London, 1989, pp.282-97に再録されている.

17 古代エジプトでは, 犬は「道を開く者」ウプワウトを表し, 鳥 (鷹) はホルスを表し, 猿はトトを表す. *The Traveller's Key to Ancient Egypt*, p.284, and *The Ancient Egyptian Book of the Dead*, pp.116-30を参照. 古代の中央アメリカに関しては注15を参照.

18 *Pre-Hispanic Gods of Mexico*, p.40.

19 *The Egyptian Book of the Dead* (E. A. Wallis Budge訳), Arkana, London and New York, 1986, p.21.

20 たとえば, R. T. Rundle-Clark, *Myth and Symbol in Ancient Egypt*, Thames & Hudson, London, 1991, p.29を参照.

21 Henri Frankfort, *Kingship and the Gods*, University of Chicago Press, 1978, p.134. *The Ancient Egyptian Pyramid Texts*, *e*.g. Utts. 20, 21.

22 Robert Bauval and Adrian Gilbert, *The Orion Mystery*, Wm. Heinemann, London, 1994, pp.208-10, 270.
23 *The Gods and Symbols of Ancient Mexico and the Maya*, pp.40, 177.
24 *Maya History and Religion*, p.175.
25 Stephanie Dalley, *Myths from Mesopotamia*, Oxford University Press, 1990, p.326; Jeremy Black and Anthony Green, *Gods, Demons, and Symbols of Ancient Mesopotamia*, British Museum Press, 1992, pp.163-4.
26 *Gods, Demons, and Symbols of Ancient Mesopotamia*, p.41.
27 *Mysteries of the Mexican Pyramids*, p.169, および *The God-Kings and the Titans*, p.234.
28 *New Larousse Encyclopaedia of Mythology*, pp.53-4.
29 同書, p.54.
30 同書. *Gods, Demons and Symbols of Ancient Mesopotamia*, p.177も参照.
31 *Pre-Hispanic Gods of Mexico*, p.59; Inga Glendinnen, *Aztecs*, Cambridge University Press, 1991, p.177. *The Gods and Symbols of Ancient Mexico and the Maya*, p.144も参照.
32 *Mexico*, p.669.
33 *The Cities of Ancient Mexico*, p.53.
34 *The Ancient Kingdoms of Mexico*, p.53; *Mexico*, p.671.
35 *The Ancient Kingdoms of Mexico*, p.53-4; *The Cities of Ancient Mexico*, p.50.
36 *The Ancient Kingdoms of Mexico*, pp.54.
37 *Mexico*, pp.669-71.
38 詳しくは, *The Gods and Symbols of Ancient Mexico and the Maya*, p.17を参照.「これらの建築物は, 星に関する豊富な知識が存在したことを確認するだろう」
39 *The Ancient Kingdoms of Mexico*, p.53.
40 *Mysteries of the Mexican Pyramids*, p.350.
41 *The Ancient Kingdoms of Mexico*, pp.44-5.
42 J. Eric Thompson, *Maya Hieroglyphic Writing*, Carnegie Institution, Washington DC, 1950, p.155.

■第20章

1 *The Atlas of Mysterious Places* (ed. Jennifer Westwood), Guild Publishing, London, 1987, p.70.
2 *The Times*, London, 4 June 1994.
3 *The Atlas of Mysterious Places*, pp.68-9に引用されている.
4 同書. Michael D. Coe, *The Maya*, Thames and Hudson, London,

1991.

5 *Fair Gods and Stone Faces*, pp.94-5.

6 *The Atlas of Mysterious Places*, p.70.

7 *Time Among the Maya*, p.298.

8 *Fair Gods and Stone Faces*, pp.95-6.

9 *Mexico: Rough Guide*, Harrap-Columbus, London, 1989, p.354.

10 *The Mythology of Mexico and Central America*, p.8: *Maya History and Religion*, p.340.

11 第10章を参照.

12 E. A. Wallis Budge, *Osiris and the Egyptian Resurrection*, The Medici Society Ltd., 1911, volume II, p.180.

13 John. L. Stephens, *Incidents of Travel in Central America, Chiapas and Yucatan*, Harper and Brothers, New York, 1841, vol II, p.422.

14 第12章を参照.

■第21章

1 *Popol Vuh*, p.167.

2 同書, pp.168-9.

3 同書, p.169.

4 同書.

5 旧約聖書『創世記』, 3:22-4.

6 *Popol Vuh*, Introduction, p.16. *The Magic and Mysteries of Mexico*, p.250以降も参照.

7 *Popol Vuh*, pp.168-9.

8 同書.

9 J. Eric Thompson, *The Rise and Fall of Maya Civilization*, Pimlico, London, 1993, p.13.

10 Diego de Landa の *Yucatan before and after the Conquest* に対するウィリアム・ゲイツの注 (p.81).

11 これはDresden Codexからの証拠である. たとえば, *An Introduction to the Study of Maya Hieroglyphs*, p.32を参照.

12 *The Maya*, p.176, および *Mysteries of the Mexican Pyramids*, p.291, および *The Rise and Fall of Maya Civilization*, p.173.

13 *Mysteries of the Mexican Pyramids*, p.287.

14 *The Maya*, p.173.

15 *The Rise and Fall of Maya Civilization*, pp.178-9.

16 *The Maya*, p.173に引用されている.

17 *World Mythology*, p.241.

18 *The Maya*, p.176.

19 *The Rise and Fall of Maya Civilization*, p.170, および *Mysteries of the*

Mexican Pyramids, p.290.
20 *The Rise and Fall of Maya Civilization*, p.170.
21 同書, 170-1.
22 同書, 169.
23 *Breaking The Maya Code*, p.275.
24 同書, pp.9, 275.
25 José Arguelles, *The Mayan Factor: Path Beyond Technology*, Bear and Co., Santa Fe, New Mexico, 1987, pp.26, および *The Gods and Symbols of Ancient Mexico and the Maya*, p.50.
26 *The Rise and Fall of Maya Civilization*, pp.13-14, 165.
27 *Encyclopaedia Britannica*, 12:214.
28 *The Rise and Fall of Maya Civilization*, p.168.

■第22章

1 *Pre-Hispanic Gods of Mexico*, pp.25-6.
2 同書, pp.26-7.
3 *Ancient America*, Time-Life International, 1970, p.45, および *Aztecs: Reign of Blood and Splendour*, p.54, および *Pre-Hispanic Gods of Mexico*, p.24.
4 *The Ancient Kingdoms of Mexico*, p.67.
5 *Beyond Stonehenge*, pp.187-8.
6 *Mysteries of the Mexican Pyramids*, pp.220-1に引用されている.
7 同書.
8 Hugh Harleston Jr, 'A Mathematical Analysis of Teotihuacan', XLI International Congress of Americanists, 3 October 1974.
9 Richard Bloomgarden, *The Pyramids of Teotihuacan*, Editur S. A. Mexico, 1993, p.14.
10 *Mysteries of the Mexican Pyramids*, p.215.
11 同書, pp.266-9.
12 *The Ancient Kingdoms of Mexico*, p.67.
13 *Mysteries of the Mexican Pyramids*, p.221.
14 *The Orion Mystery*.
15 同書.
16 Bernardino de Sahagun. *Mysteries of the Mexican Pyramids*, p.23に引用されている.
17 *Mexico: Rough Guide*, p.216.
18 *The Atlas of Mysterious Places*, p.158.
19 *Pre-Hispanic Gods of Mexico*, p.24.
20 *The Ancient Egyptian Pyramid Texts*, Utt. 667A, p.281.
21 *The Ancient Kingdoms of Mexico*, p.74; *The Traveller's Key To*

Ancient Egypt, pp.110-35.
22 たとえば，Ahmed Fakhry, *The Pyramids*, University of Chicago Press, 1969を参照.
23 *Mysteries of the Mexican Pyramids*, pp.230-3.
24 同書.
25 *The Prehistory of the Americas*, p.282.
26 *Mysteries of the Mexican Pyramids*, pp.11-12.
27 同書.
28 同書，p.213.
29 同書.
30 *The Ancient Kingdoms of Mexico*, p.72.
31 *Mysteries of the Mexican Pyramids*, pp.271-2.
32 同書，p.232.
33 同書，p.272.
34 同書.

■第23章

1 *Mysteries of the Mexican Pyramids*, p.202.
2 同書. *The Pyramids of Teotihuacan*, p.16.
3 *The Pyramids of Teotihuacan*, p.16.
4 *Encyclopaedia Britannica*, 8:90, および *The Lost Realms*, *p*.53.
5 *The Pyramids of Teotihuacan*, p.16.
6 *Mexico: Rough Guide*, p.217.
7 *Mysteries of the Mexican Pyramids*, p.252.
8 *Encyclopaedia Britannica*, 9:415.
9 I. E. S. Edwards, *The Pyramids of Egypt*, Penguin, London, 1949, p.87.
10 同書.
11 同書，p.219.
12 *Mysteries of the Mexican Pyramids*, p.55.
13 *The Pyramids of Egypt*, pp.87, 219.
14 *The Ancient Kingdoms of Mexico*, p.74.
15 *Mexico*, p.201; *The Atlas of Mysterious Places*, p.156.
16 ステッチーニの業績が記されている中で最も入手しやすいものは，次の本の補遺内にある. この補遺はステッチーニが書いた. Peter Tompkins, *Secrets of the Great Pyramid*, pp.287-382.
17 *The Traveller's Key to Ancient Egypt*, p.95を参照.
18 *Secrets of the Great Pyramid*, p.378のステッチーニが書いた補遺. 大ピラミッドの周囲の長さは，円弧の1.5分にちょうど等しい. *Mysteries of the Mexican Pyramids*, p.279を参照.

19 *The Pyramids of Teotihuacan*, p.20.
20 *Mysteries of the Mexican Pyramids*, pp.335-9.
21 同書.
22 *The Riddle of the Pyramids*, pp.188-93.
23 *The Prehistory of the Americas*, p.281. *The Cities of Ancient Mexico*, p.178 および *Mysteries of the Mexican Pyramids*, pp.226-36も参照.

■第24章

1 *The Epic of Gilgamesh*, Penguin Classics, London, 1988, p.61.
2 同書, p.108.
3 同書, および *Myths from Mesopotamia*, p.110.
4 *Myths from Mesopotamia*, pp.112-13; *Gilgamesh*, pp.109-11, および Edmund Sollberger, *The Babylonian Legend of the Flood*, British Museum Publications, 1984, p.26.
5 *Gilgamesh*, p.111.
6 同書.
7 旧約聖書 『創世記』の第6章, 第7章, 第8章からの抜粋.

> 主は人の悪が地にはびこり，すべてその心に思いはかることが，いつも悪い事ばかりであるのを見られた．主は地の上に人を造ったのを悔いて，心を痛め，・・・そこで神はノアに言われた，「わたしは，すべての人を絶やそうと決心した．彼らは地を暴虐で満たしたから，わたしは彼らを地とともに滅ぼそう・・・わたしは地の上に洪水を送って，命の息のある肉なるものを，みな天の下から滅ぼし去る．地にあるものは，みな死に絶えるであろう．

主はノアとその家族だけを救おうとしていた．(主は彼らに，生き残るための大きな船を造るように命じた．その大きさは，長さ135メートル，幅22メートル，高さ14メートルである)．そして，このヘブライ人の太祖に対して，すべての生き物からひとつがいずつ集めるように命じた．これらの生き物も共に生き残るようにするためである．そして主は，洪水を起こした．

> ちょうどその同じ日に，ノアは，ノアの息子たちハム，ヤペテ，またノアの妻と息子たちの妻といっしょに箱舟に入った．彼らといっしょに，あらゆる種類の獣，あらゆる種類の家畜，あらゆる種類の地をはうもの，あらゆる種類のニワトリ，あらゆる種類の鳥が，みな入った．こうして，いのちの息のあるすべての肉なるものが，2匹ずつ箱舟の中のノアのところに入った．入ったものは，すべての肉なるものの雄と雌であって，神が命じられたとおりであった．それから，主は，戸を閉ざされた．
>
> それから，大洪水が地の上にあった．水かさが増していき，箱舟を押し上げたので，それは地から浮かび上がった．水はみなぎり，地の上に大いに増し，箱舟は水面を漂った．天の下にある高い山々は，すべておおわれた．・・・こうして，すべての人やすべての生き物は消し去られた．ただノ

アと，彼といっしょに箱舟にいたものたちだけが生き残った．

やがて，「第7の月の17日に，箱舟はアララテの山の上に至り，そこにとどまった．水は第10の月まで，ますます減り続けた」

> 40日の終わりになって，ノアは，自分の造った箱舟の窓を開き，カラスを放った．するとそれは，水が地から乾ききるまで，出たり戻ったりしていた．また，彼は水が地の面から引いたかどうかを見るために，鳩を彼のもとから放った．しかし鳩は，その足を休める場所が見あたらなかったので，箱舟の彼のもとに帰って来た．水が全地の面にあったからである．
>
> それからなお7日待って，再び鳩を箱舟から放った．鳩は夕方になって，彼のもとに帰って来た．すると見よ．むしり取られたオリーブの葉がそのくちばしにあるではないか．それで，ノアは水が地から引いたのを知った．・・・そこでノアは外に出た．・・・ノアは，主のために祭壇を築き，祭壇の上で全焼のいけにえをささげた．主は，そのよい香りをかがれ・・・

8 *Maya History and Religion*, p.332.

9 Sir J. G. Frazer, *Folklore in the Old Testament: Studies in Comparative Religion, Legend and Law* (簡略版), Macmillan, London, 1923, p.107.

10 ノルマンが *Contemporary Review* に記したもの．*Atlantis: The Antediluvian World*, p.99に引用されている．

11 *Popol Vuh*, p.90.

12 同書，p.93.

13 *New Larousse Encyclopaedia of Mythology*, p.440; *Atlantis: the Antediluvian World*, p.105.

14 *Folklore in the Old Testament*, p.104.

15 *New Larousse Encyclopaedia of Mythology*, p.445.

16 *Folklore in the Old Testament*, p.105.

17 同書，p.101.

18 John Bierhorst, *The Mythology of South America*, William Morrow & Co., New York, 1988, p.165.

19 同書，pp.165-6.

20 *New Larousse Encyclopaedia of Mythology*, p.426.

21 *Folklore in the Old Testament*, pp.111-12.

22 *New Larousse Encyclopaedia of Mythology*, p.431.

23 同書，pp.428-9; *Folklore in the Old Testament*, p.115. ここではミチャボにあたるキャラクターは，Messouと呼ばれている．

24 Lyndによる *History of the Dakotas* から．これは *Atlantis: the Antediluvian World*, p.117に引用されている．

25 Frederick A. Filby, *The Flood Reconsidered: A Review of the Evidences of Geology, Archaeology*, Ancient Literature and the Bible, Pickering and Inglis Ltd., London, 1970, p.58. アンドレは，著名なドイ

ツの地理学者および人類学者である．洪水の伝説についてのアンドレの論文は，J．G．フレーザー（*Folklore in the Old Testament*，pp.46-7 において）によって次のように評されている．「健全な学識と優れた感覚のモデルであり，最高の明瞭さと簡潔さで書き進められている・・・」

26 Charles Berlitz，*The Lost Ship of Noah*，W．H．Allen，London，1989，p.126で報告されている．

27 *World Mythology*，pp.26-7.

28 同書，p.305.

29 *Folklore in the Old Testament*，p.81.

30 同書．

31 *World Mythology*，p.280.

32 E．Sykes，*Dictionary Of Non-Classical Mythology*，London，1961，p.119.

33 *New Larousse Encyclopaedia of Mythology*，pp.460，466.

34 C．Kerenyi，*The Gods of the Greeks*，Thames & Hudson，London，1974，pp.226-9.

35 同書．

36 *World Mythology*，pp.130-1.

37 *The Gods of the Greeks*，pp.226-9.

38 *World Mythology*，pp.130-1.

39 *New Larousse Encyclopaedia of Mythology*，p.362.

40 同書，*Satapatha Brahmana*，(Max Muller 訳)．*Atlantis: the Antediluvian World*，p.87に引用されている．

41 同書．*Folklore in the Old Testament*，pp.78-9も参照．

42 *Encyclopaedia Britannica*，1991，7:798. *The Big Veda*，Penguin Classics，London，1981，pp.100-1.

43 *The Encyclopaedia of Ancient Egypt*，p.48.

44 *The Egyptian Book of the Dead* のテーベの校訂本より．*From Fetish to God in Ancient Egypt*，p.198に引用されている．

45 『旧約聖書　創世記』，6:11-13.

46 『新約聖書　ペテロの第2の手紙』3:3-10.

47 H．Murray，J．Crawford et al．，*An Historical and Descriptive Account of China*，第2版，1836，volume I，p.40を参照．G．Schlegel，*Uranographie chinoise*，1875，p.740も参照．

48 Warren，*Buddhism in Translations*，p.322.

49 同書．

50 Dixon，*Oceanic Mythology*，p.178.

51 *Worlds in Collision*，p.35.

52 *Encyclopaedia Britannica*，6:53.

53 *World Mythology*，p.26．ホピ族が伝える世界破壊の神話の詳細については，

Frank Waters, *The Book of the Hopi*, Penguin, London, 1977を参照.

■第25章

1 *The Bundahish Chapters* I, XXXI, XXXIV. William F. Warren, *Paradise Found: The Cradle of the Human Race at the North Pole*, Houghton, Mifflin and Co., Boston, 1885, p.282に引用されている.

2 *Vendidad*, Fargard I. Lokamanya Bal Gangadhar Tilak, *The Arctic Home in the Vedas*, Tilak Publishers, Poona, 1956, pp.340-1に引用されている.

3 *Vendidad*, Fargard II. *The Arctic Home in the Vedas*, pp.300, 353-4に引用されている.

4 *New Larousse Encyclopaedia of Mythology*, p.320.

5 West, *Pahlavi Texts* Part I, p.17, London, 1880.

6 同書, および Justi, *Der Bundahish*, Leipzig, 1868, p.5.

7 *The Arctic Home in the Vedas*, p.390以降.

8 *The Mythology of South America*, pp.143-4.

9 同書, p.144.

10 *Popol Vuh*, p.178.

11 同書, p.93.

12 *The Mythology of Mexico and Central America*, p.41.

13 *Maya History and Religion*, p.333.

14 第24章を参照.

15 同上.

16 *National Geographic Magazine*, June 1962, p.87.

17 *The Mythology of Mexico and Central America*, p.79.

18 *New Larousse Encyclopaedia of Mythology*, p.481.

19 *The Mythology of all Races*, Cooper Square Publishers Inc., New York, 1964, volume X, p.222.

20 特に Hyginus が書いたものを参照. これは *Paradise Found*, p.195に引用されている. *The Gods of the Greeks*, p.195も参照.

21 *The Illustrated Guide to Classical Mythology*, p.15-17.

22 イランのブンダイシュは次のように述べている.「惑星は空を走り, 宇宙全体に混乱が起きた」.

23 *The Illustrated Guide to Classical Mythology*, p.17.

24 *Folklore in the Old Testament*, p.101.

25 *Maya History and Religion*, p.336.

26 *The Mythology of South America*, pp.140-2.

27 *New Larousse Encyclopaedia of Mythology*, pp.275-7.

28 *Maya History and Religion*, p.332.

■第26章

1 Roger Lewin, *Human Evolution*, Blackwell Scientific Publications, Oxford, 1984, p.74.

2 Donald C. Johanson and Maitland C. Eddy, *Lucy: The Beginnings of Humankind*, Paladin, London, 1982. 特に pp.28, 259-310.

3 Roger Lewin, *Human Evolution*, pp.47-49, 53-6; *Encyclopaedia Britannica*, 6:27-8.

4 *Human Evolution*, p.76.

5 *Encyclopaedia Britannica*, 1991, 18:831.

6 *Human Evolution*, p.76.

7 同書, p.72.

8 同書, p.73.

9 同書, p.73, 77.

10 *Encyclopaedia Britannica*, 1991, 12:712.

11 *Path of the Pole*, p.146.

12 同書, p.152, および *Encyclopaedia Britannica*, 12:712.

13 John Imbrie and Katherine Palmer Imbrie, *Ice Ages: Solving the Mystery*, Enslow Publishers, New Jersey, 1979, p.11.

14 同書, p.120, および *Encyclopaedia Britannica*, 12:783, および *Human Evolution*, p.73.

■第27章

1 Charles Darwin, *The Origin of Species*, Penguin, London, 1985, p.322.

2 *Quaternary Extinctions*, pp.360-1, 394.

3 Charles Darwin, *Journal of Researches into the Natural History and Geology of Countries Visited during the Voyage of HMS Beagle Round the World*; entry for 9 January 1834.

4 *Quaternary Extinctions*, pp.360-1, 394.

5 同書, pp.360-1; *The Path of the Pole*, p.250.

6 *Quaternary Extinctions*, p.360-1.

7 同書, p.358.

8 Donald W. Patten, *The Biblical Flood and the Ice Epoch: A Study in Scientific History*, Pacific Meridian Publishing Co., Seattle, 1966, p.194.

9 *The Path of the Pole*, p.258.

10 David M. Hopkins et al., *The Palaeoecology of Beringia*, Academic Press, New York, 1982, p.309.

11 Professor Frank C. Hibben, *The Lost Americans*. *The Path of the Pole*, p.275以降に引用されている.

12 F. Rainey, 'Archaeological Investigations in Central Alaska', *American Antiquity*, volume V, 1940, p.307.

13 *Path of the Pole*, p.275以降.

14 *The Biblical Flood and the Ice Epoch*, p.107-8.

15 A. P. Okladnikov, 'Excavations in the North' in *Vestiges of Ancient Cultures*, Soviet Union, 1951.

16 *The Path of the Pole*, p.255.

17 A. P. Okladnikov, *Yakutia before its Incorporation into the Russian State*, McGill-Queens University Press, Montreal, 1970.

18 *The Path of the Pole*, p.250.

19 *The Biblical Flood and the Ice Epoch*, p.107. 探検家であるラグネルは，ベア島 (Medvizhi Ostrova) の土は砂と氷とマンモスの骨しか含んでおらず，マンモスの骨が大量にあったことから，この島における主要な存在はマンモスであったとした．シベリア本土のツンドラには，極地の低木よりもマンモスの牙の方が多く点在していたという．

20 Georges Cuvier, *Revolutions and Catastrophes in the History of the Earth*, 1829.

21 *Path of the Pole*, p.256に引用されている．

22 Ivan T. Sanderson, 'Riddle of the Quick-Frozen Giants', *Saturday Evening Post*, 16 January 1960, p.82.

23 *Path of the Pole*, p.256.

24 同書，p.256. 冬の温度はマイナス56度まで下がる．

25 同書，p.277.

26 同書，p.132.

27 R. S. Luss, *Fossils*, 1931, p.28.

28 G. M. Price, *The New Geology*, 1923, p.579.

29 同書．

30 *Earth In Upheaval*, p.63.

31 *Path of the Pole*, p.133, 176.

32 *The Evolving Earth*, Guild Publishing, London, 1989, p.30.

33 *Ice Ages: Solving the Mystery*, p.64.

34 *Path of the Pole*, pp.132-5.

35 同書, p.137. 氷河期から間氷期への大きな変動が，約11,000年前に起こった．この気温の変化は「急激かつ突然」であった (*Polar Wandering and Continental Drift*, Society of Economic Paleontologists and Mineralogists, Special Publication No. 10, Tulsa, 1953, p.159)．約12,000年前に起きた劇的な気候の変化は，C. C. Langway and B. Lyle Hansen, *The Frozen Future: A Prophetic Report from Antarctica*, Quadrangle, New York, 1973, p.202でも報告されている．*Ice Ages*, pp.129, 142, および *Quaternary Extinctions*, p.357も参照．「大西洋と，赤道付近の太平洋の海底から採取され

た地層資料の中の酸素同位体の比率を分析すると，氷河が拡大した最後の10万年は，約12,000年前に「突然」終わったことがわかる．氷は非常に急速に溶け，海面の急速な上昇をもたらした・・・．陸地にある化石は複雑な様相をみせており，当時植物や動物の種が大規模に移動したこと，特に，以前氷河に覆われていた地域に向かって移動していることがわかる．急速な気候変化の間に，アメリカ大陸では多種にわたる動物が絶滅したが，このことは，花粉と小動物の化石からわかる」

36 *Ice Ages*, p.129.

37 *Path of the Pole*, p.137.

38 「相対的な変化は，冷たい水に住むプランクトン種の有孔虫と，暖かい水に住むプランクトン種の有孔虫の相対的な量の変化によって示される．絶対的な変化は，酸素同位体の比率によって動物相を決定することで得られる」. *Polar Wandering*, p.96.

39 この時期まで，ニューシベリア諸島は説明のつかない暖かい気候にあったことを読者は思い出すかもしれない．注目に値することは，北極海の他の多くの島々も，氷河による影響を長い間受けなかったことだ．(たとえばバフィン島では，ハンノキと樺の木の化石が泥炭の中に残っており，比較的暖かな気候が少なくとも 3万年前から17,000年前まで続いていたことを示している．またグリーンランドの大部分は，氷河期の間，氷に覆われていなかったことが分かっている．*Path of the Pole*, p.93, 96.)

40 *The Biblical Flood and the Ice Epoch*, p.114, および *Path of the Pole*, pp.47-8.

41 *Ice Ages*, p.11.　*Biblical Flood and the Ice Epoch*, p.117, および *Path of the Pole*, p.47.

42 *Ice Ages*, p.11.　*Biblical Flood and the Ice Epoch*, p.114.

43 *Path of the Pole*, p.150.

44 *Path of the Pole*, pp.148-9, 152, 162-3.　北アメリカで氷河が最大に広がったのは17,000年前から16,500年前の間であり，地質学者は次のような発見をした．「広葉樹の葉や針葉樹の葉，果実」が約15,300年前にマサチューセッツ州で繁っていた．「ニュージャージー州で氷河の堆積物の上に沼が発達したのは，少なくとも16,280年前である．これは，氷河の前進が止まったすぐ後である」．「オハイオ州では，約14,000年前のものとみられる氷河期後の標本が存在する．これはトウヒの木で，森が存在したことを示している．こうした森が育つまでには，少なくとも，数千年はかかったに違いない．これはいったい何を意味しているのか？　これは，オハイオにおいて最大時に少なくとも2キロメートルの厚さに達したとみられる氷冠が，同州のデラウェア郡からたったの数世紀で消えたということではないだろうか？」
同様に「ソビエト連邦のイルクーツク地方では，14,500年前までには，退氷が完了し，氷河期後の生命が定着した．リトアニアでは，15,620年前には新たな沼が発達していた．これらの二つの時期を合わせて考えると示唆に富んでいる．

沼は森よりも速く発達する．しかし，まず氷が消滅していなければならない．だが，相当な量の氷があったのだ」

45 *Ice Ages*, p.11, *Biblical Flood and the Ice Epoch*, p.117, *Path of the Pole*, p.47.

46 R. F. Flint, *Glacial Geology and the Pleistocene Epoch*, 1947, pp.294-5.

47 同書，p.362.

48 *Earth in Upheaval*, p.43，および一般的に pp.42-4.

49 同書，p.47. Joseph Prestwich, *On Certain Phenomena Belonging to the Close of the Last Geological Period and on their Bearing upon the Tradition of the Flood*, Macmillan, London, 1895, p.36.

50 *On Certain Phenomena*, p.48.

51 同書，p.25-6.

52 同書，p.50.

53 同書，p.51-2.

54 J. S. Lee, *The Geology of China*, London, 1939, p.370.

55 *Polar Wandering*, p.165.

56 J. B. Delair and E. F. Oppe, 'The Evidence of Violent Extinction in South America', in *Path of the Pole*, p.292.

57 *Encyclopaedia Britannica*, 1:141.

58 Warren Upham, *The Glacial Lake Agassiz*, 1895, p.240.

59 *Human Evolution*, p.92.

60 同書．*Quaternary Extinctions*, p.375も参照．

61 *Human Evolution*, p.92.

■第28章

1 *Hamlet's Mill*, pp.57-8.

2 数字は，*Encyclopaedia Britannica*, 1991, 27:530から．

3 同書．

4 J. D. Hays, John Imbrie, N. J. Shackleton, 'Variations in the Earth's Orbit, Pacemaker of the Ice Ages', *Science*, volume 194, No. 4270, 10 December 1976, p.1125.

5 *The Biblical Flood and the Ice Epoch*, pp.288-9. 15兆マイル（24兆キロメートル）は，150億マイル（240億キロメートル）の1,000倍に等しい．

6 *Ice Ages*, pp.80-1.

7 *Earth in Upheaval*, p.266.

8 *New York Times*, 1951年4月15日号．

9 Berossus, Fragments.

10 Skyglobe 3.6.

11 Roberta S. Sklower, 'Predicting Planetary Positions', appendix to

Frank Waters, *Mexico Mystique*, Sage Books, Chicago, 1975, p.285以降.

12 *Earth in Upheaval*, p.138.

13 *Biblical Flood and the Ice Epoch*, p.49.

14 数字は, *Encyclopaedia Britannica*, 1991, 27:530から.

15 同書.

16 *Path of the Pole*, *p*.3.

17 Jane B. Sellers, *The Death of Gods in Ancient Egypt*, Penguin, London, 1992, p.205.

18 Skyglobe 3.6.

19 正確な数字は, *The Death of Gods in Ancient Egypt*, p.205から.

■第29章

1 *Hamlet's Mill*, p.59.

2 同書, p.58.

3 *Encyclopaedia Britannica*, 1991, 5:937-8. *The Death of Gods in Ancient Egypt*, p.205も参照. ここに正確な数字である 50.274 が記されている.

4 *Hamlet's Mill*, p.7.

5 同書, および *Death of Gods in Ancient Egypt*.

6 *Hamlet's Mill*, p.65.

7 同書, p.345.

8 同書, p.418.

9 同書, p.245.

10 同書, p.132.

11 同書, pp.4-5, 348.

12 同書, p.5.

■第30章

1 Livio Catullo Stecchini, 'Notes on the Relation of Ancient Measures to the Great Pyramid', in *Secrets of the Great Pyramid*, pp.381-2.

2 Martin Bernal, *Black Athena: The Afroasiatic Roots of Classical Civilization*, Vintage Books, London, 1991, p.276.

3 第25章で, すでに次のことを述べた. 世界の樹イグドラシルが破壊されなかった様子, 人類の先祖たちがその幹の中に隠れ, 古い世界の廃墟から新しい世界が現れるのを待った様子, これらを読者は思い出すだろう. 中央アメリカのいくつかの神話でも, 世界的な大洪水のことが語られていて, その生き残りたちはこれとまったく同じ手段を採っているが, これが純粋に「偶然」である可能性はどれだけあるだろうか? このような神話における結びつきや重複は, 歳差運動のテーマと世界的な大災害との間で非常によくみられる.

4 *Hamlet's Mill*, p.7.

5 *Grimnismol* 23, the Poetic *Edda*, p.93. *Death of Gods in Ancient Egypt*, p.199, および *Hamlet's Mill*, p.162, および Elsa Brita Titchenell, *The Masks of Odin*, Theosophical University Press, Pasadena, 1988, p.168 で引用されている.

6 *Hamlet's Mill*, p.232-3.

7 同書, p.231.

8 *Yucatan before and after the Conquest*, p.82.

9 たとえば, *The God-Kings and the Titans*, p.64を参照. 次のことも関連があるかもしれない.「バカブたち」の神話の別のものは,「バカブたちがわずかでも動くと, 地球は震え, 地震さえ起こる」と語っている.(*Maya History and Religion*, p.346.)

10 *Hamlet's Mill*, p.2.

11 同書.

12 *Grottasongr*, 'The Song of the Mill', in *The Masks of Odin*, p.198.

13 同書, p.201.

14 同書. *Hamlet's Mill*, p.89-90に引用されている.

15 同書, p.2.

16 同書.

17 同書, p.232.

18 同書, p.204.

19 『オデュッセイア』(Rouse 訳), 20:103-19.

20 Trimalcho in Petronius. *Hamlet's Mill*, p.137に引用されている.

21 John Milton, *Samson Agonistes*, 1:41.

22 『旧約聖書』士師記, 16:25-30.

23 日本の神話では, サムソンにあたる人物はスサノオと呼ばれている. Post Wheeler, *The Sacred Scriptures of the Japanese*, New York, 1952, p.44 以降を参照.

24 わずかに違った形で *Popol Vuh* に, 双子とその400人の付き人の説明として現れる(第19章参照). Vucub-Caquix の息子であるズィプカナは, 400人の若者が, 家の梁にしようと大きな丸太を引きずっているのを見る. ズィプカナは難なくその木を持ち上げ, 梁を支える柱のために掘られた穴のところまで運んでいく. 若者たちはズィプカナを穴に落として殺そうとするが, ズィプカナは逃れて家を崩し, 家は若者たちの頭上に落ち, 皆死んだ. *Popol Vuh*, pp.99-101.

25 マオリの伝説では, サムソンにあたる人物は Whakatu として知られる. 次の本 Sir George Grey, *Polynesian Mythology*, London, 1956(第1版1858), p.97 以降を参照.

26 *Hamlet's Mill*, pp.104-8に引用されている.

27 同書, p.111.

28 同書, 233.

29 同書, 312.

30 James Mooney, 'Myths of the Cherokee', Washington, 1900. *Hamlet's Mill*, pp.249, 389, および Jean Guard Monroe and Ray A. Williamson, *They Dance in the Sky: Native American Star Myths*, Houghton Mifflin Co., Boston, 1987, pp.117-18に引用されている.

31 *The Gods and Symbols of Ancient Mexico and the Maya*, p.70.

32 *Hamlet's Mill*, p.33に引用されている.

33 Homer, *The Odyssey*, Book 17.

34 『旧約聖書』士師記, 15:4.

35 Saxo Grammaticus, in *Hamlet's Mill*, p.13.

36 同書, p.31.

37 同書, pp.7, 31.

38 *World Mythology*, p.139. 次のことも注目すべきだろう.「サムソンと同様, オリオンは盲目だった・・・星座の神話の中で唯一の盲目の人物である」. *Hamlet's Mill*, pp.177-8を参照.

39 Mercer, *The Religion of Ancient Egypt*, London, 1946, pp.25, 112.

40 同書. *Death of Gods in Ancient Egypt*, *p*.39.「古代のエジプト人は, オリオンとオシリスを同一とみなしていたことが知られている」

41 Wapwewet あるいは Ap-uaut とも記される. たとえば, E. A. Wallis Budge, *Gods of the Egyptians*, Methuen and Co., London, 1904, vol II, pp.366-7を参照.

42 *The Egyptian Book of the Dead*, Introduction, p.L.

43 同書. このように臼はどこにも姿を現さないが, 古代エジプトの浮き彫りの多くは, オシリス神話の二人の主要な登場人物（ホルスとセット）が, 一緒に巨大な「ドリル」を回すところを描いている. ドリルもまた歳差運動の古典的な象徴である. *Hamlet's Mill*, p.162.「回すのが, ホルスとセットであろうとナイルの神々であろうと, この特徴は, ずっと『二つの国の合併』の象徴であると間違って解釈されている」

第31章

1 *The Death of Gods in Ancient Egypt*, author biography.

2 たとえば, Robert Bauval, *The Orion Mystery*, pp.144-5によって.

3 *The Death of Gods in Ancient Egypt*, p.174.

4 この用語は, ジェーン・セラーズが作ったもの. セラーズは, オシリス神話の中に埋め込まれた歳差運動の計算を発見した人物でもある.

5 *The Egyptian Book of the Dead*, Introduction, p.XLIX.

6 *The Death of Gods in Ancient Egypt*, p.204に引用されている.

7 同書.

8 同書, pp.125-6以降. *The Ancient Egyptian Pyramid Texts* も参照.

9 *Death of Gods in Ancient Egypt*, p.205.

10 同書.

11 同書.
12 同書, p.196.
13 *Skywatchers of Ancient Mexico*, p.143.
14 *Hamlet's Mill*, pp.162-3. *Atlas of Mysterious Places*, pp.168-70も参照.
15 たとえば, *Feats and Wisdom of the Ancients*, Time-Life Books, 1990, p.65を参照.
16 Ananda K. Coomaraswamy and Sister Nivedita, *Myths of the Hindus and Buddhists*, George G. Harrap and Company, London, 1913, p.384.
17 *Hamlet's Mill*, p.162.
18 *Rig Veda*, I:164. *The Arctic Home in the Vedas*, p.168に引用されている.
19 Frances A. Yates, *Girodano Bruno and the Hermetic Tradition*, the University of Chicago Press, 1991, p.93.
20 AMORC, San Jose, Californiaからの1994年11月の個人的通信による.
21 Leon Comber, *The Traditional Mysteries of the Chinese Secret Societies in Malaya*, Eastern Universities Press, Singapore, 1961, p.52.
22 同書, p.53.
23 Gustav Schlegel, *The Hung League*, Tynron Press, Scotland, 1991 (first published 1866), Introduction, p.XXXVII.
24 より完全な詳細について, *The Hung League* および J. S. M. Ward, *The Hung Society*, Baskerville Press, London, 1925 (in three volumes)を参照.
25 W. J. Wilkins, *Hindu Mythology: Vedic and Puranic*, Heritage Publishers, New Delhi, 1991, p.353.
26 同書.
27 同書.
28 同書.
29 同書, pp.353-4.
30 同書, p.354.
31 同書, p.247.
32 この複雑な家族関係の詳細については, *Egyptian Book of the Dead*, Introduction, p.XLVIII以降を参照.
33 *The Gods of the Egyptians*, volume II, p.366.
34 *The Traveller's Key to Ancient Egypt*, p.71.
35 *Gods of the Egyptians*, II, p.367.
36 *Hamlet's Mill*, p.2.
37 *Egyptian Book of the Dead*, *Introduction*, p.XLIX-LI.
38 同書.
39 *Hamlet's Mill*, pp.32-4.

40 同書，p.33.

41 同書，p.119.

■第32章

1 洪水の神話の詳細については，第24章を参照のこと．歳差運動に関するいろいろな一致が，つながりがないはずの神話の間でも起きている．臼を所有したり，臼を動かしたり，臼を破壊してしまう登場人物たち，兄弟に甥と叔父の関係，復讐や近親相姦という題材，物語から物語へ音もなく通り過ぎる犬，歳差運動の動きを計算するのに必要な正確な「数字」・・・これらすべてはあらゆる場所で姿を現し，文化を超え，時代を超え，時間の急速な流れに乗って広まっている．

2 *Diodorus Siculus*, Book I, 14:1-15, translated by C. H. Oldfather, Loeb Classical Library, London, 1989, pp.47-9.

3 Galileo. *Hamlet's Mill*, p.10で引用されている．

4 *Ice Ages*; John Imbrie et al., 'Variations in the Earth's Orbit: Pacemaker of the Ice Ages' in *Science*, volume 194, No. 4270, 1976年12月10日号．

5 *Hamlet's Mill*, pp.138-9.

6 'Variations in the Earth's Orbit: Pacemaker of the Ice Ages'

訳者略歴／大地　舜

青山学院大学卒。米国のオピニオン誌『新展望』東京特派員。世界最大の政治コラム「グローバル　ビューポイント」（ロサンゼルス・タイムス・シンジケート）東京特派員。訳書に『大統領の戦争』(実業之日本社)、『右脳開発法』(実業之日本社)、『インナーセックス』(実業之日本社)、『人生のささやかな真理』（実務教育出版）などがある。

神々の指紋　上

1996年 2 月29日　初版第 1 刷発行
1996年10月25日　初版第15刷発行

著　者　グラハム・ハンコック
訳　者　大地　舜
発行人　速水浩二
発行所　株式会社　翔泳社
〒150　東京都渋谷区神宮前3-14-12
出版局編集部　03-5411-3032
出版局営業部　03-5411-3020
組　版　株式会社　キャナルコンピュータプリント
印刷・製本　大日本印刷株式会社

ISBN4-88135-348-9　C0022